За чужими
окнами

Читайте повести и рассказы
Марии Метлицкой
в серии «За чужими окнами»

Мария Метлицкая

Кровь *не вода*

Москва
2015

УДК 821.161.1-31
ББК 84(2Рос=Рус)6-44
М54

Художественное оформление серии *П. Петрова*

Метлицкая, Мария.

М54   **Кровь не вода** / Мария Метлицкая. — Москва : Издательство «Э», 2015. — 320 с. — (За чужими окнами. Проза М. Метлицкой и А. Борисовой).

ISBN 978-5-699-84699-3

До какого предела можно идти на жертвы ради близких? Как, живя ради других, не потерять себя? Или жертвенность на то и жертвенность, чтобы отдавать без остатка? Вопросы эти каждый решает для себя.

Для Эллы такой вопрос и не стоял — она, кажется, родилась для того, чтобы служить близким. А вот Эмма, ее сестра, всегда считала, что никому ничего не должна. Жила взахлеб, не оглядываясь, всегда зная, что есть Элла — безответная, верная, покорная. На которую можно положиться, которая всегда подставит плечо.

И кто в итоге счастлив? Тот, кто брал, или тот, кто отдавал? Тот, кому есть что вспомнить, или тот, кто в жизни так ничего и не увидел? Неужели чистая совесть и верность родственным узам стоят жизни, которой, по сути, и не было?

УДК 821.161.1-31
ББК 84(2Рос=Рус)6-44

ISBN 978-5-699-84699-3

Кровь не вода

Все сложилось удачно — просто на редкость. Два родных брата, Семен и Илья, родившиеся один за другим с разницей в полтора года, с первых дней жизни были неразлейвода. Ссор не было, скандалов и разборок — тем более. Родители не могли нарадоваться на своих дружных мальчишек: игрушки не делят, друг другу всегда уступают, стоят друг за дружку горой и каждый готов взять вину брата на себя. Жили скудно, как, впрочем, почти вся страна. Отец — инженер на заводе, мать — учительница труда в школе. Обычные люди, рядовая семья. И внешне вполне заурядные. В кого получились красавцы мальчишки? Загадка природы. Рослые, широкоплечие, темноглазые и черноволосые — загляденье и гордость родителей. Учились тоже вполне сносно — правда, старший, Семен, был стопроцентным гуманитарием, а младший, Илья, — технарем.

Женились рано и тоже почти одновременно — даже просто смешно! Как нарочно, — говорила мать Раиса Матвеевна. На втором курсе МАИ Илья привел в дом милую девочку, свою однокурсницу Галочку. Скромная Галочка по вкусу пришлась абсолютно всем — даже Семен, слегка огорченный этим известием (ревность, конечно, а что же еще?), от Галочки был в полном восторге.

Она и вправду была очень милой — тихой, воспитанной, скромной и, главное, сразу, с первой минуты, искренне полюбила родителей мужа, признав за свекровью непререкаемый авторитет и хозяйку.

Разместились так — в «задней» комнате, бывшей прежде родительской спальней, сделали «молодежный альков» — так острил новоиспеченный муж. Галочка при этом сильно краснела. А в большой, проходной, где раньше спали братья, теперь проживали мать с отцом и Семен.

Ничего, никто не ворчал — народ тогда был не так избалован, да и две комнаты в большой коммуналке на Петровских линиях, в самом центре, — разве так плохо?

А месяцев через семь в родительский дом явился Семен, держа за руку симпатичную высокую голубоглазую девушку, и представил ее своей невестой.

Девушку звали Наташей, но очень скоро она превратилась в Тусю и осталась ею навеки.

Квартирный вопрос стал острее — как разбираться, чтоб без обид? Девушки были без площади — Галочка из подмосковного Серпухова, а Наташенька, Туся, вообще из Свердловска.

За семейным ужином было принято мудрое и справедливое решение — в «алькове» спать поочередно. Два через два. Молодые смутились — самую малость, все посмеялись и на этом тему закрыли.

Туся и Галя сдружились сразу и навсегда. Единственное, что омрачало их дружбу, была небольшая, ну, самую малость, скрытая, невидимая борьба,

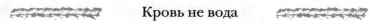
нет, скорее соревнование, за любовь свекрови. Но та, умница, невесток не разделяла — хвалила обеих, подарки покупала равнозначные — Галочке синюю кофточку, Тусеньке — красную. И поровну говорила ласковые слова.

И любила их одинаково, потому что девочки были чудесные — так она с гордостью рассказывала про них знакомым и родственникам: «Как нам повезло!» И вправду, повезло.

Альковные пересменки не заставили долго ждать последствий, и через несколько месяцев — так же дружно, как жили, — невестки объявили о своих беременностях.

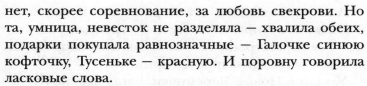

С разницей в три месяца родились девочки, двоюродные сестры. Похожие на отцов и друг на друга, ну прямо сестры родные. Эмма и Элла.

Разумеется, жизнь стала труднее и суматошней: молодые мамаши — студентки. Папаши — туда же. Места стало меньше, а шума, наоборот, больше. Младенцы исправно орали. Особенно старшая, Эмма. Дочь Ильи и Галины.

Но скандалов по-прежнему не было — воспитывать девочек стали дружно, подменяя друг друга, по очереди бегали на молочную кухню и выгуливали дочек на улице — никто в спор не вступал, все честно делили обязанности, не разделяя, кто брат, а кто сват.

Бабушка девочек работу, конечно, бросила и пришла на подмогу. Девочки жили так же дружно, как и их молодые родители, — просто не могли жить друг без друга. Только... Ссорились иногда — вернее, чем-то бывала недовольна строптивая Эмма. Но младшая, Элла, всегда уступала, и ссора заканчивалась, едва начавшись.

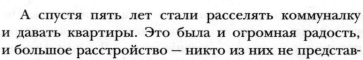

А спустя пять лет стали расселять коммуналку и давать квартиры. Это была и огромная радость, и большое расстройство — никто из них не представлял, как будут жить друг без друга.

Уехали в Новые Черемушки, тогда еще почти загород. Квартиры дали в соседних домах — однокомнатную родителям в доме напротив и по двухкомнатной молодым. В одном подъезде. Второй и третий этаж. Друг над другом.

Нет, это, конечно же, все-таки огромное счастье — и это счастье все ощутили почти моментально, в первый же день.

Было просторно, тихо и, главное, — все свое! И кухня, и ванная, и туалет. И спальня, конечно.

Бегали друг к другу в гости раз по пять на день — посмотреть, какую кушетку купили Илья с Галочкой. А польский журнальный столик и кресла на дистрофичных ногах достали Семен и Туся. А мама Рая (так звали свекровь обе невестки) напекла пирогов — и тут же все дружно бежали к родителям.

До смешного — квартиры, точнее, обстановка в квартирах, были почти одинаковые. Разумеется, дело тут было и в скудном ассортименте — поди достань что-нибудь эдакое!

И все же — занавески, не сговариваясь, купили одного тона. Кухонный гарнитур — тоже. А когда сошлись, как братья, сервизы — тут всем стало смешно.

Зайдя к брату, шутник Илья начинал растерянно оглядываться по сторонам.

— Я, братцы, вроде бы дома? А тогда почему Туська на кухне?

Девочки, конечно же, гуляли в одном дворе, играли попеременно в обеих квартирах — но Эмма любила

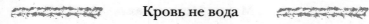 

больше «ходить в гости» к сестре — там интереснее и игрушки чужие! Свои она немного жалела. И в садик отправились вместе. Жизнь совсем наладилась, все были рядом и почти вместе, но у каждого был свой угол, и стало больше покоя. А так — да все оставалось почти на местах: все любили друг друга по-прежнему и всегда приходили на помощь. По первому зову.

В семьях царили лад и любовь. Родители старели, сыновья мужали, а внучки росли. И ничто не омрачало жизни — ничто серьезное и, не приведи господи, страшное.

Потом старики вышли на пенсию, стали прибаливать, а дружные снохи по очереди забегали прибраться, принести продукты и приготовить обед.

Приобщали девчонок — отнести бабуле с дедулей молока или хлеба, свежую газету или еще теплый яблочный пирог.

Элла бежала тут же, а Эмма начинала капризничать:

— Пусть идет Элка. Ей ближе на целый этаж!

Братья трудились, понемногу поднимались по служебной лестнице, копили на автомобили и отпуска, в которые, разумеется, тоже ездили вместе.

Невестки все так же были дружны, да не просто дружны, а куда глубже и больше — считали друг друга сестрами. Конечно, родными. И правда, куда уж родней?

Эмма и Элла, проснувшись, начинали перестукиваться по батарее — у них даже был свой «язык», азбука Морзе: два стука коротких — быстро позавтракать и ко мне! Три: есть дела, и встретимся позже, к обеду. Ну а четыре: ох, все отменяется — например, едем в Серпухов к бабушке (Эмма) или на вокзал встречать свердловский утренний — передача от Тусиной мамы.

Разлуку — даже короткую — переживали.

Ну, и кто-то поспорит, что все сложилось удачно? Какие прекрасные семьи! Точнее, семья.

Семен получил дачный участок, и дачу строили вместе, общими силами, ни минуты не думая о том, что владельцем участка и дома являются старшие дети — как по-прежнему называли их старики.

Отпуск в то лето был отменен — все средства вкладывались в строительство дома. Жены не роптали и не канючили — понимали, что девочки будут на воздухе. Да и старики, разумеется, тоже.

Мечтали о походах в лес и на речку, о шашлыках и песнях под гитару, о яблоках из собственного сада и самоваре по вечерам — обычные мечты горожанина, возводящего свой нехитрый и милый дом. Дачу. Как жить в Москве и ее не иметь? Невозможно — умные люди уже понимали.

Так все и было в дальнейшем — дом наконец закончили. Сад посадили. И привезли девочек с бабушкой и дедушкой, вместе. Три комнатки внизу, на первом этаже — «девчачья» и родительская, общая, типа столовой-гостиной, и две малюсенькие спаленки на втором этаже — метров по шесть. Галка с Ильей и Семен с Тусей. Все одинаково, и всем поровну.

Девочки, Эмма и Элла, дачную жизнь обожали — купание в речке, велосипеды, костры. И, разумеется, компании. Мальчики.

Никто ни разу не задал вопроса — родные ли сестры Эмма и Элла? Это было так очевидно, что и в голову бы не пришло усомниться. Они и вправду так были похожи между собой, что и сомнений не возникало — конечно, родные!

Худенькие, мелкие (в бабушку, в бабушку), узенькие, остролицые, черноглазые и буйно-кудрявые, точно из одного инкубатора, как шутили родители.

Дружили они по-прежнему, так плотно, так крепко, что жизнь друг без друга было сложно представить. Один сад, одна школа, одни каникулы на двоих. Одни бабушка с дедушкой.

Вот только характеры разные. Эмма, дочь Ильи и Галины, была явным лидером и заводилой. А Элла, сестра, подчинялась беспрекословно и, кажется, была из тех, кто получает от этого удовольствие.

Эмма, конечно, была побойчее во всем и порешительнее. Она с удовольствием руководила любыми процессами — будь то игра или детские шкоды. Кстати, не всегда безобидные. Так, однажды, девочкам было лет восемь, Эмма предложила сестре «подушиться бабулиными духами». Духи с большой осторожностью были изъяты из бабулиной комнаты и, разумеется, оприходованы. Сестры поднялись на чердак и там открыли украденный флакончик. Не беда, что пузырек с драгоценной влагой упал и разбился, беда была в том, что у Эллы открылся жестокий приступ удушья — с той поры она и вошла в когорту отчаянных аллергиков.

Эмма испугалась, увидев, как сестра синеет, хватает ртом воздух и падает без сознания.

Пару минут она раздумывала, распахнув окно и спустив с несчастной бретельки от сарафана, но

ничего не изменилось — Элле становилось все хуже, она отчаянно хрипела и пыталась взывать о помощи.

Эмма подхватила ее под мышки и стащила по лестнице вниз практически волоком — на большее сил не хватило.

Наконец обезумевшая от страха Эмма бросилась к взрослым. На счастье, в доме был димедрол, и Илья влил девочке ампулу в рот. Вызвали «Скорую», и, слава богу, тогда пронесло.

На чердак, где и были разлиты духи, взрослые не поднимались и продолжали пытать девочек, что они съели или понюхали.

«Нам надо знать причину приступа! — взывали родители. — Что вы скрываете? Поймите, важно лишь то, что явилось причиной удушья!»

Было обещано, что ругать их не будут — ни-ни! Что поймут, что произошло все случайно и виноватых нет. Но сестры молчали. Молчала Эмма, опустив голову, и молчала несчастная Элла, поймав строгий, предупреждающий взгляд сестры: мы молчим, поняла? Смотри!

Увещевания, просьбы, требования и угрозы не помогли — девочки так же молчали.

Их уложили спать и собрали семейный совет. Что делать? Как узнать причину и почему они так боятся открыться?

Наутро они снова молчали, как партизанки перед врагами. И было принято решение сестер наказать. Что это значило в условиях дачи? Да многое! Речка и лес — под запретом. Вечерние костры на просеке тоже. Велосипеды — туда же. Даже любимые книги запрещены. Не говоря уже о телевизоре и кино в старом клубе. Разрешалось — только учебники,

 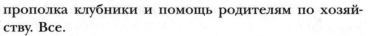

прополка клубники и помощь родителям по хозяйству. Все.

На какой срок? «Да пока вы не расколетесь», — объявил суровый Семен, невзирая на мольбы женщин и отца, дедушки, сидящего с валидолом.

А они молча выслушали суровый приговор, и Эмма кивнула:

— С чего начинать?

— В смысле? — не понял дядька.

— С прополки или со стирки носков?

Взрослые переглянулись, тяжело вздохнув, и разбрелись по делам.

Обнаружилось все через пару дней, когда Галочка поднялась за чем-то на пресловутый чердак.

Запах там стоял еще крепкий, и она сразу все поняла.

Теперь девиц терзали вопросами: «Почему украли? Почему побоялись сказать?»

С Эммой долго беседовали родители — по очереди и вместе. Объясняли, что жизнь любимой сестры была под угрозой. Пытались понять, почему — почему — они боялись открыться? Разве их били когда-нибудь? Разве сурово наказывали? Откуда эта ложь и этот страх?

— Страшно не то, что вы смогли украсть. Хотя это тоже ужасно. Страшно то, что твоя сестра могла умереть. Ты меня слышишь? — пытался достучаться до дочери Илья.

Эмма стояла молча и разглядывала свои сандалеты.

Наконец отец не выдержал, подошел к дочери и сильно встряхнул ее за плечи.

Она подняла на него лицо, посмотрела внимательно, с интересом и вовсе без страха и тихо произнесла:

— Попробуй только ударь!

Отец вздрогнул, мать заплакала, а Эмма вздохнула и вышла за дверь.

А вот родители Эллы впервые задумались. Точнее, перепуганная мать накручивала растерянного отца, справедливо обвиняя во всем племянницу.

Он молчал, а потом рявкнул:

— Да хватит! Я понял. Только ты не поняла, что *она* мне такая же дочь, как и Элла!

— Я понимаю! — шепотом, оглянувшись, словно боясь, что их услышат, ответила Туся. — Только... Только теперь я ее боюсь. Понимаешь? Не знаю, что можно от нее дальше ждать!

Расстроенный муж махнул рукой и вышел на крыльцо покурить.

Именно с того дня, хотя, казалось бы, все скоро было забыто, отношения между братьями и их женами изменились.

Был еще случай — девочки подобрали одноглазого бездомного котенка, плешивого и блохастого. Взять в дом котенка не разрешили — конечно же, в частности, из-за того, что пушистые животные были противопоказаны Элле.

Котенка было велено немедленно отнести обратно и категорически про него забыть.

Эмма ослушалась — котенка они пристроили к соседке, сердобольной бабуле, и бегали его мыть, чесать и кормить. Кончилось все блохами — и это,

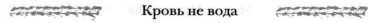 

слава богу, была самая мелкая из возможных неприятностей.

Когда открылась и эта ложь, снова поднялся скандал. «Опять вранье и непослушание! Опять риск для здоровья Эллы! Как ты могла?» — все дружно орали на Эмму, а она, подняв свои невинные глаза, успела промолвить:

— А что, я одна? Я одна туда ходила и мыла его?

Тут к ней подлетел дядька и дал ей затрещину. Отец негодницы побледнел, а мать закричала:

— Не трогай ребенка!

Братья и их жены не разговаривали неделю. Между собой беседы сводились к тому, что надо разъехаться, потому что... Ну, все понятно!

Родители Эммы оправдывали ее, повторяя ее же слова: «А что, Элла совсем без мозгов?»

А родители Эллы уже стали прямо-таки бояться племянницы — с такой, как она... Словом, да все, что угодно!

Но лето подошло к концу, а до следующего было так далеко, что про разъезд думать пока не хотелось.

С дачи в тот год уезжали смурные, сконфуженные, потерянные. Все понимали, что их рай, их семейный очаг почти безвозвратно разрушен. И прошлых отношений, скорее всего, не вернуть.

А девочки по-прежнему дружили, ходили в один класс и вместе делали уроки — теперь было принято решение, что заниматься они будут у бабушки.

Элла школу не то чтобы любила — нет. Но уважала. Учителей, авторов учебников, классные часы

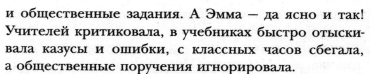

и общественные задания. А Эмма — да ясно и так! Учителей критиковала, в учебниках быстро отыскивала казусы и ошибки, с классных часов сбегала, а общественные поручения игнорировала.

Была еще одна неприятная история в школе — группка отчаянных троечников и примкнувшая к ним парочка заядлых двоечников и отставал решили уничтожить классный журнал. Почему-то в эту историю оказалась втянута Эмма. Почему-то именно она вызвалась вынести пресловутый журнал из здания школы.

Журнал она вынесла легко, а вот где спрятать — вопрос. Элла была не в курсе этой гнусной истории. Легкомысленная Эмма сунула журнал под кровать. Заметьте — под Эллину кровать, не под свою! Не специально, ни в коем случае. Просто пришла после школы к Элке — тетка в тот день напекла пирожков, ну, и сунула журнал под кровать. А потом про него и забыла.

Вечером Туся взялась подмести — тут-то пропажа и обнаружилась. Дома был страшный скандал — бедную Эллу пытали родители. Но при виде ее отчаяния и искренних слез до отца наконец дошло.

— А Эмма у нас сегодня была? — нахмурив лоб, спросил он.

Жена и дочь уставились на него.

— Да, а что? — спросила жена.

— А при чем тут Эмма? — удивилась Элла.

Мать и отец в одну и ту же секунду с тяжелым вздохом посмотрели на дочь и абсолютно синхронно покрутили указательными пальцами у виска.

— Да-а-а! — протянул Семен. — Ну ты, дочь моя... Просто нет слов!

А в восемь утра, несмотря на слезы и крики дочери, Семен, взяв под мышку журнал, отправился в школу. Прямо к директору — строгой и очень принципиальной Маргарите Петровне.

Элла взбежала на третий этаж.

— Эмка, спасайся! Они все узнали, и отец пошел в школу!

Эмма дрогнула, быстро кинула вещи в рюкзак и у двери обернулась.

— Я... спрячусь пока. Ну, пока все не утихнет.

Махнула рукой и быстро сбежала по лестнице.

— Где спрячешься? — выкрикнула сестра.

Но вопрос остался без ответа.

Дело раздули огромное — директриса орала, что Эмма будет отчислена. Потому что всем надоела!

Илья и Семен стояли в ее кабинете и предлагали все — ремонт в школе на общественных началах. Покупку кинопроектора в кабинет биологии. Новые шторы на первый этаж.

Директриса качала головой и молчала — видимо, прикидывала.

Потом вздохнула.

— Я знаю, у вас очень приличные семьи. Мне даже вас жаль. Но! Вы должны понимать, что совершено преступление. Украден серьезный документ. Украден с целью сожжения. Что делать мне? Подскажите. Я же должна на это *отреагировать*!

Тут в кабинет ворвались рыдающие мамаши, и сердце Железной Марго не выдержало...

А вот Эмма пропала. Искали ее с милицией. Нашли к вечеру следующего дня — наконец кто-то сообразил поехать на дачу. Ворвались в дом, где Эмма безмятежно и крепко спала.

Была прощена, разумеется, — ребенок жив и здоров! А все остальное...

Только поздно вечером, перед сном, отец зашел к Элле.

— Ну, — спросил он, — ты хоть что-нибудь поняла? Дочь отвернулась к стене.

— Зачем ты пошел в школу, папа? Зачем ты все обнародовал? Я ведь, — тут она всхлипнула, — я ведь могла его пронести обратно! Аккуратно! И положить в ящик стола. А ты? Ты все испортил!

Семен тяжело вздохнул и погладил ее по голове.

— Нет, — сказал он, — не поняла. Ничего ты не поняла, моя дорогая! Она ведь... совершила *два* ужасных поступка. Первое — украла журнал, а второе — то, что она предала тебя, любимую сестру! Не предупредив, просто подкинула тебе этот чертов журнал! А ты... — снова вздох, — а ты, Элка, опять все простила! И снова бросилась ее спасать и вытаскивать... Ох, детка! Как же непросто тебе будет жить!

Он поправил дочери одеяло, погасил ночник и вышел из комнаты.

На душе было очень погано. Так погано, что... Да что говорить! И еще — злость на Элку. Даже больше, чем на племянницу. Такие дела.

Элла училась слабее сестры — чуть-чуть, но слабее. Эмме давалось все так легко и просто, что уже к классу седьмому она поняла — зубрить ей не нужно. Сочинения Эммы зачитывались вслух, контрольные по математике она сдавала первой, а стихотворения заучивала после второго прочтения.

Элле, чтобы не отстать от сестры, надо было стараться. Очень стараться и много трудиться.

Эмма звала ее во двор или в кино, а Элла, ненавидя весь мир, готовила уроки.

Она понимала, что если вдруг безнадежно отстанет от Эммы, для родителей это будет крах надежд и позор.

В девятом классе Эмма закурила, стала красить ресницы и кокетничать с мальчиками. У нее завязался роман — с самым ярким и красивым мальчиком школы. Девицы недоумевали — как некрасивая Эмма могла округить нашего принца?

Могла. Еще как! Боря ходил за ней по пятам, носил портфель и ждал по утрам у подъезда.

Эмма выскакивала из дома, стаскивала с головы вязаную шапку, распахивала пальто, кидала ему тощий портфель — зачем самой таскать эту тонну учебников? — и, прищурив узкие глаза, спрашивала:

— Ну? Куда? Предлагай!

Боря пожимал плечами и нараспев, чуть заикаясь, предлагал программу:

— Кино? Кафе-мороженое? Или в Сокольники? А может, в парк Горького?

Школу прогуливали нещадно, почти через день. А бедная Элла сестру прикрывала, врала, что та то болеет, то сидит с больной бабушкой.

В конце учебного года Эмма попалась. Боря от страху свалился с высокой температурой, боясь всего и сразу — учителей, своих родителей, родителей Эммы. Но больше всего — саму Эмму.

Эмма звонила ему и смеялась:

— Что, струсил? Ну, ты и гад, Борьчик! А я напишу на тебя. Боишься? Отправят тебя, милый, в колонию. Лет эдак на пять!

Обо всем этом кошмаре знала только сестра. На заднем дворе они, усевшись на ящик от марокканских апельсинов, обнявшись от страха, сидели по нескольку часов, не зная, что делать.

Эмма закуривала и тут же бежала в кусты. Элла рыдала, словно это она залетела от Борьчика.

Потом рыдали вместе, и Элла повторяла один и тот же вопрос:

— Что делать, Эмка? Что делать? Нас же убьют. Растерзают. Просто порвут на куски!

— А при чем тут ты? — начинала смеяться Эмма, вытирая горючие слезы. — Ты-то тут при чем, дурочка?

Элла, нахмурившись, вдруг призналась сестре:

— Ты... только не смейся! Меня тоже... тошнит. Эмма покрутила пальцем у виска и помотала головой:

— Ну, ты даешь, Элка! Совсем дура, что ли?

Наконец вопрос был решен — старшая сестра Борьчика, двадцатилетняя студентка-медичка, выслушав брата, взялась помочь. Рано утром Элла и Эмма отправились к черту на кулички, в Медведково, в какую-то больницу, где их приняла пожилая врачиха. Она внимательно оглядела сестер, строго спросив:

— Обе?

Сестры дружно замотали головами, и Эмма, глубоко вздохнув, громко сказала:

— Я! — и сделала шаг вперед.

Врачиха кивнула — ей-то вообще все равно, — и повела ее через аварийную лестницу, грязную и заплеванную, усеянную окурками, в какую-то комнату, где велела раздеваться и ждать, бросив ей на колени огромный вытертый серый больничный халат.

Эмма разделась, села на табуретку и стала ждать. Ей было так холодно и так страшно, что захотелось сбежать. Она плакала, не вытирая слез, и они, сильные, мощные, как река, текли по ее шее, ключицам и маленькой груди — горячими густыми ручейками.

Потом она вспоминала, что никогда больше так не ревела. Никогда! И ни при каких обстоятельствах.

Скоро за ней пришла нянечка, сунула в руки серую с дырками пеленку и зло бросила:

— Ступай за мной. — Но тут же вздохнула, словно пожалела девчонку, и добавила: — Горемыка!

Они шли по пустому, холодному и гулкому коридору, и нянька все бормотала, что от мужиков одни беды, а она такая тощая да сопливая, и туда же! Под поезд! Прям чешется у вас там, у идиоток таких! Вот теперь и расхлебывай...

Потом был кабинетик, маленький, с замазанным белой краской окном, и та врачиха в перчатках и в маске — Эмма ее не сразу узнала.

Та вколола ей в вену укол, и последнее, что она слышала, было звяканье металлического инструмента и грубый окрик:

— А ну, раздвигай! Умеешь, небось? Или забыла?

Очнулась она от страшной боли внизу живота — болело так, что она громко, в голос застонала. Казалось, что там, внутри, кто-то продолжает кромсать ее железными ножницами — со злорадным упорством.

Она открыла глаза и увидела, что она в палате, на узкой койке, а на соседней спит толстая женщина — спит крепко и громко храпит.

Потом пришла врачиха, пощупала ей живот, положила на него пузырь со льдом, посмотрела на часы и сказала:

— Лежишь еще час. Потом встаешь и уходишь. Тем же путем. Деньги сейчас. Поняла?

Эмма вытащила из сумки двадцать пять рублей одной сиреневой бумажкой, сунула врачихе и, отвернувшись к стене, сказала:

— Спасибо.

— Рада была угодить, — усмехнулась та и ушла.

Через час Эмма оделась и медленно пошла по пустынному коридору на улицу.

Выйдя на задний двор, она увидела Эллу. Та сидела на перевернутом ящике и плакала. Увидев сестру, заревела сильней.

А Эмма подошла к ней и спокойно сказала:

— Дай закурить!

Закурив, с усмешкой посмотрела на громко всхлипывающую сестру и спросила:

— А ты чего ревешь, дурочка? Все уже позади. Поняла? Все уже *хорошо*!

Но до «хорошо» было как до луны. Уже в такси Эмма «промокла» — лило из нее как из ведра.

Элла испуганно умоляла вернуться в больницу. Эмма молчала и подкладывала под себя куртку.

Из машины выскочили и быстро побежали в подъезд — не дай бог шофер увидит, «как мы все загадили».

Отдышались только в квартире — родители, слава богу, были на даче: пятница, вечер.

Эмма, постанывая, лежала в постели и покрикивала на испуганную сестру:

— Ну, и чего ты психуешь? Подумаешь — кровь! Все-таки операция, милая! Бескровных операций еще никогда не было.

 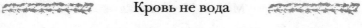

К вечеру поднялась температура, и было уже очевидно, что нужно ехать в больницу.

Элла рыдала в голос и умоляла позвонить «хотя бы кому-нибудь».

— Кому? — железным голосом холодно осведомилась сестра. — Может быть, маме с отцом? Или бабуле? А, деду! Вот деду — давай!

Позвонили сестре горе-любовника. Та прибежала к приезду «Скорой», и ослабевшую Эмму наконец увезли.

Ну, а там все по схеме — повторная чистка и приговор: детей — никогда! Даже не думайте.

Всю ночь Элла просидела у постели сестры. Эмма, казалось, спокойно спала. Но была бледнее простыни и вздрагивала, постанывая во сне, словно ей снился кошмар.

Элла поила ее водой и снова тихо скулила. Под утро Эмма открыла глаза, спокойно оглядела сестру и спросила со вздохом и раздражением, широко зевнув:

— А-аа, ты? Снова ревешь? Ну, а теперь-то что? Видишь — живая, — снова зевок, — не подохла! Ну... или — полуживая, — она усмехнулась.

— Эммочка, милая! — запричитала сестра. — Они ведь... сказали... что больше не будет детей!

Произнеся это, она с испугом уставилась на Эмму. Та покачала головой:

— Ну ты и дура! Не будет? И что? Что? Жизнь закончилась?

Элла испуганно и часто замотала головой.

— Нет, что ты, что ты! Конечно же нет!

— Вот именно — к тому же... — Эмма помолчала и подняла глаза на сестру: — А знаешь, я их рожать и не собиралась. Вообще! Зачем это все? Лично мне — ни к чему. Одни проблемы и хлопоты. Ну вспомни родителей. И кому из них хорошо? А мы с тобой — еще не худшие из детей. Особенно, конечно же, ты, — и она засмеялась. — Я не пример, это точно!

— Не собиралась? — шепотом повторила ошарашенная Элла. — Вообще? Никогда?

Эмма кивнула.

— У тебя что, со слухом проблемы? — И повторила — четко и по слогам: — Во-о-бще! Ни-ког-да! Поняла, наконец?

Элла кивнула.

Через неделю Эмму выписали, и все осталось шито-крыто — родители взяли тогда две недели отпуска и продолжали сидеть на даче — сентябрь, опята, да и вообще, бабье лето и «страшенная красота». «А вы, дуры, не едете!»

К приезду родителей Эмма была уже в порядке и даже предъявила испеченный яблочный пирог:

— Ну я же соскучилась!

Элла, исполнительница пирога, была счастлива — все прошло гладко, никто ничего не узнал, а что до пирога — так она готова была испечь еще сотню, только бы... Только бы не открылся обман и бедная Эмма не обнаружила перед ними всю ложь. Всю эту дикую и страшную историю.

В институты поступали, конечно, разные — Эмма сразу прошла в МАИ, по стопам родителей: они настояли. А ей было все равно — абсолютно! Говорила, что лишь бы отстали — сама она вообще не пошла бы за «верхним», а пошла бы в актрисы, ха-ха, ну или в гримеры. На худой конец — так.

А бедная Элла корпела над учебниками, а вот по конкурсу не прошла — недобрала какую-то мелочь, полтора балла.

В доме был траур и «вселенская трагедь» — рыдали все: бабушка, мама и Элла. Крепился только отец, но и он страдал отчаянно — Элка же такая умница! И такие дела!

Было решено, что Элла пойдет работать, ну а на следующий год...

Первого сентября Эмма, новоиспеченная студентка, в новом шикарном югославском брючном костюме красного цвета с золотыми пуговицами гордо стояла у входа в здание и покуривала тонкую черную заграничную сигаретку с ментолом. Настроение было прекрасное, самочувствие тоже — короче, вся жизнь впереди. А сколько еще сюрпризов в ней, в этой жизни!

На проходящих мимо парней смотрела с усмешкой, мгновенно ставя оценки — троечка, двоечка, ну-у... этот... Ладно! Тебе — четверка.

А грустная Элла плелась в детскую библиотеку Черемушкинского района — на работу. Младшим библиотекарем, график с девяти до шести и оклад шестьдесят пять рублей. Без копеек.

В библиотеке ей выделили место у двери, дуло ужасно, тут же заставили перебирать пыльные стеллажи в подвале и к четырем позвали пить чай — случайно вспомнив о ней.

Она сидела за своим столом, пила чай из чьей-то кружки с отбитым краем, закусывая печеньем «Юбилейное», которое крошилось на ее новую юбку.

За окном был серый двор с моросящим дождем, голуби на загаженном подоконнике и одинокая старуха, сидящая, словно в палатке, в огромном буром плаще и не замечавшая, казалось, дождя.

Элла тихонько плакала и тайком утирала слезу.

В те времена сестры общались, конечно же, реже — Эмма вертелась в шумном и веселом хороводе студенческой жизни, новые люди, тучи парней — институт-то технический, девок по пальцам. Ходили в кафе, в кино, собирались в пустующих квартирах и общежитиях.

Она звонила сестре — но так, коротенько, скорее для проформы, чем по зову сердца.

Элла грустила, канючила, что жизнь ее скучная и серая, работа тоскливая, тетки-сотрудницы пожилые сплетницы, почти все одинокие — изначально или разведены.

Вечерами она сидела дома, смотрела телевизор или читала. Настроение было паршивым — оно и понятно. С чего веселиться?

Она скучала по сестре, да и просто скучала. Молодая жизнь проносилась мимо нее, словно скорый поезд, без остановок — мимо, мимо! Ох, как обидно!

Эмма крутила романы, словно перелистывала

страницы не очень увлекательной книги — быстрее, быстрее, так, здесь — совсем скучно, здесь — просто тоска, дальше, дальше — может быть, там?

Однокурсницы удивлялись — такая, казалось бы... ну, не то что невзрачная, но... До красотки — ох как далеко! А рядом-то были красотки!

Очень худая, сухая, жилистая, с густыми кудрявыми короткими черными волосами, небольшими, но яркими и очень живыми глазами — кошачьими, желто-зелеными, узкими, вспыхивающими внезапно, словно карманный фонарик в темном углу. И взгляд этих узких глаз — обдающий то теплом, то холодом. Острый и умный взгляд — она привораживала к себе.

К тому же умница, языкатая, остроумная, жесткая и колючая, ее оценки всего — людей, событий, поступков — были так точны, так остроумны и ярки, что возле нее всегда были люди, маленькая толпа поклонников и почитателей.

Она любила яркие, сочные тона — красное, фиолетовое, ярко-желтое, лимонное, оранжевое или салатовое. Дешевые сережки из горного хрусталя сверкали в ее ушах ярче бриллиантов.

Преподаватели ее не любили, но при этом считались с ней и прислушивались к ее неординарным и неожиданным «выступляжам».

На вечерах она танцевала в самом центре, танцевала без устали — и снова вокруг нее была толпа и поклонники.

Самые лучшие мальчики курса, да и других курсов, старших и даже выпускных, старались познако-

миться с ней и если не «зароманиться», то хотя бы задружиться.

Многие из тех, с кем романы случались, потом становились ее друзьями — почему-то никто и не думал обидеться на коварную Мессалину, ей все прощалось легко и быстро.

На третьем курсе она наконец влюбилась. Ну и, конечно, все по сценарию — в преподавателя.

Евгений Аркадьевич Самоваров был самым красивым мужчиной на факультете. Импозантный — так про него говорили. Высокий брюнет с синими глазами и мягкой улыбкой.

В Самоварова были влюблены и студентки, и преподавательницы, и лаборантки, и уборщицы. И аспирантки, и библиотекарши — все!

Он был одинаково вежлив со всеми, галантен и в порочащих связях был не замечен.

Он был женат, и женат был давно — еще со студенчества. Имел уже взрослую дочь. Про жену его было известно мало — после института она не работала, воспитывала дочь и была жизнью довольна — никаких амбиций вообще. Говорили, что внешне она хорошенькая, но не более. Милая, чуть полноватая блондинка с голубыми глазами и пышными формами.

Самоваров был большим франтом — к зданию института ловко подкатывал на голубых «Жигулях», вылезал неспешно, с достоинством, с модным портфелем из черной замши. Вылезал и оглядывался — все ли заметили? Рубашки носил светлые, голубых оттенков, которые шли к его синим глазам и хорошо

оттеняли густые, темные, красиво подстриженные волосы.

Девицы замирали, когда он, оставив после себя шлейф хорошего одеколона, проходил мимо, приветливо кивая знакомым. Он был и вправду хорош, этот Самоваров, — придраться практически не к чему.

Да и вообще — не к чему, что говорить!

Когда Эмма влюбилась в него, она снова почувствовала острую необходимость в сестре. Конечно, а кому еще она могла рассказать о своей неземной любви? Сокурсницам? Ну естественно, нет.

Это была ее тайна, а еще больше — страшная тайна преподавателя Самоварова.

Они с Эллой сидели в темном подвале кафе, и Эмма говорила горячо, без остановки, то и дело прикуривая одну сигарету от другой, и бесконечно пила черный несладкий кофе.

— Нет, ты только подумай, — взывала она к сестре, — полюбить человека по фамилии Самоваров! Разве можно было придумать подобную пошлость?

Элла тяжело вздыхала и беспомощно разводила руками.

— Ты понимаешь, — продолжала Эмма жарким шепотом, — он вообще *не мой вариант*, вообще! — тут она сделала «страшные» глаза. — Ну, сама посуди — во-первых, он преподаватель. В этом уже есть какая-то пошлость. Женат — во-вторых. И это снова огромная пошлость.

Элла послушно кивала.

— В-третьих, нарцисс. Понимаешь? Самый типичный, банальный нарцисс. Когда он проходит мимо зеркала, я боюсь рассмеяться. Он оглядывает себя с трех сторон! Лево, право и еще, обернувшись, слегка со спины! Он поминутно поправляет волосы! Можешь себе это представить? И у него в портфеле, *с собой*, есть любимый одеколон. Разумеется, Франция. Привозной, прямо оттуда. Пахнет, конечно, роскошно. Дальше — костюм. Тоже оттуда. Говорит, что привозит из Польши — нашим не доверяет. Рубашки, галстуки — все отменное, самое модное и только импорт. И еще — ну, ты сейчас упадешь. — Она наклонилась к сестре и прошептала: — Носки. Носки тоже оттуда! — Она откинулась на спинку стула и, ожидая эффекта, спросила: — Ну? И как тебе эта картинка?

— Ну-у-у! — протянула Элла, не понимая, что нужно ответить. Осудить? Восхититься?

— Да, — Эмма снова подалась вперед, — забыла. Белье! Совсем не то, что мы видели. Ну, у отцов, например. Сатиновые, до коленей, кошмары. А здесь... Эластичные трусики белого цвета, и так облегают!.. Ну, ты поняла...

Элла, конечно, не поняла, но кивнула. На всякий случай.

А сестра продолжала:

— Элка! Это вообще наваждение. Морок какой-то. Словно заколдовали. И меня, и его! Мы — как в горячке. Ничего не понимаем, никого не видим вокруг. Ничего не слышим. Ходим с воспаленными глазами, туманом в голове и шумом в ушах. У него — то же самое. Я спрашивала его. В голове только одно — чтобы стремительно, мгновенно оказаться на необитаемом острове и... рухнуть в объятья. Замереть на минуту и — снова туда! Ну, ты поняла... — со вздохом повторила она и надолго притихла.

Элла опять не поняла ничего, но снова кивнула — на всякий пожарный. Эти разговоры, откровения

так будоражили ее душу и сердце, что после этих снова ставших такими частыми встреч она долго не могла уснуть и шла на работу с головной болью и сердечной тоской.

— Или вот! — оживлялась Эмма, припомнив что-то. — Вот, послушай. Мы ищем квартиры, любые углы, которые могут нас приютить и где мы... Ну, сама понимаешь. И нам всегда мало времени. Всегда! Хотя... Его и вправду катастрофически мало. Что там — час или два? Или даже четыре? Мне кажется, если бы нам отпустили год или два — мы не смогли бы наесться всем *этим*! Он говорит, что я — дикая кошка и что у него ничего подобного не было. Опять пошлость, да? Вот именно — пошлость! Но я все принимаю. Все от него принимаю и со всем соглашаюсь. И у меня тоже ничего подобного не было. Хотя это понятно. Все эти мальчики с их пространными разговорами о смысле жизни, они всегда робеют, эти мальчишки. Всегда. И поэтому нагоняют пафоса и делают умный вид. А у самих — потные руки! Трусливые зайцы. Во всем! А он — взрослый, поживший мужик. Ему сорок два. И бабы, как ты понимаешь, были всегда.

— Он... всегда изменял? — осторожно спросила Элла. — В смысле — жене? Что, всегда?

Эмма уставилась на нее с удивлением.

— Да какая, собственно, разница? Ты вообще о чем? Это что, нас должно волновать? Да и потом — почему такой, как он, должен достаться одной?

— Ну, а потом? — робко осмелилась поинтересоваться Элла. — Что будет дальше?

— В смысле? — нахмурилась Эмма.

— Ну... — совсем растерялась сестра, — он... разведется?

Эмма равнодушно пожала плечами и повторила:

— Разведется? Да вряд ли, наверное... Там — дочь и жена. Его, я полагаю, все это устраивает. Привычка и прочее. Дом, общий круг. Родители. Общая жизнь. А я... я — это... Ну, как объяснить? Я — тоже жизнь, но другая. Тайная, яркая, полная страсти и чувств. Наверное, так.

Элла кивнула.

— Но... Нет, я все понимаю. И все же... Что дальше? Тебе... надо замуж, — наконец выпалила она, — семью...

— Скажи еще — детей! — недобро усмехнулась та. — Семью? А зачем? Зачем все эти... — она помолчала, перебирая пальцами, — ну, эти штуки... семейные? Быт, носки и рубашки. Бигуди и крем на лице. Ночная сорочка и тапки. Завтрак и ужин. Котлеты и суп. В гости к родителям, грядки на даче. Все это — зачем? Нет, ты объясни. Приведи хоть какие-то доводы «за» против того, что я сказала!

Элла вздохнула, пожав плечами.

— Так... все живут. Бабушка с дедом, наши родители, их друзья и соседи. Разве не так? Так вроде бы надо.

— Так... Разумеется, так! Только я, — тут Эмма засмеялась, — я — это не все! Поняла? И все это «надо» лично мне *не надо* категорически! Да и потом — посмотри на наших. Давно грызутся, как мыши, раздражаются. Всегда недовольны друг другом. Пусть по пустякам, мелочам. Но... А ведь какая любовь была! Разве не так? Все просто устали — друг от друга устали. Быт заедает, проблемы. Болячки. Нехватка денег, рушатся планы, умирают желания.

— Ну, а одной? — осмелилась уточнить Элла. — Одной разве лучше? Решать проблемы, болеть? Встречать старость?

Эмма рассмеялась и махнула рукой:

— Где еще та старость? Вот именно — далеко-далеко. Вместе с болезнями. Пока до нее доползем... Вся жизнь впереди — такая огромная. Долгая жизнь! Элка! Живем мы сейчас, а не завтра. Сейчас и сегодня! Любим, страдаем, мечтаем...

Элла кивнула и слабо улыбнулась.

— Ты, наверное, права. Только...

Сестра перебила:

— Знаешь, обойдемся без «только». Сегодня мы просто — *живем!*

«Счастливая Эмка, — думала Элла, — «просто живем»! Как четко и ясно. Действительно просто. А я... я так не умею. Просто жить и получать удовольствие. Вообще не умею получать удовольствие. И где они, эти удовольствия, я просто не знаю. И будут ли?»

За сестру она переживала — добром все это не кончится. Такие связи в конце концов... приносят одни страдания. Этот Самоваров семью не бросит, а вот Эмку — наверняка. Перегорит. Сухие дрова страстей горят ярче, сильнее, но и сгорают быстрее. И что будет с Эмкой?

Все знания были из книг — а уж там все про страсти написано! Больше, чем про все остальное. Про страсти и про страдания после этих самых страстей.

Но что поделать? Эмка всегда была своевольной. Всегда самой смелой и умной. И нет для нее авторитетов — нет и не было. Сами с усами. Кого и когда она слушала, наша бесшабашная Эмка?

А на душе было муторно. От беспокойства за Эмму и еще — за свою тоскливую жизнь.

Через два года Элла поступила в Институт культуры, на библиотечный, разумеется, факультет. А все мечты про журналистику, литературную деятельность канули в Лету. Рисковать больше не захотела, сколько можно ходить в абитуриентках? Пусть хоть так, чем никак.

В институте тоже была тоска — одни девицы, озабоченные только устройством своей личной жизни. Готовы были пойти за любого, но особенно ценились военные — зарплаты приличные, а в гарнизоне для библиотекаря всегда найдется работа. Для жены.

Эммин роман продолжался. Самоваров даже умудрился съездить с ней в Ригу на конференцию — на три дня. И Эмма говорила, что они «разрушили Ригу». Потом подвернулся Краснодар, а оттуда махнули в Сочи — на три ночи, как в песне поется.

— И Сочи разрушили? — осторожно спросила Элла.

Эмма удивилась подобной остроте и подмигнула.

— А ты как думала? Сочи в руинах!

Было странно — Эмма, худющая, яркая, с горящими глазами и стремительная, стала почти красавицей — не зря говорят, мол, влюбленная женщина...

Она была похожа на кошку — гибкую, гладкую кошку, которую правильно кормили — только отборным мясом и рыбой. С блестящей, лоснящейся шерстью, с острыми, молодыми и опасными зубками.

Элла видела, как на сестру обращают внимание — в метро, в кафе и на улице.

Она гордилась сестрой — как всегда, немного завидовала ей, тоже, впрочем, как всегда. Восхищалась ею и по-прежнему бесконечно любила. Так, что отдать жизнь — пустяк!

А однажды задумалась — а любит ли ее Эмма? Ну, так же, как она ее? И тут же решила, что да. Разумеется. Только... слегка по-другому. Как умеет. Но жизнь за нее не отдаст.

Вот это — точно. На сто процентов. Категорически не отдаст. И правильно сделает. Эмма не дура.

Во время одного из своих откровений Эмма вдруг замолчала и потом, вздохнув, сказала:

— Господи, и кому я про это рассказываю! Ты ж у нас девственница!

Элла покраснела, опустила глаза и ничего не ответила.

В тот год умер дедушка. В Сочи послали телеграмму. Эмма ответила, что билеты достать не смогли — самый сезон, вы о чем, родственники?

Илья прочел ответ дочери и, вздохнув, сказал:

— Врет. Все врет. Как обычно. По таким телеграммами обеспечивают. Всегда. Это закон. Просто... не захотела свой отпуск ломать.

Все дружно вздохнули, но никаких комментариев.

Отношения с Самоваровым продолжались долго, лет восемь. За это время они много раз бурно расставались, рвали категорично и «навсегда», мучили друг друга с остервенением, упрекали, оскорбляли, но... все же держались друг друга.

Эмма давно работала в каком-то КБ, работу свою откровенно ненавидела, а вот коллектив хвалила —

 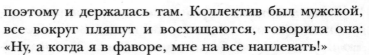

поэтому и держалась там. Коллектив был мужской, все вокруг пляшут и восхищаются, говорила она: «Ну, а когда я в фаворе, мне на все наплевать!»

Она стала еще суше, еще циничней и острей на язык. Она уже совсем не лестно говорила о своем любовнике, обвиняя его в малодушии, приспособленчестве и трусости — за столько лет ничего не решить! И это мужик?

А потом сообщила — так, между делом, что от Самоварова ушла. Точнее, бросила его. «Ну сколько же можно, Элка? Сколько лет на него угроблено — самых прекрасных! Сколько потрачено сил! И все — в никуда».

А спустя совсем немного, месяца два, Эмма сообщила, что выходит замуж. Ну? Каково?

Элла как-то видела его лет пятнадцать спустя — этого уже давно бывшего красавца, не сразу узнала и очень удивилась, признав наконец. Самоваров к тому времени ушел с кафедры, перебивался случайными заработками и выглядел потерянно и жалко. Углядела она его у мясного прилавка, где Самоваров просил взвесить ему кусок поменьше, «можно с костями».

Взволнованная Элла позвонила сестре, а та, громко позевывая, прокомментировала это так:

— Жалко? А что ты хотела? Жил человек в свое удовольствие. Ни с кем не считался. Получал все, что хотел. Вот и расплата — а что, справедливо.

— И тебе совсем его не жалко? — удивилась Элла.

Эмма снова зевнула.

— Не-а, нисколечко. Кто он мне теперь? Так, бывший знакомый.

Элла положила трубку и мысленно повторила, прикладывая эти слова к сестре: «Жил в свое удовольствие, ни с кем не считался, вот и расплата. А ты как хотела?»

Вот именно, расплата! Да что там считать чужие грехи. Эмма, по крайней мере, имела от своих прегрешений хотя бы... удовольствие, что называется! А я? И моя такая правильная и безгрешная жизнь? Коту под хвост, кобыле туда же.

Эммин муж родне представлен не был. «Много чести, — фыркнула она, — да и кому это надо?»

Через три года после смерти деда ушла и бабушка Рая. Жить «после мужа» ей совсем расхотелось. Собрали семейный совет — что делать со стариковской квартирой? Продать и поделить деньги?

Решили, что будут сдавать. Все подспорье уже немолодым отцам, получающим сущие копейки. Илья еще как-то держался в своей лаборатории, А вот институт Семена прикрыли — «за недостаточностью средств на содержание». Семен остался на улице. Помещение института было варварски раздроблено и сдано мелким фирмочкам. В те годы безработный Семен пошел работать курьером — развозил по домам лекарства. Денег было немного, но иногда давали на чай, да и времени свободного было навалом.

— Беру чаевые, — грустно шутил он, — дожил, старый дурак! Унизительно, а беру. Себя ненавижу, а в руки смотрю! А потом... сдохнуть охота.

Сложные были времена. Но на том семейном совете подала голос Эмма. Объявив, что выходит замуж, и она, именно она с мужем, переедут в квартиру бабули.

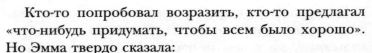

Кто-то попробовал возразить, кто-то предлагал «что-нибудь придумать, чтобы всем было хорошо». Но Эмма твердо сказала:

— Туда перееду я. Все, точка. Дебаты закончены. Вы что, обалдели? Так хоть одна из нас устроит личную жизнь!

Первым голос подал Семен, задумчиво сказав:

— А ведь детка права.

Все вздохнули и разошлись.

Свадьбы как таковой не было — Эмма плюс жених, плюс друг жениха, плюс Элла — вчетвером пошли в ресторан.

Увидев Эмминого жениха, Элла остолбенела — этот задохлик Шурик! После Самоварова, господи, даже нынешнего Самоварова! Жалкого и старого!

Шурик был и вправду смешным — маленького, почти крошечного роста, длиннорукий, как обезьяна, отчаянно кривоногий, подросткового веса, с прядями редких темных волос, прилипших к полупрозрачному темени, с «ленинским» лбом, пучеглазый, носатый и — очень веселый.

Он был похож и на гнома, и на диковинную птицу, и на старичка-лесовичка, и на сказочного волшебника (доброго или злого?). Но все же больше всего — на обезьяну. Правда, с очень умным лицом.

Эмма тут же дала ему кличку — примат.

Умный Шурик не обижался — в Эмму был страстно влюблен, а про себя все понимал.

Он был и жалкий, и несуразный, и смешной. Но взгляды он точно притягивал — любопытные и удивленные, что ли?

Было в нем что-то животное — внешность, ужимки. Все это было как-то... неприятно, но Элла

гнала эти мысли, всегда помня фразу «лишь бы человек был хороший».

Веселиться он начал с порога, развлекая сестер анекдотами — «свежачком», как он говорил.

Балагурил он весь вечер, посмеиваясь и над невестой, и над «мероприятием», и над собой.

Он был довольно остроумным, скорее очень остроумным, но... Утомлял.

Ей-богу, здорово утомлял.

Пил он много и часто, не пьянел, но вдруг отключился и уснул, откинув голову назад и широко открыв широкий губастый рот.

Эмма резко встала со стула.

— Я в туалет. Ты со мной? — коротко бросила она сестре.

Смущенная Элла тут же поднялась и засеменила следом.

У зеркала в туалете Эмма внимательно разглядывала себя. Потом долго и тщательно красила губы.

Наконец Элла не выдержала и почти выкрикнула:

— Боже мой, Эмка! Зачем тебе... все это нужно?

Эмма усмехнулась, поправляя волосы, и ответила:

— Замуж! Ты же первая говорила, что нужно замуж. Чтобы семья! Или я путаю?

Элла молчала.

— Так вот, — продолжила Эмма, — я иду *замуж*. А ты что, думаешь, у меня очередь под окном? Или я выбираю? Нет, дорогая! Мужиков, конечно, полно, — тут она снова вздохнула, — только вот... в загс никто не торопится. А этот готов. Да ты не волнуйся. Он же не всегда... балагурит. Он очень начитан, образован. Интеллектуал, каких мало. А после Самоварова, а? — который был серьезен только у зеркала. Да, кстати.

Он из прекрасной семьи. Папаша адвокат и мамаша дохтур. Квартира огромная в центре, а там.. добра! Мы с тобой такого не видели. Сплошной антиквариат. Люстры, мебель, полы. Да и вообще — я от противного. Самоваров и Шурик — по-моему, очень смешно!

— Не очень, — осмелилась вставить Элла, — по-моему, не смешно.

— И вообще, — Эмма прищурилась и посмотрела на сестру, — он мужик обалденный. Ты поняла, о чем я? Даже Самоварову фору даст, а? Как тебе? А знаешь, *какие* у него были бабы? У него, у такого урода? Не знаешь. А были — сплошные красотки. Не мне чета, Элка. Поверь! Ну, как? — повторила она.

Элле было «никак». Точнее, это снова ее смутило, встревожило и расстроило.

Друг Шурика, вялый и белесый Вадим, все время ел и помалкивал. Он был похож на спящую, вчерашнего улова, огромную снулую рыбу — с полузакрытыми глазами и нечетким, методично жующим ртом.

Он был настолько индифферентен, что казалось, попал не на свадьбу лучшего друга, а так, случайно — ну, пригласили к столу, а он не отказался, зачем, если можно поесть?

Спящего Шурика тащили втроем — он почему-то оказался страшно тяжелым. Выгрузили у входной двери, внесли в квартиру и положили на бабулин диван.

Элла пошла домой, унося с собой все свои печали — в квартире любимых людей, на родном старом диване, лежит *это*, и теперь *это* будет тут жить!

Ей почему-то совершенно расхотелось в то время

общаться с сестрой. А та и не настаивала. Почти не перезванивались, встречались пару раз случайно, у остановки. Пару фраз ни о чем и — разбегались в разные стороны.

В июне Элле выделили путевку в Одессу. Мама купила ей три летних платья, новый купальник и босоножки. Заставила сделать педикюр с ярким лаком и проводила на вокзал, бросив на прощанье странную, совсем не типичную для нее фразу:

— Ну, заинька, ты там... не теряйся! Ты меня поняла?

Элла смутилась, покраснела и была очень рада, что объявили отправление поезда.

Комнату дали на двоих, в соседки попалась бойкая харьковчанка Людмила. Людмила тарахтела без остановки — выяснилось, что она замужем, но детей не родила: «Муж шибко болен на эту тему». Мужик хороший, малопьющий и нежадный. Но и еще раз но — Людмила хотела родить. Сказала честно: «Я сюда за этим приехала».

Элла растерялась, почти испугалась — что там ждет впереди? Эта Людмила напомнила ей сестру — натиском, напором. Такие идут к своей цели прямолинейно и четко. И от планов своих не отказываются.

Но страхи оказались напрасны — соседка пойти «погулять на пару часов» не просила, возвращалась поздно, света не включала, со стуком сбрасывала босоножки, долго пила из графина воду и ложилась поверх одеяла. Долго не засыпала, вздыхала тяжело, ворочалась и успокаивалась только с рассветом.

А вместе с ней засыпала и Элла.

Город был прекрасен, но переполнен отдыхающими, на пляже было трудно отыскать свободное место, кормили отвратительно, а в магазинах продуктов не было вовсе. Элла хорошо загорела, и яркие, цветастые платья так шли ей, что она впервые застревала у зеркала с удовольствием, неведомым ранее.

А однажды к ней на скамейку подсел мужчина — внешности неяркой, заурядной, но приятной. Разговорились — о том о сем, о процедурах, питании — обычный разговор отдыхающих. Мужчина представился, сказал, что живет и работает в Калининграде. Женат и имеет двух дочерей.

Как-то сложилось, что после ужина он пригласил ее в кино, она, разумеется, пошла — без всякой задней мысли, просто от тоски и одиночества. В кино сходили, потом прогулялись по парку, посидели на скамеечке, болтая по-курортному, по-свойски.

Ну, так и повелось — Иван Александрович теперь опекал ее, занимал место в столовой и кинозале, угощал шоколадками и однажды принес букетик ночных фиалок — невзрачных, но пахших так, что кружилась голова.

Их первое и последнее интимное свидание случилось довольно скоро, день на седьмой после знакомства. Элла пошла на это намеренно, сильно робея, но любопытство был сильнее — что ж там такого, что так крутило и ломало Эмину жизнь? Да и пора, что говорить! «Очень пора» — и давно!

Ничего *такого* ей не открылось — во всяком случае, никаких потрясений и шока. Иван Александро-

вич был нежен, заботлив, внимателен. А после того, что между ними произошло, с испугом уставился на Эллу и, потрясенный, спросил:

— Как же так? Я не понял. Ты... вы... еще... не того?

Элла ничего не ответила, вздохнула, кивнула и стала натягивать платье.

У двери она обернулась и вдруг рассмеялась:

— А что, вы сильно расстроились?

Он, бледный и потерянный, только махнул рукой и пожал плечом.

После этой истории Элла как-то вдруг успокоилась — ну, наконец все случилось. И ей будет *не стыдно* перед сестрой.

А ночью — ночью случился кошмар. В комнату влетела Людмила и, подбежав к Элле, уже почти блаженно уснувшей, стала бить ее босоножкой по спине и плечам, громко крича:

— Ах ты, стерва! Ах ты, гадина! Тихая такая! Коза драная! Я этого Ваню две недели пасу, а она... Нет, вы подумайте!

Элла накрылась с головой одеялом, увертываясь от тычков, и молила только об одном — чтобы не проснулись соседи и не разразился скандал. Боже, какой ужас! Какой позор!

Устав, Людмила рухнула на кровать и зарыдала.

Рано утром Элла тихонько собрала свои вещи, выскользнула в коридор, затем на улицу и взяла такси на вокзал.

«Бежать! — стучало у нее в голове. — Бежать, и все. Подальше от этого ужаса!»

Она бежала, унося с собой отчаянный позор, безмерный стыд, некоторое удовлетворение, освобождение, познание — и еще пока, разумеется, неопознанную беременность.

Когда все открылось, вернее, дошло до нее, она, конечно же, бросилась к сестре.

Эмма слушала ее не перебивая. С удовольствием затягиваясь, попивая любимый кофеек и слегка усмехаясь.

Дослушав сестру, спокойно спросила:

— Так, ну, все хорошо. Что было — то было. Было — и слава богу! Но ты была у врача? В смысле точного срока?

Элла замотала головой.

— Так неловко, знаешь. Будут спрашивать, замужем ли я. Ну, и вообще.

— При чем тут «вообще»? — разозлилась Эмма. — Я про то, чтобы не прозевать, поняла?

— Что не прозевать? — переспросила непонятливая Элла.

Эмма вздохнула.

— Господибожемой! Нет, ты и помрешь с психологией девственницы. Аборт не прозевать, идиотка!

— Почему аборт? — прошептала Элла. — Зачем? Я... буду... рожать.

Эмма уставилась на нее немигающим взглядом.

— Ро-жать? — повторила она. — От кого? От Иван Иваныча?

— Александровича, — одними губами поправила ее Эмма. — Да, буду рожать. Шанса больше не будет. Ты что, не понимаешь? А так... Так я буду уже не одна!

Эмма встала, потянулась, прошлась по комнате, постояла у окна — все молча, пугая этим притихшую Эллу.

Потом развернулась, внимательно разглядывая сестру, и наконец сказала:

— Та-ак... А теперь — все и по пунктам!

Пункты были такие — что ты знаешь про этого своего Иваныча, старого сладострастника? Кто он, откуда? Чем занимается? Какие болезни у него в роду? Может быть, шизофрения, эпилепсия или, не дай бог, недолеченный сифилис? Какая профессия? Возможно, он облучен и у него отвратная кровь. А, ты не знаешь? А может быть, его мамаша провела остаток жизни в дурдоме? Или брат заключенный? Убийца, к примеру? Или сестра-алкоголичка? Или все вместе? Нет? Неизвестно? А от кого, позволь узнать, ты собралась рожать? Молчишь? Вот и подумай! Кто у тебя может родиться? Не знаешь, правильно. Плюс твои далеко не юные годы. И что в остатке? Да! Еще не забудь — мама и папа! Все это их просто убьет. Дочь понесла — от кого? Неизвестно. Дальше — квартира. Две смежные комнаты. Родители не молодеют и часто болеют. Денег в доме нет — все еле сводят концы. Значит, так, ты сидишь дома, с ребенком этим. Ребенок орет, родители не спят, денег нет. А знаешь, что есть? Не знаешь? Есть позор, нищета и вселенский ужас. Есть полусирота, у которого никогда не будет хорошей одежды, приличных игрушек, моря и частных преподавателей. Да что там все это — у него никогда не будет отца! Родители, сломленные окончательно, — мало им бед и проблем, — когда-то уйдут. Ты снова засядешь в своей дурацкой библиотеке на свою крошечную

зарплату, а он, твой ребенок, будет тебя ненавидеть. За все: за крохоборство — а как выжить иначе? — за неполную семью, дай бог, если он еще будет здоровым... От этих Иван Иванычей... Черт знает их душу!

— Я... так хотела... родить, — повторила Элла. — Ну, чтобы... быть не одной!

— Ну, то, что ты идиотка, всем известно давно. Разве ты одна? А я? Разве меня у тебя нет? Ты что, Элка? Свихнулась? Мы же с тобой... Ближе нет. Кровные узы, родная!

Она подошла к сестре и крепко обняла ее, приговаривая:

— Мы с тобой не одни, Элка! Мы есть друг у друга. Ты и я. Самые близкие, самые родные. И никто из нас не предаст друг друга. Никто не подставит. Разве не так, милая моя? Разве не так, сестренка?

Элла плакала, прижимаясь к узкому и острому плечу сестры. Плакала, счастливая и несчастная одновременно.

Почему несчастная — это понятно. А почему счастливая? Да тоже понятно. Эмма сказала, что они есть друг у друга. Что они — не одни. И всю жизнь, до самой березки, как говорится.

Эмма сказала ей то, что она всю жизнь мечтала услышать, — сестренка!

— Но... у тебя же есть Шурик! — всхлипывая, просипела Элла.

— Шурик? — рассмеялась Эмма. — Ну да. Сегодня есть, а завтра — тю-тю. Шурик, не Шурик — какая разница? Да и вообще, при чем тут Шурик? Ты не поняла, что я сказала?

Поняла! Конечно же, поняла!

сердце наполнилось счастьем.

Аборт сделали через неделю, все прошло спокойно и, если так можно сказать, хорошо.

Правда, Эмма в больницу «не забежала». Сказала, что «забежит», а потом... Не сложилось. День рождения брата мужа вроде.

Элла не помнила что.

Бывает. Элла поплакала — тихо, почти неслышно, собрала вещи и поехала домой. На метро. Денег на такси у нее не было — после отпуска... все знают, как это бывает.

А дальше все было обычно — обычная жизнь, обычные хлопоты. Жизнь текла монотонно, блекло, не радуя, но, слава богу, и не особенно огорчая. Или огорчая слегка. Как положено. Родители болели, старели, капризничали. Тетка с дядькой от них не отставали, тоже не забывая капризничать, стареть и болеть.

А Эмма снова выкинула очередной финт — Шурик спустя лет шесть был отправлен «по месту прописки», и возник новый муж. Эдвард.

Эдвард оказался финном. Познакомились они в Питере, куда любили завалиться его соотечественники — погулять от души, покуражиться. Эдвард этот был огромным детиной — белесый, безбровый, краснолицый. Об интеллекте речи быть не могло — он был простой строитель и, видимо, отчаянный выпивоха.

По-русски он говорил кое-как, с большим трудом, и с Эммой они общались на странной смеси английского, немецкого и русского.

47

— Как ты его понимаешь? — удивлялась Элла. — Лично я — ни бум-бум.

— А что мне его понимать? — смеясь, отвечала та. — Ничего умного я все равно не услышу. Да и слава богу, что не понимаю. Мне этот бред мужской надоел, хуже некуда! Интеллект не интеллект — на выходе, поверь мне, одно — все они дураки.

— Шутишь? — пугалась Элла. — Шутишь, конечно...

— Ага, шучу, — вздыхала та, — куда уж как весело от таких шуток.

— А зачем он тебе? — осторожно спросила Элла. — Вы же... такие разные с ним. Самоваров — я понимаю. Молодость, страсть. Даже Шурик — понять могу. Как ты говорила, экзотическая и умная обезьяна. Но этот Эдвард... Прости!

— Эдвард, детка, медведь. Неповоротливый, наивный, добрый — если сыт, разумеется. В жизни не смыслит, да это ему и не надо — им там вообще это не нужно. В смысле — кумекать, как нам. Выживать. Живи и работай — и все. А все остальное тебе обеспечат — страховки, кредиты, экологию и отсутствие криминала. Думать не надо — просто будь честным и законопослушным. Все, понимаешь? Но... У него в Лахте дом. И сад. Прекрасный дом, надо сказать, и замечательный сад. Он прекрасный садовник, ты представляешь? Там просто рай абсолютный. Море цветов. И дом — он построил его сам на месте старой избушки. Все с нуля — фундамент, стены, кровля, отделка. Любит его, как ребенка. А может, и больше. С первой женой сто лет в разводе, есть взрослая дочь, но та устроена — живет в Швейцарии за богатым банкиром. А он одинок. Хочет тепла. Говорит, что финские бабы — хуже кошмара не сыщешь. Страшные, мужеподобные — бр-рр! Пьют наравне с мужиками и, не стесняясь, выпускают за столом... ну, ты поняла! А я для него — что-то такое, чего он и не видел.

Элла ужаснулась и покраснела.

— Ты что, все это — серьезно?

— Вполне! — засмеялась Эмма. — Да ты в голову не бери. Все будет нормально.

И Эмма засобиралась в Финляндию.

— А старики? — забеспокоилась Элла. — Я ведь не справлюсь одна.

Эмма посмотрела на нее холодно.

— А что мне прикажешь делать? Ломать свою жизнь? Ведь она только-только, — и в Эмминых глазах заблестели слезы, — только-только! Ты понимаешь? Самоваров этот... Сколько было угроблено лет! Шурик. С ним вообще... один ужас. Друзья его бесшабашные, бабы, шуточки дурацкие! Всю жизнь он, примат, мне изменял. Боже мой! Я всегда была с *ними* несчастна! А тут — счастливый билет. Ты понимаешь? В мои-то годы, и так! У молодых баб не случается ведь. И что ты прикажешь мне делать? Послать Эдика, дом, сад, Финляндию? Счастье и покой на исходе лет? На закате жизни? Из-за чего? Из-за того, что родители не молодеют? И это говоришь мне ты, моя сестра? Человек, ближе которого у меня нет?

Всю ночь Элла не спала. «Какая же я эгоистка! — думала она, обливаясь от стыда холодным потом. — Бедная Эмка! Бедная! Ведь действительно — шанс. А он и вправду славный, этот Эдик. Эдакий медведь косолапый, а любит цветы. Чудеса!»

Все дни до отъезда она утешала печальную Эмму — успокаивала, что будет все хорошо. Старики под

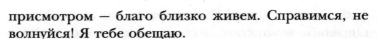

присмотром — благо близко живем. Справимся, не волнуйся! Я тебе обещаю.

Только за пару дней до отъезда осмелилась спросить про квартиру:

— Элка, ну, ты ж понимаешь. С ними так трудно. И тесно ужасно. Ни телевизор посмотреть, ни... вообще ничего. Я перееду к тебе? Ну, в бабулину квартиру? А? Я так мечтала пожить одна — ну, хоть сейчас, хоть немного!

Был отказ — категорический и обоснованный.

— Эдик жадноват, как все иностранцы. Карманных денег не будет — это я поняла. И что? Выклянчивать на колготки и шпильки? Унижаться, просить? Нет уж, уволь! В чужой, незнакомой стране! Квартиру я уже сдала и деньги вперед получила. Так что прости и пойми. Как я там буду совсем одна и еще без копейки?

Элла вздохнула и поняла — в который раз поняла. Она была из понятливых, сестра Эммы.

Жизнь научила. Ну, или сестра.

Эмма уехала, и почти сразу все как-то стало рушиться и разваливаться. Она и раньше была не помощник, понятно, но после ее отъезда Элла совсем растерялась — четверо очень пожилых и не очень здоровых людей, за которых теперь отвечает только она. Она одна! И помощников, пусть даже советом, поддержкой, у нее больше нет.

Она была в отчаянии — в больницу попала сначала тетка, а затем отец. Она разрывалась на части, мотаясь в разные концы города.

Термосы с протертыми супами и бульонами на третьей воде, судочки с пареной рыбой и куриными

фрикадельками, баночки с заваренным черносливом и протертой морковью. Неподъемные сумки со сменным бельем. Переговоры с врачами — и это было самое трудное. Общаться не трудно, а вот твердо, четко сформулировать свои претензии и просьбы, настаивать, принимать решения — все это было так сложно, что она совсем теряла силы и еле-еле доползала до дома.

А дома снова ждали хлопоты и проблемы — домашние капризничали, волновались за близких, глотали сердечные капли, вызывали «Скорую» и вываливали на бедную Эллу свои недовольства.

Она снова вставала к плите — а всякая готовка была ей почти отвратительна, своим домом она не жила и к кухне была неприучена.

До ночи она стояла у ненавистной плиты, соля супы и второе своими слезами.

Две квартиры, давно не знавшие ремонта, рушились вместе с жильцами. Отпадали куски штукатурки с потолков, отклеивались старые обои, заворачиваясь в трубочку.

Текли краны, ломались унитазы, вспучивался облезлый линолеум и подгорала проводка.

Она без конца бегала в ЖЭК, ругалась с поддатыми и наглыми слесарями, которые не ставили ее ни в грош и открыто насмехались над неловкой, бестолковой, кудахчущей курицей в старом мешковатом пальто и замызганных ботах.

Денег, как всегда, было в обрез — пенсии стариков уходили на лекарства, а ее скудная зарплата... да что говорить!

Братья ругались — Семен требовал продать старую дачу, содержать которую было уже не по силам, а Илья категорически не соглашался — мотивируя тем, что в нее, в эту дачу, вложена куча сил, нервов, здоровья и денег. Да и вообще — почти родовое гнездо.

Бред, конечно. Родовое гнездо на глазах хирело — крыша текла, двери и рамы рассохлись, участок методично зарастал бурьяном, яблони и сливы давно выродились, забор сгнил и частично упал.

Платились только взносы — копейки, конечно, но в их положении!

Элла ездила и туда — нечасто, по настоянию родителей. Заходила на участок, садилась на трухлявые ступеньки и начинала реветь. Дом, где прежде собиралась огромная и дружная семья, где бабуля вечно стояла на узенькой кухоньке — поди прокорми такую ораву! Стол на терраске — круглый, под старенькой скатертью — требование бабушки! А на столе — малосольные огурчики, эмалированный зеленый тазик с пирожками — яблоки или капуста, стеклянная вазочка коричного печенья, плошки с вареньем — своим, клубничным, смородиновым или крыжовенным.

Любимые дачные чашки в красный горох — чай из них самый душистый и вкусный.

Дедуля в плетеном кресле (Илья притащил с помойки — «Вот дураки! Выкинуть такой раритет!») с газетой в руках и в очках на кончике носа. Мама с теткой шушукаются и смеются, а дедушка смотрит на них, улыбаясь и покачивая головой с седой, все еще густой, кудрявой шевелюрой.

А отец и дядька о чем-то спорят в саду или в са-
рае — пилят дрова, подрезают яблони, красят сарай.
И они с Эммой — совсем маленькие — играют в пе-
сочнице или варят «кукольные» щи из крапивы, компот из рябиновых ягод, Эмма иногда злится и ругает
сестру.

Но они счастливы! Все! Так безгранично счастливы, так беспечны, наивны, полны надеж и планов, своих девчачьих секретов, маленьких тайн,
что расстроить их ничего не может — ну, или почти
ничего.

И счастлива бабушка, из кухонного окошка наблюдая за дедом. И счастлив дед — у детей, дорогих сыновей, прекрасные семьи. А внучки какие! Радость
и счастье. И душевный покой.

И счастливы мама и тетка — подруги, наперс-
ницы, сестры.

И братья — вот только-только покричали, поду-
лись, поспорили — и уже снова рядом, снова решают
проблемы. И снова вместе!

И под сливой кроватки с любимыми куклами —
Стеллой, Эмминой «дочкой», и Катей — Эллиной.

А вечером все пойдут на речку, и девочки с раз-
бега, взявшись за руки, влетят в сероватую мутную
теплую воду, увязнут в илистом дне и будут топтаться
на нем, громко смеясь.

А на берегу будут сидеть их молодые матери, еще
такие красавицы, с такими горящими и счастливыми глазами — в ярких сарафанах, с полотенцами
в руках, чтобы принять своих дочерей — обтереть замерзшие, дрожащие, тощие тельца, укутать в пикей-
ное одеяло и сунуть по яблоку и конфете.

А совсем вечером, когда они вернутся домой, бабушка поставит на стол тарелку оладий и выдаст по кружке «козлячьего» молока — так говорит бойкая Эмма.

Молоко обе не любят, это почти пытка, но пьют. Через день из деревни приходит молочница Софья и продает молоко «за бешеные деньги» — так говорит бабушка, и «бешеное молоко» надо пить — для здоровья, конечно! Чтоб не болеть долгой холодной зимой.

А перед сном зайдет мама или тетка и целый час — счастье, счастье! — будет читать девочкам вслух. Конечно, любимые книги — «Дорога уходит вдаль» или «Волшебник Изумрудного города». Или «Детство Темы».

А отцы будут спорить о чем-то на террасе, и бабушка будет цыкать на них — но это поможет минут на десять, не больше.

Шумные люди, шумное семейство. Очень шумное и очень счастливое!

А девочкам, сестрам, будет уже все равно — они уже крепко спят, летают во сне, Растут. Мечтают. О чем? Да кто ж знает! Проснувшись, они и не вспомнят об этом: детские сны — легкие, воздушные, короткие и непременно счастливые.

Все... Все были счастливы в ту давнюю пору... Все.

Все *были* и все были счастливы.

Господи! И куда все ушло? Почему? Так скоро и так... безвозвратно?

Потом она вытрет слезы, дернет входную дверь — она давно уже открывается просто так: еще в прошлом году замок сорвали и вынесли какую-то ерунду — старые одеяла, подушки, кастрюли. Да и бог с ним, со всем этим «добром». Что там жалеть?

Старое полуистлевшее барахло? Когда давно уже нет дорогих людей. Когда уже нет огромной и дружной семьи. Смешно говорить.

Из дома пахнет сыростью, волглыми тряпками, мышами и тленом. Красть уже нечего — все давно растаскано, разворовано — благо об этом не знают родители.

Она пройдется по комнаткам, увидит какую-нибудь вещь — бабушкин платок или старую кофточку. Мамин халатик — темного ситца в мелкий цветок. Пожелтевшую, размокшую коробку от отцовских папирос, любимую чашку дядьки с отколотым краем — высокую, темно-зеленую в рыжую крапку.

И снова расплачется, снова...

Потом быстро выйдет — скоро начнет темнеть, и ей станет страшно в этом доме, полном призраков прежней, далекой и прекрасной жизни, и она, приперев дверь поленом, бросит печальный взгляд на заросший участок, давно потерявший очертания грядок и клумб, и бросится скорее прочь.

И по дороге на станцию — быстрым шагом пятнадцать минут, но где он теперь, этот «аллюр»! — она старается идти быстро, а все равно выходит почти полчаса, и она снова плачет и плачет.

Так грустно и так тяжело!

А дома она наденет на лицо «хорошее выражение» и скажет родне, что все хорошо. Все хорошо, разумеется! Дом стоит — а куда же он денется? Крепкий же дом, братьями сложенный, с любовью и с толком.

И на участке — ну да, он, конечно, зарос, вы ж понимаете! Но в целом — в порядке. Ничего не рухнуло — ни сливы, ни яблони. Ни дедушкин клен.

Родители будут слушать ее рассказ жадно и внимательно, уточняя детали. А она будет врать, изворачиваться — ну, не скажешь же всей этой правды?

Не скажешь...

А родители будут мечтать, что летом — вот этим-то обязательно — они поедут на дачу. И будет все хорошо!

Они строят планы, но она видит только четырех больных и почти беспомощных, дорогих стариков.

Какая дача, о чем вы? Смешно.

А ночью ей снова станет так тяжело на душе, что она решит позвонить наутро сестре — и...

А что, собственно, и? Сестру давно не волнует все это — здешняя жизнь. Развалившиеся квартиры, разбитая дача. Скудная, некрасивая жизнь — нищета, больницы, перечень лекарств, суп из куриных каркасов, котлеты из пикши, байковые халаты и теплые кальсоны.

Она живет по-прежнему в сказке — глянцевые фото прекрасного дома с огромными окнами и плюшевыми диванами, чудесного сада с цветущими рододендронами — розовыми, сиреневыми, бордовыми. С дорожками, посыпанными цветным гравием, между огромных кустов разноцветных гортензий.

На фотографиях Эмма моложава, как всегда, подтянута и стройна — узкие, до колена, яркие бриджи, маечки — открытые, тоже ярких расцветок, совсем для девчонок.

Она улыбается — возле яйцеподобной серебристой машины, возле красивой входной двери с колокольчиком, возле огромного гнома — с бородой, в красном колпаке и с хитрой усмешкой — в саду, он караулит Эммин сад и Эммин покой.

Звонит она редко, раза два в месяц, не чаще. И всегда — всегда — предчувствуя Эллины жалобы, начинает примерно так: «Ну? И что у вас снова там? Опять одни ужасы?»

Говорит она это так, что Элла сразу робеет, сбивается и теряется — все скороговоркой, быстро, отчаянно, но...

Эмма ее как будто не слышит. Элла улавливает, как Эмма вздыхает, щелкает зажигалкой, прикуривает и снова вздыхает: «Понятно. А я, собственно, другого от вас и не ждала!»

И это будет сказано так, что Элла смутится, расстроится и замолчит. К чему ей делиться? Зачем? Зачем раздражать счастливого человека? Назло?

И тут вступает Эмма: «А вы что думаете? Что здесь нет проблем? Милая ты моя! — Эмма скажет это с такой иронией, что Элла снова почувствует себя идиоткой. — Это все заблуждение. Огромное заблуждение! Проблем здесь не меньше, а может, и больше. Все эти налоги, кредиты, страховки! У Эдика почти нет работы. Ты слышишь меня?» — взывает к совести Эмма.

И продолжает с болью и горечью: «Почти нет работы. Так, крохи. А за все надо платить. За дом, за машину. Садовнику, слышишь! Мы взяли садовника — Эдик уже не справляется, да. Вчера сломался котел — и это был ужас! Почти две тыщи долларов, слышишь?»

Элла все слышит. И Элла сочувствует. Очень.

«А отпуск? Сорвался! Ты представляешь? Сорвался совсем. А мы так мечтали! О теплом море, о Греции! У нас ведь такой жуткий климат. Но — этот котел...»

Эмма вздыхает. И Элла вздыхает. Потом разговор как-то затухает и гаснет — сам по себе.

Ни разу! Ни разу Элла не была в гостях у сестры. Не звали ее — как-то не звали. Да и на кого оставить родных?

Правда, приходили посылки — старые Эммины кофточки, брючки, ночные рубашки. «Не подойдет — отдашь маме. Любой, — шутила Эмма, — любой!»

Отцу и дядьке перепадали Эдиковы старые джинсы и ветровки. Однажды досталась отличная куртка — легкая, из гагачьего пуха, цыплячьего желтого цвета. Правда, после гиганта Эдика старикам, уже изрядно подсохшим и ссутулившимся, курточка не подошла. Да и цвет! Ну, куда старикам ярко-желтое!

Эмма тогда пару раз позвонила и все спрашивала, кому же достался «цыпленок»?

Расстроилась, что никому. Очень расстроилась, очень. Переживала. А может, продать?

Элле вещи сестры были впору, но... К таким откровенным и ярким нарядам она не привыкла, ходила по старинке — темные юбки, водолазки, вязаные кофты. Подарки копились в шкафу, мялись, пылились, но Элла их не раздавала — а вдруг приедет сестра? Увидит, обидится?

Но сестра, похоже, не собиралась. У человека же столько проблем! Как не понять?

И Элла все понимала. Ну, впрочем, как и всегда.

Родня потихоньку сдавалась и уходила — сначала ушла тетка, за ней отец, и почти не вставала мама.

Тетка была из терпеливых и совестливых — казалось, ей было так стыдно за дочь, что она чувствовала себя виноватой. За все благодарила племянницу так горячо, что Элла терялась.

 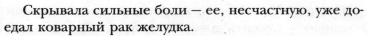

Скрывала сильные боли — ее, несчастную, уже доедал коварный рак желудка.

Сама попросилась в больницу — и снова для того, чтобы облегчить Эллину участь. Там и скончалась. А Элла еще долго корила себя, что отдала туда бедную тетку.

А вот с отцом получилось наоборот — Семен, самый сильный, стойкий и выносливый из всех «инвалидов» семьи, к старости совсем разнюнился и расклеился — плакал, обижался на дочь и жену, к тому времени тоже еле живую, требовал повышенного внимания, без конца жаловался и всем был недоволен.

С ним Элла намучилась больше всех. И все же, когда отец умер, она долго не могла прийти в себя и снова корила себя, корила. Что недодала тепла и внимания. Что иногда срывалась, покрикивала, злилась и раздражалась. Мучилась так, что совсем перестала спать по ночам.

Участковый врач, пользовавшая еще деда с бабушкой, строго сказала:

— Элла Семеновна, так вы себя совсем загубите. Хорошим это не кончится. Он умер от старости. Вы понимаете? Просто от старости. Время пришло. И перестаньте себя терзать, право слово!

Успокоили не эти слова, кстати справедливые абсолютно, а снотворные и успокоительные. Увы.

Мама, конечно, Эллу жалела. Крепилась изо всех сил, но... Вставать не могла. А лежачий больной... Ну, все понимают.

Крепился и дядька Илья. Но тоже был плох, как ни держался.

А в жизни Эллы вдруг... произошло то, что и не ожидалось. Элла встретила человека. В смысле — мужчину. Всей своей жизни — правда, смешно?

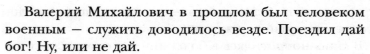

Валерий Михайлович в прошлом был человеком военным — служить доводилось везде. Поездил дай бог! Ну, или не дай.

И Казахстан, и Сибирь. И даже Азербайджан и Литва — вот покидало, что говорить!

Теперь он вдовел, уже шесть лет, и от вдовства своего очень устал. С женой было прожито много счастливых и трудных лет, болела она тоже долго — лет восемь. И все эти годы он честно делил с нею все тяготы жизни. Но отмучилась, бедная, и тихо ушла.

А Валерий Михайлович жил. И даже был неприлично здоров — ну, для человека немолодого, конечно.

Их встреча с Эллой была, разумеется, случайной — в районном собесе, — куда уж прозаичней!

В долгой очереди он рассмотрел немолодую и стройную соседку — приятную женщину, очень приятную и, что главное, — скромную и ненахальную. Это он углядел сразу — опытным взглядом бывалого человека. Нахальных полковник боялся больше всего.

Разговорились, посетовали — о том о сем и обо всем сразу. Вместе пошли к метро. Он проводил ее и попросил телефон. Она совсем растерялась, вспыхнула ярким румянцем, но, чуть подумав, телефон дала.

А потом долго мучилась — зачем? Зачем дала телефон? Идиотка, кретинка. Безмозглая, старая дура. Жениться собралась, что ли? Нет, он ей понравился. Очень понравился — степенный, солидный мужчина очень приятной внешности. И все же... Глупость и бред! Ну, позвонит он. А дальше? Допустим,

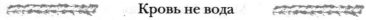 

пригласит в кино или в театр. Нет, театры сейчас слишком дороги — вернее, билеты. А он пенсионер. В кино — это да, скорее всего. В кафе? Вот туда точно не надо. Она сто лет не была в «заведениях» — сробеет, скукожится, будет коситься в меню, выбирая что подешевле. А таких женщин не уважают. С такими клушами не считаются — так всегда говорила сестра, а у нее-то есть опыт! Да и надеть совсем нечего. Свои скучные, серые тряпки? Ох... Эмкины, из посылок? Ну, это вообще смешно!

А сапоги? Есть только деми, очень старые, четырехгодичные, с потертыми носами и скошенными каблуками — она всегда была косолапой. Есть, правда, новые зимние — очень даже вполне. Пока еще с блестящей кожей, с кокетливым бантиком. Но на меху. А на дворе плюс один! Куда в этих зимних? А пальто? Серое, стеганое, очень, конечно, удобное, но это пальто только для рынка. А на свидание — стыдно!

Господи! — остановила она себя. — Какое пальто? Какие с бантиком зимние? О чем это я? Какое свидание? Дура! Он уже выкинул телефон — потому что подумал. Разглядел как следует и... Он может найти себе спутницу куда интересней. И даже моложе. Стильную, модную, не занудную. И самое главное — *не обремененную*. Всем тем, что есть у нее. Ну, понятно и так — без стариков, без полуразрушенных квартир, без развалившейся дачи. Без постоянных визитов участкового врача, без этих непрекращающихся больниц и их запахов, плотно впитавшихся в одежду и даже стены, — запахов лекарств, сердечных капель, бедности и скудной жизни.

Она постаралась выбросить все эти глупости из головы, принялась за свои обычные, ежедневные дела — выкупать обоих, поменять постельное, заварить травы, разложить по коробочкам таблетки. Сварить обед на завтра — мама просила щи, а дядька Илья — бульон. Всем разное, и все капризничают. Можно, конечно, цыкнуть и приготовить что-то одно, но ей, как всегда, их жалко — какие у них нынче радости? Вот именно — только поесть. Разные вкусы, что тут поделать.

Потом она позвонила урологу, поговорила о том, что ее волновало. Получила еще список лекарств, вздохнув, что это снова расходы, и расходы немалые.

Вспомнила, что в воскресенье хотела поехать на кладбище — планов менять она не любила.

Да, завтра — последний день месяца. А это означало, что надо зайти к Эмкиным жильцам и забрать деньги. А потом — господи, как же все надоело, — надо тащиться на почту, чтобы перевести их сестре — та не любила, когда деньги задерживались.

Что там еще? Да, в Теплый Стан за продуктами — только туда, там намного дешевле, хотя тяжело, конечно, но с сумкой на колесиках в самый раз. А там — раз уж приехала, раз дотащилась, все и помногу — и мясо, и куры, и овощи тоже.

«Боже мой, — подумала она, — как я устала! Как устала от всего, господи! От болезней, врачей, капризов, бесконечных обид, поджатых губ, эгоизма, непонимания — кухни, квартир, дачи, вечного подсчета копеек... Как я устала *не отдыхать*! Как я хочу увидеть море. Подышать морским воздухом, пройтись по набережной, съесть мороженое и послушать, как

кричат наглые и оголтелые чайки. Просто сидеть на скамейке и смотреть в бесконечность. Туда, где сливаются море и небо. Или так — побродить по лесу, надышаться хвоей, прелыми листьями. Почувствовать под ногами мягкую, еще не остывшую землю. Лечь на пожелтевшую траву и смотреть в сероватое, осеннее небо — просто смотреть, как бегут облака. А потом сесть в электричку, обязательно у окна, прислонить голову к прохладному стеклу и прикрыть глаза — просто задремать под перестук колес и ехать долго-долго, и чтоб не будили... Неужели все это — такое простое, такое доступное — не для меня? Но почему?»

Ночью спалось тревожно — мучилась от своих *неправильных* мыслей — как она может так думать? Мечтать о свободе? Как ей не стыдно! Ведь эта свобода подразумевает только одно — их уже не будет! Только тогда она сможет принадлежать себе. Когда они уйдут. Последние ее старики. Сволочь она, конечно. Сволочь и дрянь...

Нет, просто устала. Очень устала.

Накормив завтраком маму и дядьку, сделав очередную пробежку по этажам, она поспешила на работу — график, слава богу, такой, какой ей необходим, — два дня до обеда, два с обеда и до восьми. Это означало, что завтраком все накормлены, таблетки выданы, туалет произведен, а к обеду она уже дома!

Счастье? Конечно. И ей еще бога гневить! Работа у дома — пятнадцать минут пешком. Полдня, и — свободна. Квартира своя, отдельная. Ноги носят — спасибо. Какое нытье? Какие жалобы? Подумать только — устала. Цаца какая!

О своем новом знакомце Элла скоро забыла — не позвонил, да и ладно. Меньше дурацких мыслей и всяких глупостей в голове.

И снова проблемы — срочно надо заниматься зубами. Такая напасть! Сходила в зубную клинику, посмотрели, посчитали, в смысле — фронт работ. И стало совсем грустно — деньги такие, что...

Ну, неподъемные деньги! Врач посоветовал взять кредит. Она удивилась:

— На зубы?

Он подтвердил:

— Да, сейчас многие так делают.

— А выплачивать с чего? Какие кредиты, господи! Врач молча развел руками и громко вздохнул:

— Я вас понимаю!

Хоть кто-то понимает — спасибо на этом. Видимо, она не одна такая — много таких.

Подумала два дня и позвонила сестре.

Эмма выслушала ее, но даже в ее молчании было сплошное недовольство.

— Ну а я-то чем могу помочь? Деньги с аренды? Я, кажется, все тебе объяснила. Да и потом — забери папу к себе. И сдай нашу квартиру. Так просто. Как все гениальное! И тебе, кстати, тоже все упростится — не надо бегать на третий этаж, носить все эти котомки твои. Все рядом и всё компактно. Разве не так?

Никакие объяснения, что дядька Илья не хочет переезжать из своей квартиры, что это совершенно невозможно, не действовали. Она и сама пробовала не раз — бесполезно. Только слезы и крик — что она,

Элла, хочет его смерти. Нет, нет! Она ни за что это не сделает. Да, и еще. Комнаты смежные — как это будет? Значит, одного из стариков придется взять в свою комнату? Не поселишь же их вместе!

— Все зависит от тебя, — отрезала Эмма, — и все твои аргументы — обычная чушь. Не селить в одну комнату? Да делай так, как удобно тебе! Ты и так все для них делаешь. Пусть стонут и жалуются друг другу. А у тебя станет полегче с деньгами. И вставишь себе новую челюсть! — тут она совсем развеселилась и захихикала.

Элла молчала. Эмма, уловив ее обиду, впервые сказала:

— Ах, как было бы славно, если бы ты могла приехать ко мне. Но... я же все понимаю. Ты же не можешь — куда ты их денешь?

И в первый раз в жизни Элла *осмелилась* положить трубку первой.

Чем, видимо, обескуражила сестру. Хотя вряд ли — Эмма не перезвонила.

А кавалер объявился нежданно-негаданно — она и думать о нем позабыла. Он почему-то долго извинялся за свой нескорый звонок и торопливо рассказывал, объяснял, что с ним приключилось — внезапно попал в больницу. С чем?

— Да бросьте, — смутился он, — неважно, так, ерунда. Сейчас уже все в порядке.

— Вам что-нибудь нужно? — спросила она. — Может быть, помощь? Я, знаете ли, — тут она не удержала тяжелый вздох, — в этих делах человек, к сожалению, опытный!

 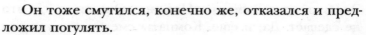

Он тоже смутился, конечно же, отказался и предложил погулять.

— Что? — переспросила она. — В каком это смысле?

Он рассмеялся.

— Да в самом обычном. Общечеловеческом. Например, съездить в парк Горького — там, говорят, стало очень красиво.

— А давайте, — она секунду помолчала, — лучше в сад «Эрмитаж». Я там сто лет не была.

Он обрадовался.

— А я не дотумкал! Знаете ли, я ведь не коренной москвич. Поэтому и не додумался.

— Не коренной? — рассмеялась она. — А какой? Пристяжной?

Теперь смеялись оба, и им стало как-то сразу легко и свободно.

— В общем, на завтра, да? Часиков в пять или в шесть?

И был сад «Эрмитаж». И была такая погода! Словно ее заказали — там, наверху. Прозрачное синее небо, белые облачка, пробегавшие быстро, словно спеша куда-то. Яркое солнце — белое, слепящее, но совсем не жаркое — осеннее солнце. И листья. Листья повсюду. При малейшем порыве ветра они начинали кружить в танце, в своем хороводе — красные, рыжие, желтые.

А потом они сидели в кафе за уличным столиком и пили чай с ватрушками — теплыми, дышащими, словно только из печки.

Они говорили, они молчали. И им было так хорошо... Так хорошо и так страшно — так не бывает, честное слово!

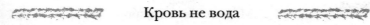

Их счастливый роман начался именно там, в осеннем саду под тихую музыку маленького оркестрика, игравшего старые, довоенные песни.

Всю осень — а она выдалась неожиданно теплой, как на заказ, — они бродили по улицам. Замерзнув, забегали в кафе и грелись кофе и булочками. Она рассказывала ему про свой город, стремилась провести по любимым улочкам. Такая неразговорчивая прежде, она говорила, говорила — неожиданно обо всем: рассказывала про семью, про деда с бабушкой, тетку и дядьку, родителей и сестру.

Вспоминала такие подробности, что сама удивлялась — и где же они хранились все эти годы? В каких отсеках памяти и души?

Он, наслушавшись про дачу, немедленно захотел туда поехать — и ерунда, что там все запущено, сыро и грязь!

Он тоже рассказывал о себе — про службу, про долгую и счастливую семейную жизнь. Про дочь — хорошую женщину, но... несчастливую. Уже второй раз вдова — вот как бывает! Осталась на Севере, там тяжело, но ей привычно. Растит двоих сыновей, и, в общем, радости мало — гораздо больше проблем и печалей.

Элла теперь подолгу рассматривала себя в зеркале — и ей казалось (конечно, казалось, и только) что она... помолодела, что ли? Порозовела как-то, разгладилась.

И глаза! Вот это было наверняка — глаза заблестели. Нет, правда! Исчезла тусклость, покорность. Обреченность какая-то, что ли?

Теперь это были глаза *женщины*. Не тягловой клячи, не забитой овцы, а именно женщины! Которую слушают. Которая интересна. Которая... ну, все понятно. Страшно даже произнести...

Спустя три месяца он предложил ей «сойтись».

— Как это? — спросила она, почему-то внезапно побледнев. — Что это значит?

Он тоже смутился и буркнул:

— Ну, ты понимаешь же, Элла... Не можешь же не понять, честное слово! Прости, если прозвучало это неловко и глупо. Я просто не знаю... Ну, как это назвать.

Теперь совсем смутилась она и начала его успокаивать:

— Нет-нет, я все поняла. Все, что ты имеешь в виду. Я просто пытаюсь понять, как ты это видишь? Ну, при всех моих колоссальных проблемах...

Решили так — все живут, как жили прежде. Только теперь — она *его жена*.

— Мы пойдем в загс, слышишь? Да, непременно, и никак иначе. Только пока — слышишь, пока! — раз ты не хочешь, я буду жить у себя. Ну, в смысле... О господи, как все непросто. Но я буду рядом. Слышишь? Всегда. Я буду рядом и буду с тобой все... делить. Все хлопоты, слышишь? Я многое умею — армия, знаешь ли. И потом... так долго болела жена... Я все могу, ты поверь! И поменять, и протереть, и искупать — если надо. И суп сварить, и накормить. Опыт большой — увы, страшный опыт. Я буду за все отвечать! Да, кстати. Мы приведем дом в порядок. В смысле — починим все, что там разрушено. Одному, конечно, тяжеловато, но возьмем работяг, и они мне помогут. А летом — летом мы вывезем их на дачу. А? Здорово? Им, старикам, там будет лучше. А в квартире переклеим обои, побелим потолки, все тоже поправим — пусть не евроремонт, но все же будет приличней и чище... И продукты — рынки твои, магазины: вместе же легче! А то я и сам. Я понимаю, честное слово. И в мясе, и в овощах...

Она смотрела на него и молчала. Смотрела, как смотрят на любимое дитя, которое несет, конечно, глупости, но... такие милые и безобидные! И ты восторгаешься любимым ребенком еще больше, еще сильней.

— Не веришь? — вдруг осекся он. — Ты мне не веришь?

— Верю, — тихо сказала она, — только... зачем тебе все это надо? Прости!

— Ты, Элка, дура! — закашлялся он. — Вроде не девочка, а такая... дурная! — Потом снова откашлялся и, чуть отвернувшись, сказал: — Зачем? Хороший вопрос! А ты... не подумала, что я... просто... полюбил тебя, Элл!

Что должна ощущать женщина «слегка за пятьдесят», когда ей признаются в любви? Впервые признаются, надо заметить. Радость, шок, счастье, растерянность? Удивление, смятение, испуг?

Да все вместе. Именно это она и испытывала.

Господи, и это на старости лет! К концу, так сказать, жизни. Жизни вообще — а что уж говорить про женскую жизнь?

Нет, все правильно. Все справедливо! Кому, как не ей, Элле, — чудесной во всех отношениях, доброй,

жертвенной, всепрощающей, сочувствующей всем и всегда, — кому, как не ей? Но остались еще такие, кто верит во вселенскую справедливость? Да вряд ли.

Жизнь, она ведь давно убедила нас всех в абсолютно другом.

Умницы, жертвенницы, бессребреницы — где ваше женское счастье? Ау?

А все остальные — да бог им судья!

Она, конечно же, пребывала в полной неразберихе — любит! Ее — потрепанную жизнью, немолодую и усталую женщину! Нет, верит, конечно же, верит. Он — не из тех, кто соврет. Да и выгоды — ноль. Что он получит с новой женой? Двух немощных стариков? Заботы, проблемы?

У него квартира, машина. Приличная военная пенсия. Да целая туча прекрасных и молодых женщин были бы счастливы составить ему компанию! Он по-прежнему хорош собой, крепок, плечист. Не пузатый, не лысый. Хотя даже два последних фактора вовсе не такие уж недостатки.

Он не избалован — а где вы видели избалованных военнослужащих? Прошел через всякое, хлебнул по самое горло. Может прекрасно обслужить себя сам. Ему не кухарка нужна, а жена. Подруга, соратник! Да и какая из Эллы кухарка? Смешно!

Он видел горе, болезни и смерть. Он ценит жизнь, очень ценит. Ценит верность и преданность. Он просто устал быть один!

Но... смущало, конечно, многое — например, как примут его старики? Ну, не прятать же его, честное слово! Как они будут жить на два дома? И разве это

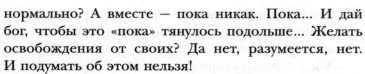

нормально? А вместе — пока никак. Пока... И дай бог, чтобы это «пока» тянулось подольше... Желать освобождения от своих? Да нет, разумеется, нет. И подумать об этом нельзя!

Что она, Элла, может ему дать? Кроме верности и благодарности? Уют? Разумеется, нет. О каком уюте и быте можно сейчас говорить? Жизнь их будет рваной, нескладной, совсем не семейной. Бегать к нему, чтобы убрать, приготовить обед, погладить рубашки?

Да он и не нуждается в этом. Быт его давно и прочно налажен, и она своими «набегами» внесет только смуту в его устоявшийся быт.

Совместный отдых? Поездки — близкие и дальние — да тоже ведь нет. Какие поездки? При наличии двух стариков!

Ну, а все, что у них уже есть, — прогулки, посиделки в кафе, киношки и выставки — так все это было бы и так. Как, собственно, было!

Зачем ему идти с ней в загс? Зачем узаконивать их отношения? Ее все устраивает. Все — абсолютно! Но...

Сказать ему об этом — обидеть. Он не привык по-другому — человек военный и правильный. Любит — значит, надо жениться. Живут — значит, жена.

Да и возражать, противостоять и убеждать Элла не очень умела. Точнее, совсем не умела.

Ну и по всему выходит, что надо так, и никак не иначе. Просто принять все и оказаться счастливой. Как просто, да?

Старики приняли его превосходно. Мама плакала и приговаривала, что наконец-то, наконец-то дочери повезло! Ее прекрасной, чудесной и замечательной дочери. «Эллочка, кому, как не тебе?»

— Ну, дождалась, — вздохнула она, — теперь я буду спокойна. Уйду — а ты не одна. Да еще и с таким человеком!

— Мам, — мягко укорила ее Элла, — ну, зачем же ты так? Живи, пожалуйста! Я бога молю, чтобы ты еще пожила. А насчет одиночества — так это ты тоже... Ну, зря! У меня же есть Эмка. Почти родная сестра. Вы же всегда говорили, что мы есть друг у друга!

— Господи! — Мать тяжело вздохнула. — Нет, ты все-таки, Элл, страшная дура. И это в твоем-то возрасте, Элла! У нее есть ты. Это правда. А вот ее у тебя нет. До тебя это еще не дошло? Я часто думаю, — мать помолчала, — вот ты, Элка, дура или святая?

— Мам! Ты о чем? — удивилась дочь. — Просто вы... так меня воспитали. Ты, папа, бабуля, дедушка. Вы! Что надо помогать больным и слабым. Думать о других больше, чем о себе. И вообще, семья — это главное. Это — святое! А вовсе не я.

Мать снова вздохнула.

— Воспитали! — повторила она. — Тебя одну, что ли, воспитывали? Вас воспитывали одинаково. И где то, что вложили в нее? Ну, про семью, про родных? Про святое? И вообще... она, *твоя* Эмма... страшный человек. Очень страшный. Да она тебе жизнь сломала, твоя милая Эмма... всегда твою жизнь крушила, да и теперь.

— Что теперь, мам? — разозлилась Элла. — Теперь-то что? Где она и где мы. Ты что, мам, ей-богу! Да и кто знает, как ей там живется?

— Я и говорю — дура. Какой была, такой и осталась. И ничто тебя не исправит, — вздохнула мать и махнула рукой.

А семейная жизнь началась. Точнее, *полусемейная*, как называл ее Валерий Михайлович.

И все же! Поправили дачу — подняли забор, поменяли крышу, починили двери и рамы, вставили стекла. Прибрались внутри, и «молодой» — так они шутили, — прошелся косой по участку. И даже кое-где выскочили цветы — из тех, что сажали когда-то: золотые шары, белые мальвы, измельчавшие пионы и флоксы. Нет, до порядка — того порядка, что был когда-то, — было еще далеко. Но дача — любимая дача — все же постепенно приобрела жилой вид.

И в сердце у Эллы теперь царили покой и тихая радость. Уезжали на два дня: одна ночь, больше нельзя — старики. И хватало одной ночи, чтобы и нервы поправить, и настроение, и на душе чтоб полный порядок... Муж дачу горячо полюбил — говорил: «Вот они, деревенские корни. Опускаю руки в землю, и прямо счастье!»

В августе ходили за грибами, и здесь Валерий Михайлович показался себя специалистом отменным. Потом разбирали грибы по кучкам — опята на солку, чернушки, волнушки — туда же. Сыроежки — брали только молодые и крепкие — отлично для жарки. Вкусней благородных.

Ну а уж те самые благородные — белые, красные и серые — подберезовики — так это сушить. Это на суп.

Там, на подправленной и обновленной терраске, где они долго и неспешно перебирали грибы, вдыхая их пряный осенний аромат, они говорили, говорили... Обо всем. Про прошлое, настоящее и, разумеется, будущее. «Пока жив человек, он строит планы», — говорил ей муж, когда она махала руками:

«Валерочка, ну, давай не будем загадывать. Страшно, ей-богу!»

А зимой тосковали по даче. Муж собирался ее утеплить: «Будем ездить на лыжах, Элка! Поставим буржуйку, наколем дров — и ночуй!»

Так к ней вернулась *ее* дача. Ее любимое место, место, где было столько лет счастья. Где были *все* — еще были все!

А к весне ушла мама. Не дождалась лета. Такое горе, господи! И снова терзания... Но теперь у нее был Валера. И он поддерживал, как мог. Иногда ей казалось, что без него она бы не справилась, не поднялась. Наверное, так бы и было...

Почти все ушли, остался «последний из могикан» — дядька Илья.

И он был так плох, совсем еле-еле... Но жил. Слава богу, пока еще жил!

Валерий Михайлович переехал к жене — через пару месяцев после смерти тещи.

И даже отправил измученную Эллу в санаторий, взяв уход за стариком на себя.

Элла и вправду здорово отдохнула и набралась сил — спустя две недели вернулась похорошевшая, пополневшая и румяная.

А муж к ее приезду — ну, вот это сюрприз! — купил новую кухню и перестелил полы.

Элла смотрела на него и плакала: «От радости, Валерочка! Это от радости!»

И праздничный ужин — курица, картошка и любимый торт «Полено фруктовое» — тоже ждали ее.

Ее ждали! Впервые ее ждали не для того, чтобы... Тут можно долго перечислять — все ее дела и обязанности.

Ее ждали, потому что любили. Потому что скучали по ней. Потому что она просто нужна!

Как просто, да? Конечно же, просто. Как, собственно, все гениальное. Правильно говорила сестра.

«Как странно, — думала Элла, засыпая на плече любимого мужа, — я ведь так давно ничего не ждала. И даже перестала сетовать на судьбу. Мне казалось, что я... Ну, не то чтобы недостойна, нет. Просто все *это* не для меня. Есть же женщины, проживающие свою судьбу без мужчин, одиноко. И красивее меня, и моложе. Мой удел — это родители и работа. Все. И это, кстати, совсем не так мало. Разве я прожила не счастливую жизнь? Я не была одинока — как бывают одиноки люди. Совсем одиноки, без семьи, без родных. Без любви. А я — я любила. Всех своих близких. Я была им нужна. А теперь... Теперь, когда есть Валерий. Семья. Я снова нужна. Только теперь — ему, мужу. Как странно все, как же все странно! И самое странное — что он выбрал меня. Такую... ну, если по-честному, совсем никакую. На меня никогда не смотрели мужчины. Ни разу я не поймала на себе чей-то взгляд — ну, из тех, что с мужским интересом. А вышло вот так!»

Звонок от сестры раздался в ночи. Они тут же проснулись и испуганно посмотрели друг на друга — ох уж эти ночные звонки. Никто не ждет от них ничего хорошего.

Спросонья Элла не сразу поняла, почему так громко и отчаянно кричит Эмма.

— Что-что? — переспрашивала она. — Повтори! Я не расслышала!

И Эмма снова кричала.

Потом стало ясно — беда! Эмма больна, и больна тем ужасным, самым кошмарным из всего, что только возможно. Онкология.

Операцию сделали, да. И курс химии она уже приняла. Но самое ужасное в том, что Эдик пьет, и пьет страшно. Напивается с раннего утра и к вечеру совсем сходит с ума — разбил комод, в крошку разбил диван. Сорвал бра и... даже говорить не хочу — ужасно и стыдно. Мочился на ковер в гостиной! Ты представляешь?

Ей, Эмме, совсем плохо — слабость такая, что передвигается она только в коляске... так она ее назвала. Медсестры и домработницы бегут от них на следующий день — боятся хозяина. Дом в разрухе, сад изломан и истоптан. В доме пахнет мочой. Она сама ничего не может — отдыхает только в госпитале на химии. А дом — не просто ад, а ад кромешный! «Ты меня поняла? — продолжала кричать она. — Я погибаю тут, Элла!»

— Господи, почему ты молчала? — бормотала Элла, холодея от ужаса. — Почему? Я бы приехала к тебе, помогла... Ну, и он, Эдик, возможно, постеснялся бы... Ну, хотя бы при мне?

— Какое — приехала? Ты что, идиотка? Он совсем чокнулся. Родную дочь не пустил! Даже во двор не пустил, не то что домой. А уж тебя бы — тем более. Он сумасшедший, ты понимаешь? Он пил всегда, а после моей болезни сорвался совсем.

— Господи, а что делать? Что делать Эмка? Тебя же надо спасать? А полиция? — вдруг осенило ее. — Полиция не может помочь? Пусть отправит его в госпиталь или куда там у вас...

— Он не такой дурак, как ты думаешь! — желчно рассмеялась Эмма. — Он меня шантажирует. Говорит, что не оплатит страховку. А без нее я тут же загнусь. Понимаешь? Деньги все у него. У меня на счету ко-

пейки. Да, я все тратила. Да! Но я же не знала, как все повернется!

— А делать-то что? — спросила Элла. — Что мне надо делать?

— Спаси меня, Элка! — всхлипнула Эмма. — Я еду домой.

Муж смотрел на нее внимательно, сдвинув брови.

— Что там? — коротко спросил он.

— Эмку надо спасать, — так же коротко ответила Элла. — Причем срочно. Ты слышишь?

Муж молча кивнул.

Эмму встречали через неделю — на Ленинградском. Проводник выкатил маленькую, очень компактную инвалидную коляску, в которой сидела сухонькая, сморщенная старушка.

— Эмка! — крикнула Элла и бросилась к сестре.

Плакали долго. Валерий Михайлович, отвернувшись, курил в стороне.

Потом наконец успокоились и поехали к выходу. Вещей было мало — два небольших чемодана.

— Все, что я нажила! — горько, с усмешкой, сказала Эмма. — Взяла только личные вещи — ничего не дал взять, ничего! Да и бог с ним — точнее, черт. Пусть подавится. Да и что мне теперь надо? Сегодня это кресло, а завтра — саван. Жить мне осталось, — она усмехнулась, — чуть-чуть. Я тебя, — тут она скривилась и хлюпнула, — долго обременять не буду. Совсем немного, поверь!

— Все будет хорошо, — горячо убеждала ее Элла, — вот увидишь. Я вытащу тебя из этого, слышишь? Да

и врачи у нас тоже прекрасные есть. Есть прекрасные врачи, ты меня слышишь?

Эмма усмехнулась:

— Не суетись. Все это — вряд ли. И твои прекрасные врачи в том числе.

Добрались до дома.

— Ну и пробки у вас, просто Нью-Йорк! Сумасшедший город, ужас какой-то...

На второй этаж коляску затаскивал Валерий Михайлович.

Эмма зорко рассматривала его, а потом удивленно посмотрела на сестру.

В квартире она хмыкнула, скорчила гримаску и пробурчала с неудовольствием:

— Ну, понятно. Все то же, все те же!

Муж с удивлением посмотрел на Эллу. Та поспешно отвела взгляд.

— Обедать! — объявил он.

Эмма опять скривилась.

— Нет, я не буду. Почти совсем не ем — нет аппетита.

— А борщ? — расстроилась Элла. — Специально для тебя варила. С фасолью и черносливом!

Борщ Элла все же съела, съела еще и куриную ножку, и пару картошин, и соленый огурец.

Потом попросилась спать — ну, это понятно, человек с дороги, устал. К тому же — больной человек. Очень больной.

У Эллы просто сердце разрывалось.

Вечером Эмму подняли на третий, к отцу. Он не сразу узнал ее, а когда узнал, начал плакать.

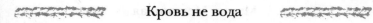

Плакали все, даже невозмутимый и стойкий полковник хлюпнул носом и вышел из комнаты.

Потом они спустились к себе, а Элла снова поднялась к дядьке — обычные процедуры перед ночью — памперсы, таблетки.

Он внимательно смотрел на племянницу, а потом вдруг сказал:

— Гони ее, Элка! Гони!

— Кого? — не поняла та и, хлопая глазами, уставилась на дядьку. — Кого, дядя? Кого?

— Дочь мою. И твою сестру, — хрипло ответил старик. — Гони ее в шею!

— Ты что говоришь? — опешила Элла. — Кого гнать? Эмку? Нашу Эмку — и гнать? Больную, несчастную Эмку?

— Гони! — сурово повторил старик. — А то она... снова тебе жизнь сломает. Ты что, совсем дурочка, Элка?

«Выжил старик из ума, — думала Элла, спускаясь по лестнице, — да все понятно — и возраст, и обида на дочь...»

Она вздохнула, вошла в квартиру. Муж на кухне читал газету.

— Ну, как? — спросила она. — Спит?

Муж усмехнулся.

— Да спит. И думаю — крепко.

И снова начались больницы. А между больницами был ад. Эмма кричала, требовала, скандалила и ругала сестру. Все ей было не так и не эдак. Ей было то жарко, то холодно. То душно, то воняло помой-

кой из окон. Ей не нравилась рыба, курица, овощи и все остальное. Ее раздражали обои, светильники, медсестра и телевизионные программы — для тупых идиотов.

Она будила сестру среди ночи, требуя то воды (стакан с водой стоял у кровати), то горшок, то окно — закрыть или открыть.

Утром у нее было отвратное настроение из-за плохого сна. Днем она спала долго, а проснувшись, жаловалась, что голова чугунная, и настроение снова было ужасным. В десять часов вечера она могла попросить апельсиновый сок: «Только не из пакета, а из живых апельсинов!»

Ей не нравилось все и всегда — люди, еда, фильмы, собственная сестра и ее новый муж.

Вдруг она захотела в бассейн, и они стали возить ее туда. Все это было очень сложно, очень. Коляска, отсутствие лифта, погрузка в машину. Бассейн, сборы домой. И постоянное нытье, что она устала и ехать надо быстрее. «Валерий, ты что, первый день за рулем?»

— Наглая баба! — однажды сказал муж.

— Что? — Элла опешила — Ты что такое сказал, Валерочка? Она тяжелобольной человек. Больной и несчастный. Вся ее жизнь рухнула в пропасть. Ты понимаешь?

Муж усмехнулся.

— А теперь она наблюдает, как рушится в пропасть наша с тобою жизнь. И наблюдает, надо сказать, с удовольствием!

Элла застыла.

— И это... говоришь ты? Ты — самый порядочный, самый верный. Самый добросердечный?

— Я порядочный, Элла. Конечно, порядочный, — тут он задумался и замолчал. — Думаю, немного найдется людей, считающих меня отъявленной сволочью. Но, Элла! Самая порядочная и самая верная у нас все же ты. И она, твоя сестрица, это отлично знает. И все же — задумайся, Элла! Наша жизнь принадлежит теперь только ей. Мы без нее ничего не можем — ни побыть вдвоем, ни пойти в кино, ни уехать в отпуск. Везде она. Всюду она. Она манипулирует тобой, а ты это терпишь. А у тебя, между прочим, семья. Но ей наплевать. На тебя — в первую очередь! Про меня она вообще не думает — меня просто нет. Или я есть только тогда, когда нужно ехать в бассейн или к врачу. Ладно, лично мне все равно. Но я не могу спокойно смотреть, как она уродует твою жизнь, Элла! Наша жизнь превратилась в ад. В ад кромешный! Ни ночью, ни днем нам нет покоя. Она, твоя милая родственница, с нами везде — зримо или незримо. И еще, Элл. Я, честно, не знаю. Вернее, никак не пойму. Ты, Элка, святая? Или, прости меня, дура?

И он замолчал. Молчала и Элла. Она сидела на стуле, опустив голову, и по ее щекам текли слезы.

— Что же нам делать, Валерочка? — еле слышно проговорила она. — Что же нам делать?

Он тяжело вздохнул, прошелся по комнате, постоял у окна и, не поворачиваясь к жене, твердо сказал:

— Что-то решать, Элка. Надо что-то решать.

Он снова замолчал, потом подошел к ней, подвинул стул и сел ровно напротив.

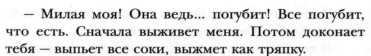

— Милая моя! Она ведь... погубит! Все погубит, что есть. Сначала выживет меня. Потом доконает тебя — выпьет все соки, выжмет как тряпку.

Элла мотнула головой.

— Это все слова, Валерочка. Я... не могу... куда-то ее деть. Понимаешь? Сдать ее в пансионат? В хоспис? Куда? Уйти и оставить ее? Ее и дядьку? Она ведь... не сможет себя обслужить!

— Ты в этом уверена? — усмехнулся он. — У нее сейчас стойкая ремиссия. Так говорят врачи. На год она отпущена на волю. Пусть привыкает. Пусть привыкает жить одна и ухаживать за собой. Хотя бы за собой, Элла!

— И что дальше? — тихо, одними губами спросила она.

— Дальше? Да как ты захочешь. Переедешь ко мне. Будем по-прежнему ходить за Ильей. Или — так, наверное, будет проще, — заберем его к себе. Его квартиру можно сдавать. Плюс аренда квартиры сестрицы. И этого вполне хватит на сиделку для мадам. Самую лучшую, надо сказать. Или даже вот так — она едет обратно. В Финляндию. И уходит там в... в этот самый пансионат. Для больных стариков. У нее есть гражданство, а это значит, что право на это она имеет. А уж там социальные службы — не нашим чета!

— Я... подумаю, — ответила Элла, — до завтра, ладно?

Он кивнул, развел руками и сказал:

— Разумеется! Даже невесте дают пару дней. А ты, Элка, жена!

У двери он обернулся.

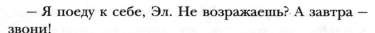

— Я поеду к себе, Эл. Не возражаешь? А завтра — звони!

Она так бы и сидела до вечера. Словно в забытьи, в полусне.

Очнулась от окрика Эммы — как всегда, резкого и требовательного.

Тут же вскочила, побежала к ней в комнату, засуетилась, заохала, закудахтала, словно наседка:

— Поесть? Попить? Погулять? Памперс? Включить телевизор?

Эмма капризничала, ругала сестру за неловкость. Потом сильно обидела ее, и Элла выскочила за дверь.

Она слышала, как сестра включила телевизор — на самый громкий звук, наплевав на соседей, отца и сестру — было уже хорошо к полуночи.

Элла пришла к себе, сняла халат и легла. Не спала до зыбкого, серого рассвета. Нет, Валера абсолютно прав. Так больше нельзя. Она убивает меня. Я это просто чувствую! Вытягивает мои последние силы. Нет, все не так! Я была бы согласна на все. Если бы... если бы не ее натура. Ее паскудная, надо сказать, сущность и ее существо. Она выживала моего мужа — методично и целенаправленно. А он ей ни в чем не отказывал! Он ей не нужен — он раздражает ее. Он нужен ей как водитель, прислуга — не больше. Впрочем, ей все нужны как прислуга. И она своего добилась — она его выжила. Ну, какой мужик, даже исполненный благородства и жалости, будет терпеть такое? Даже от жены не всякий будет, а тут — просто родня. Да и то — не его.

А мне... Мне надо спасаться. Спасать себя и свой брак. Любой вариант — Финляндия, Москва. Пансионат или сиделка — любой! А у меня — семья, муж. Я никогда не жила так, как хотела. Как жила она — всю свою жизнь. На всех наплевав. А я буду спасать свою жизнь. И своего любимого мужа. Нет, конечно, я всегда буду рядом, если во мне будет нужда. Я не отказываюсь от нее — ни на минуту. Но будет так, как я... мы... решили!

Она так и не уснула — встала в шесть, выпила таблетку от головной боли, потом чашку крепкого кофе, наплевав на давление, — необходимо прийти в себя. Разговор будет сложным и, разумеется, долгим, а ей надо хорошо соображать, аргументировать. Объяснить. Просто все объяснить. Эмма же умный человек. И совсем на такой уж плохой. Просто... жизнь так сложилась.

Я же не предаю ее. Я все сделаю так, как захочет она!

Она заглянула к сестре — Эмма спала, и спала, по-видимому, крепко — чуть приоткрыт рот, лицо спокойно и разглажено, дыхание равномерно.

Она смотрела на нее, и сердце сжималось от жалости, тоски, страха и еще... от любви.

Разговор был коротким — совсем не то, что ожидала Элла.

Перебив ее после первых трех предложений, Эмма широко открыла глаза и тихо, но четко спросила:

— Ты бросаешь меня, Элик? Ты от меня уже отказалась?

Элла стала горячо убеждать ее в обратном, пытаясь найти все более весомые аргументы, но сестра

 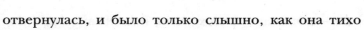

отвернулась, и было только слышно, как она тихо глотает слезы.

Потом она повернулась, посмотрела Элле в глаза и сказала:

— Ты предала меня, Элка! Просто банально предала. Вот и все. Ты выбросила меня на помойку. И правильно сделала. Зачем я *вообще*? Кому я нужна? Старая рухлядь. Больная корова. Обуза и тягость! Видишь, я даже тебе не нужна. Да что говорить — я себе не нужна! Нет, ты права. На свалку меня, ты права. А ты — будешь жить. Кому же, как не тебе, дорогая!

И заплакала крупными хрустальными девическими слезами. А потом, минут через пять, вдруг остановилась и посмотрела на Эллу:

— Я поняла, Элик, я все поняла! Конечно же, муж — аргумент весомый. Сколько ты с ним? Пару лет? А-а! А нам с тобой, Элка? И все эти годы...

— Не все, — заметила Элла.

— Да все! — махнула рукой сестра. — А что там у меня было — так никто же не знает всей правды. Я жила с алкоголиком. А ты знаешь, что это такое?

Потом она закрыла глаза и сказала:

— Я очень устала, Эл. Я все поняла. Завтра скажу тебе, что я решила. До завтра я могу побыть здесь? У тебя?

Анна Васильевна Маковкина, жившая в том же доме в Черемушках, где всю жизнь прожила и Элла, пожалуй, последний, самый древний старожил, глядела в окно, радуясь, что квартиру тогда, в шестьдесят шестом, они получили на первом этаже. Красота — все видно и всех. Анна Васильевна была уже почти неходячая — подвели ноги, заразы! Видать, больно много бегала в жизни. На улицу ей теперь путь был заказан — ох, а как же она любила выйти на лавочку у подъезда! С раннего утра, невзирая на погоду (если холодно — оренбургский платок и драповое пальто), а уж если тепло! — она открывала окно и глядела во двор. Жильцы и гости входили в подъезд, выходили, бежали к остановке или неспешно шли по своим делам. Анна Васильевна всех, разумеется, знала. А как же — сколько лет здесь прожила, и сосчитать страшно! Те, кто был из своих, приветствовали ее по-разному — пожилые доброжелательно, справляясь о здоровье. А молодые — раздраженно. Сидит бабка в окне и ко всем пристает! Любопытная бабка. Противная.

Некоторые, например пенсионеры, свободные люди, могли обсудить с Анной Васильевной и погоду, и новости, и, конечно же, сплетни.

В этот день хоронили соседа. Доложила дочь Людка: соседа с третьего этажа — старика.

— Илюшку, что ли? — ахнула бабка. — Ну и дела!

Людка бросила злобно:

— Ах, какие события! Деду сто лет. Ты, мам, прям удивилась!

— Не сто, — возразила Анна Васильевна, — он еще моложе меня! Моложе меня!

— Ага! — злорадно подхватила дочь. — Пацаненок! Жених! Молодец!

Анна Васильевна спорить не стала — Людка была бабой вредной, но смотрела за ней хорошо. Грех и пожаловаться.

Она махнула рукой и подалась вперед — не про-

пустить бы чего. Похороны ведь! Событие, так сказать. Для нее — почти мирового масштаба.

Народу было совсем немного — Элла, племянница. Которая за Ильей и ходила. Еще пара соседок-старух, какой-то дед — весь в медалях. Родня? Бывший сотрудник? И немолодой седой мужчина — лицо-то знакомое, а вот кто? А, Элкин муж! Бывший в смысле. Пожили они недолго и разошлись. А вот подмогнуть пришел! Значит, приличный человек, не скотина.

Гроб с Илюшкой стоял на табуретках — люди прощались. Анна Васильевна тоже было хотела. Да Людка как гаркнет:

— Сиди! Отсюда прострись — сделай ручкой. И смотри не выскочи из окна! От любопытства.

Нет, стерва, конечно. Да черт с ней. Чего ее слушать?

Анна Васильевна высунулась уже по пояс и окликнула Эллу:

— А че дочки-то нет? В смысле — Эмки?

Элла вытерла красные, заплаканные глаза и сказала:

— Трудно ей. Сама нездорова. А тут... на такое смотреть!

— Трудно, — хмыкнула бабка Анна, — ишь, фифа какая! Не проводить отца — где это видано?

Еще она услышала — а может быть, показалось? — как Элла сказала бывшему мужу:

— Прости меня, Валера!

А тот отвернулся и только махнул рукой. Простил? Или нет? Интересно!

Потом подъехал ритуальный автобус, гроб с Ильей погрузили, и — ту-ту! В дальний, последний,

 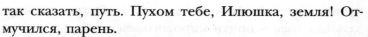

так сказать, путь. Пухом тебе, Илюшка, земля! Отмучился, парень.

В любую погоду Анна Васильевна по-прежнему торчала в окне — на боевом посту, как шутили соседи. В двенадцать дня, ну, или чуть позже Элка со второго выкатывала кресло с сестрой.

Та что-то недовольно бурчала, но сестра тщательно проверяла, застегнуты ли пуговицы на ее куртке, поправляла ей шарф, укутывала ноги старым пледом и везла ее в парк. Воронцовский парк теперь был красавцем — цветы и скамейки, дорожки и фонари. Мамки с колясками, влюбленные парочки. Эх, красота! Жаль, ноги не ходят. Идти до него — с полчаса. Да разве эта стерва Людка попрется? Да и коляска старая, совсем развалюха. Не то что у этих... Сестричек.

Элла с трудом сдвигает коляску с места и — в путь. А это в гору, между прочим.

Возвращаются они через пару часов — но Анна Васильевна в это время обедает. У нее на посту перерыв. На обед гороховый суп. Отличный, с копченой рулькой. Молодец, Людка! Умеет сварить.

Видит так, краем глаза — приехали! Прибыли в смысле.

Гулко хлопает входная дверь, тяжело скрипят пружины — и Элла тащит коляску наверх.

Но Анне Васильевне уже не до них — после обеда ее клонит в сон. Дочь провожает ее в комнату и помогает улечься.

Засыпая и чуть похрапывая, она думает о соседках: «Вот ведь семья! Всю жизнь — друг за друга. Братья, снохи... Вот старики воспитали! И эти, сеструхи. Детей не родили, семей не сложили, а вместе. Всю жизнь. Всю жизнь на подмоге! Кровь не водица, как говорится. Сильная вещь... А я, старая дура, второго родить побоялась! Время ведь такое было — эту бы поднять, обуть, накормить, дуру свою, Людмилу. А зря. Зря я боялась. Вот помру — и кто рядом с Людкой останется? Муж? Да где он, тот муж? Давно у бабы другой. Сын? Мой внучок? Так и этого нет — сидит в Краснодаре и в столицу обратно не хочет: там сад, там хозяйство. Жена и детишки. Женина родня — и он там прижился...»

— А Людка? Вот если помру... — бормочет старуха и громко вздыхает: — Ох, надо бы было. Сестричку. И душа была бы спокойна!

Зря. Зря не сподобилась. Такую б, как Элка... И все — можно и кони двинуть. Уж нажилась... Так нажилась, что... Нет, врет! Врет ведь себе самой! Пожить еще хоцца! Еще бы чуток. А что? Жизнь только сейчас стала сытая и спокойная — живи не хочу! Не надо ходить на завод — будь он проклят, — с утра, в пять пятнадцать! Не надо думать о деньгах. Пусть думает Людка. О внуках не надо — где они, эти внуки? И муж-кровопийца давно «отдыхает». Пусть спит спокойно — давно все простила. А вот что второго не родила — жаль. Возились бы девки вместе — как эти, соседские. Всю жизнь! Нет, Людка, стерва, — она не возилась бы. Порода не та. А вот другая — ну, та, что не вышла, — та бы возилась. Ну, если б, конечно, была вроде Элки. На таких все и держится!

Мир стоит на таких. Вон как эта скрутила ее, на коляске. Скрутила в виток, в хвост поросячий — и ведь не отбрешешься.

Так и будет таскать ее, инвалидку, до смерти. Только вот непонятно — до чьей?»

Анна Васильевна шумно вздыхает, кряхтя, тяжело переворачивается на правый бок и... И почти тут же, расстроенная, засыпает. И очень громко храпит.

И спится ей сладко — на сытый желудок. Хорош был гороховый суп. Ох, как хорош!

Умница Людка. Хотя стерва, конечно.

Бедная Лиза

Что такое семья? Ну вот вначале — молодые, он и она. Дальше — детки, хорошо, если парочка, а не один. Потом эти детки вырастают. Приводят в дом своих избранников — и семья разрастается. И вот уже не хватает стульев, и даже приходится покупать еще один стол, теперь уже раскладной. Тот, что называется «книжка» и в «спокойные», не праздничные дни хранится на балконе.

«Родственные» приобретения бывают, конечно, разные — приятные и не очень. Но куда денешься! Общаться-то надо. Семья! Так ведь почти у всех, правда? И терпим, и приспосабливаемся, и накрываем столы. Приезжим стелим постель, уступаем родную кровать. С утра до ночи торчим на кухне — вытаскиваются пятилитровые кастрюли и казаны: поди прокорми такую ораву! Теснимся. Раздражаемся, конечно, не без этого. Зато сестра из Ессентуков ждет нас на лето. Уступая (между прочим!) свою собственную спальню. Племянник из Грузии — чудный какой человек, нет, правда, ей-богу, прислал со знакомыми ящик хурмы и чурчхелы. А из Тель-Авива приехало новое лекарство — у нас нет такого.

Так же было и у Головановых.

Как-то так сложилось, что в этой семье рождалось много детей. Головановская кровь была сильной, ядовитой и въедливой, по определению одной из невесток, не слишком полюбившей свекровь и шумные семейные застолья, пропустить которые, между прочим, было серьезным нарушением жизненного уклада и традиционных устоев. А традиции Головановы чтили.

«Старые» Головановы, бабка Лида и дед Алексей, прожили жизнь долгую и мирную. Как и было положено по традиции тех трудных и строгих лет — один брак, куча детей. Правда, в середине семидесятых объявилась дамочка с Украины и предъявила своего «ребеночка» Гошу. Ребеночку — так мамаша его называла — было под двадцать, и головановская порода проступала в нем смело. Гоша был копией деда Алеши. Пришлось признаться, что грудастая хохлушка Зина не аферистка (а жаль!). Случайная, так сказать, подруга. Алексей Голованов, что называется, «попал»: в командировке загулял с чернявенькой Зиной, местной красоткой, и вскоре отбыл восвояси. В полном, надо сказать, неведении.

Лида Зинаиду с ребеночком пустила, накормила ужином и стала стелить постель.

Наклонившись над кроватью, расправляя простыню, она, не оборачиваясь, спросила незваную гостью:

— А приехала-то чего?

Так, между прочим.

Зинаида вспыхнула:

— Ребеночек должен познакомиться с отцом! Или не так?

Лида с тяжелым вздохом выпрямилась, проведя последний раз по простыне ладонью, потерла боль-

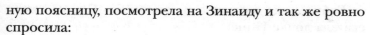

ную поясницу, посмотрела на Зинаиду и так же ровно спросила:

— Ну, познакомила?

Зинаида плюхнулась на кровать и, закрыв пылающее лицо крупными, крестьянскими ладонями, зарыдала.

— Приятных вам сновидений! — кивнула бабка Лида и вышла за дверь.

Дед Алексей сидел на кухне и смолил папиросу.

— Лида, — осторожно начал он.

— Спать, Леша! — устало откликнулась бабка. — Завтра... надо с ребеночком, — тут она усмехнулась, — гулять! В музей сходить. Или в театр.

Назавтра Зинаида отправилась в ГУМ, а «ребеночек» пошел посмотреть на столицу со сводным братом Димкой и сестрой Ниной — так приказала бабка, сунув им в карман трешку — на пирожки и мороженку.

Зина вечером уехала, «ребеночек» очень смущался и на новую родню глаз не поднимал. Было видно, что мать он осуждает — не за факт своего рождения, а за этот дурацкий приезд. Еще было видно, что матери он почему-то стесняется, ехать к папаше навряд ли хотел и столица ему эта — по барабану. В селе под Полтавой его ждала краля.

Гоша этот потом пару раз приезжал — однажды приехал с женой и ребенком. Совершив пробежку по магазинам, они шумно вваливались в квартиру, долго мылись в ванной, наслаждаясь бесконечно текущей горячей водой и, быстро и жадно отужинав, без всяких разговоров ложились спать.

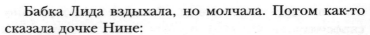

Бабка Лида вздыхала, но молчала. Потом как-то сказала дочке Нине:

— Молчание мое мою семейную жизнь только облегчало. И еще — спасало не раз.

Уточнять никто ничего не стал — просто поверили.

Бабка-то была с характером. Дети боялись именно ее, а не отца!

Потом, спустя много лет, Нина, уже немолодая женщина, мать трех дочерей, дважды разведенная и в женской судьбе несчастливая, спросила:

— Мам, а ты все ведь ему спускала! И как это тебе удавалось?

Бабка усмехнулась:

— Семью не хотела рушить — ответ-то простой! Папаша твой, — тут она замолчала, — кобель был хороший! И что? Ну, выгнала бы его? А толку? Вас, дураков, осиротила бы. И все. Потому и молчала. Вот ты — языкатая и справедливая! И еще — дважды разведенная и одинокая. Тебе хорошо?

Нина скорчила мученическую гримасу.

— Ну ты же знаешь, мам! Митя пил, Шурик гулял... Что говорить!

— Ты, Нина, бескомпромиссная. А в семейной жизни ... — она замолчала и снова вздохнула. — А я отца прощала. И было за что, не сомневайся. Не только Гошу этого...

Прожили старики вместе больше полувека. Дождались не только внуков, но и правнуков. Дед Алексей всегда поднимал первый тост за жену. Говорил, что благодарил бога — всю жизнь! — за то, что тот послал ему Лиду.

Во время тоста по-стариковски пускал слезу, а суровая бабка уговаривала его «не расстраиваться».

А вот дети бабки Лиды и деда Леши традициям стали изменять — сперва осторожно и смущаясь, — ну, так получилось... Вы уж не обессудьте!

Развелась невезучая Нина, потом Дмитрий.

А уж внуки — так те отрывались по полной. Ничуть не смущаясь. Разводы и адюльтеры посыпались как горох из мешка, — все просто, все легко: ну, не сошлись характерами. Бывает.

Деда уже не было в живых, бабка Лида жила с Ниной и ее дочерьми. Нянчила правнуков — обездоленных, как она про них говорила.

Ритка, Нинина дочь, жила с женатым, прижив от него сына. Светка спуталась со стариком — лет пятьдесят ему, что ли. Светкин начальник. Родила от него дочь, Маринку. А младшая, Танька, вообще учудила — снюхалась с арабом и махнула в Сирию. Хорошие дела? Нина рыдала с утра до ночи, жалея бестолковую Таньку. Успокоились, когда Танька начала присылать фотографии — дом с бассейном, спальня метров сорок, мраморная ванна — рехнуться можно!

Сестры, Ритка и Светка, зеленели от зависти. А бабка Лида утешала — на чужбине счастья нет! Даже с ванными этими и бассейнами.

Оказалась права — Танька вернулась через четыре года с одним чемоданом и морем слез. Выгнали. А бывшего мужа женили на «своей». «Своих шалав и у нас хватает, — сказала его родня. — Чужих не надо».

Сестры наконец успокоились. Нина билась с внуками, моталась по двум работам, вечно нервная, взвинченная — сердце кровью обливается! — тощая, страшная, седые патлы из-под краски прут. Некогда в парикмахерскую сходить, некогда.

У сына жизнь, слава богу, сложилась. С первой женой — хорошая была девочка, чем не угодила? — расстался по молодости. В той семье остался Сашка, первый бабкин внук. Ох, как же она его любила! А понянчила всего ничего — полтора года. Первая Димкина жена, Ларочка, уехала в Кишинев, к родне. И Сашку, любимого внука, больше никто и не видел. Ларочка, правда, письма писала и фотографии высылала. Но разве это заменит? Смешно. Во второй раз Димка женился к сорока и родил одного за другим троих. Детки получились хорошие, умненькие. Жену Димкину, правда, бабка Лида не любила — говорила, что Ленка жадная. А уж против Ларочки — и говорить нечего! Чужой человек, совсем чужой. И правда жадная — столы накрывала такие, что только вилками в пустые тарелки стучать. Ветчина на просвет, сквозь нее узор на тарелке виден. Винегрет и салат из капусты — самое дешевое, самое-самое. Стыдоба. А на горячее — курица. Одна! И на всех. Кто успел, тот и съел.

А Димка ведь хорошо зарабатывает! Профессор, между прочим...

Ходила шутка — перед тем как идти к ним на «прием», надо дома плотно поесть.

Вторая дочь, Альбина, жила тихо и смирно, муж Альбины — большая шишка, полковник разведки. Квартира огромная, дети на велосипедах катаются. Посуда красивая, мебель, ковры. Альбина мужа слушается и, похоже, боится. Ни в чем не перечит. И правильно — чего перечить? Дом — полная чаша, по курортам мотаются.

Альбина с Ниной дружат, вот только... Ни разу Альбина помощь сестре не предложила. Ни разу! Ни

деньгами, ни продуктами. Ни вещами. У самой — три шубы. А Нина бегает в старом пальто. Как чумичка. Альбина сестру поучает — во всем: «Ты дура, каких мало! И девки твои — туда же! Семья идиотов!»

Нина молчит и плачет — все правильно, со всем согласна. Только вот почему? Никто не ответит.

Даже мама, мудрая мама. Просто говорит — судьба. Она у всех разная.

Но — как это можно? Одним — все, другим — ничего! Справедливо?

Дочки Альбинкины, Настя и Даша, обе студентки. У обоих женихи. Да какие! Один — сын генерала, другой — бизнесмена богатого. У всех квартиры, машины, загородные дома. На Новый год едут в горы, летом — на море. Дашка после свадьбы собирается с мужем в Париж. Лет на пять уедут, не меньше!

А мои девки! Слезы одни. Нарожали и маются. Как и я. Карма такая, что ли...

«Зря развелась, мама права», — думала Нина.

Про Митьку понятно: жить с алкашом — не приведи бог! Хотя... Потом, говорят, Митька женился и пить перестал. Баба сильная попалась. А может, напился уже. Решил, что хорош.

А Шурик... да, шлялся! Но... Глаза-то можно было закрыть! Не знаю, и все. Пошлялся бы лет до пятидесяти и успокоился. А где взять на это здоровье?

Танька говорит, что папаша теперь солидный, магазин у него, машина хорошая. И жена молодая. Ну, это понятно! Куда девать кобелиные привычки? Правильно, некуда. Да и бог с ними. Где они и где она, Нина?

Своя жизнь бестолковая, и дочки туда же. А Альбинка все поучает! Стерва, конечно. Все — по боль-

 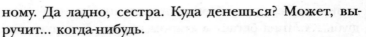

ному. Да ладно, сестра. Куда денешься? Может, выручит... когда-нибудь.

Но уж точно — не предаст. А предавали Нину много. Вспоминать не хочется.

Бабка Лида жалела своих «девок». Нину — понятно. А Альбину-то — за что? Все у той в шоколаде — как говорили внучки. Только мать понимала — несчастливая Алька! Муж — дундук и жлоб, и она со временем стала мужу под стать. Что говорить — права Нина, Алька тоже стала жлобихой. И разве это счастье — бояться собственного мужа? Отчитываться за каждую копейку, каждую юбку выпрашивать, каждую пару чулок? Не была такой Альбина, не была! Добрая была девка, сердечная. А раз стала такой — так это от жизни собачьей. Ведь если человек счастлив, разве он не добр к окружающим? Разве не поделится, не пожалеет? Тем паче — родную сестру? Нет, правильно говорила Альбина — Нинка дура. Двух мужей просрала. Не самых плохих. Ну, да так сложилось, куда деваться. Нинка за все платит, за все свои глупости и ошибки. А для чего нам родня, близкие люди? Чтоб пожалеть. Протянуть руку помощи. Правильно? А поругают и осудят нас посторонние. Какой с чужих спрос?

А девки Нинкины бестолковые! Как мать. Молодые, а уже маются. Видно, что женская судьба их не жалует. А Альбинкины дети — как французские сыры в вологодском масле. Все у них получается!

Бабка Лида думала: вот ведь женская доля! Кому что написано. Правда. Одни — всю жизнь при мужиках. Молодые ли, зрелые. А другие... Нет никого — хоть ты тресни! И ни при чем тут красота, стройность и обаяние. Ни при чем! Ни навыки хозяйские,

ни успехи в труде. Просто у одних есть, а у других — дуля. Как на роду написано.

Ритка Нинкина — красавица. Такая девка получилась, глаз не оторвать! Даже в кого — непонятно. Высокая, длинноногая. Волосы густющие и блестящие, глаза вполлица. А толку? Замуж вышла рано — в восемнадцать. Хороший был парень. Петьку родила. А через два года ушла от мужа — влюбилась! В женатого. Мужа бросила, семью развалила, да еще и родила от чужого мужа. А для чего? Чтоб у телефона дежурить? Позвонит — не позвонит? И, как собачка, бросается вниз по лестнице. Даже лифта дождаться не может. Крутит со своим женатиком уже лет шесть. Тот из семьи не уйдет — ежу понятно. Раз не ушел в первые два года — не уйдет никогда. Денег не дает, подарки жалкие, говорить стыдно. Ритка бесится — откуда у него? Он честный человек, и у него семья!

А раз ты такой честный — сиди в семье и не рыпайся.

Любовь у них! Ритка говорит — сумасшедшая. Господи, да какая любовь, если так вот грязно и не по-людски? Словно ворует Ритка. Да много ли своровала? Обогатилась? Смешно... Грех говорить — ощущение такое, что любовника больше сына любит. Нет, правда — так кажется!

Или вот Светка, средняя внучка. Тоже девка хорошая, ладная. Не такая красотка, как Ритка, но вполне. И что? Родила от начальника, старого козла. Нет, он помогает. Деньги дает, вещи ребеночку покупает, игрушки. Девочку обожает, правда. А что же не обожать? На старости лет завел себе игрушку. У самого уже внуки! Козел старый, бессовестный.

И эта дурочка про любовь! Сергей Евгеньевич, лучше его нет... Воспитанный, обходительный, образованный. Молодые ребята против него — дерьмо. Никого не хочу, точка!

Про Таньку и говорить нечего. Несчастный человек наша Танька. Такие унижения, такой кошмар. Мало того что выперли в чем была, так еще и ребеночка отобрали — «по нашим законам должен остаться с отцом». Дикие у вас законы, господа арабские миллионеры! Господи, сколько же бедная девка слез пролила... Да что там пролила — до конца жизни лить будет! Такая судьба... Опять судьба.

Альбинкины девки счастливые. Толковые — всему научились. Папаша им с детства внушал, что почем. Женихи должны быть успешными и небедными. Из хороших семей — *нашего* круга.

Так и подобрались — как полковник наказывал. И круг подошел, и карьеры маячили.

За тех внучек сердце не болело. «Все хорошо, а будет еще лучше» — слова полковника.

Только... Стыдно признаться — Настя и Даша Альбинкины бабке Лиде чужие. Ну, правильно говорят — не растишь и не плачешь!

Сухие девки, чмокнут в щеку и один вопрос — точнее, не вопрос даже, а так, формальность: «У тебя все нормально, ба?»

Что, после этого станешь про свои беды рассказывать? Они ведь слышать хотят только то, что приятно. Почти совсем не звонят — только на день рождения и на Новый год: «С праздником, бабуля, здоровья богатырского тебе и всего наилучшего!»

Богатырского! Хотя бы какого-нибудь. Средненького. За все спасибо скажем!

Так вот, про судьбу... В смысле — женскую. Младшая сестра. Лиза. Старая дева. Хорошенькая по молодости была — куколка просто! Голубые глазенки, золотые колечки волос. Ресницы такие, что две спички держались! Папина любимица — Лизончик.

Ей, Лиде, всегда казалось, что родители любят Лизку сильнее. Она странная была, Лизка. С раннего детства странная. Сидит на стуле и смотрит вперед. Куда? В никуда. Просто перед собой. Не ест. Папа с мамой крутятся перед ней: «Лизончик! Кашки! Хоть ложечку, милая. Пирожнице — полвилочки! Ну же, Лизончик!»

А она — вдаль. Вся в себе. Вызывали врачей — частных, конечно. Тогда еще были такие — дореволюционные. В пенсне и в калошах. Один смотрел на нее долго, внимательно. А потом говорит:

— Необычная у вас девочка, уважаемые. Совсем необычная. Не такая, как все.

Мама заволновалась:

— Здорова ли? А почему все время смотрит мимо нас, вдаль?

— Не вдаль, — улыбнулся доктор, — в себя. В себя она смотрит! Ей *там* интересней.

Тихая была девочка, ни шалостей, ни бурных игр. Или книжки читает, или в окно глядит.

Но со временем родители успокоились — девочка здорова, а все остальное... Пусть смотрит, куда интересней. И опять любовались. Принцесса, куколка фарфоровая. Заинька и малышка. И еще — бедная Лиза. «Почему бедная?» — удивлялась сестра. Но вслух не спрашивала.

А вот ее, Лиду, уважали. Крепкая была, смелая. За всех заступалась: маму как-то в трамвае пьяный обидел, так двенадцатилетняя Лида его из трамвая и выкинула — прямо в открытую дверь!

А уж если дразнили сестру! Так тут отважная Лида вступала в драку. На рынке так торговалась, что стали отпускать туда ее одну — мама говорила, что ей неудобно.

«Лида у нас крепкая», — говорили родители, и Лиде слышалось в этих словах какое-то разочарование, что ли.

В блокаду было совсем тяжко. Ели лепок — хлеб из жмыха и храп — суп из листьев. Мама уже почти не вставала. Лида ходила за хлебом. А потом слегла — простудилась. Лежали с мамой в одной кровати — так было теплей. С жизнью прощались. И тут подошла Лиза. Села рядом и говорит: «Вы не умрете. Скоро нас всех спасут. И все будем жить. И папуля вернется!»

Лида чуть приоткрыла глаза — отвечать не было сил. Посмотрела на Лизу. Подумала — мечтает! Понятно. Мечтает, что все закончится, все поправятся и даже папа вернется. Бедная Лиза! Что же с ней будет, когда нас с мамой не станет?

И вправду — бедная Лиза. Ведь пропадет наша дурочка! Не приспособленная ни к чему.

А через неделю их из Ленинграда вывезли. Два месяца пути в товарном вагоне до Новосибирска. И там каким-то чудом даже достали лекарства, и у Лиды прошел сильнейший бронхит. И папа вернулся живой!

Правда, про те Лизкины слова Лида давно позабыла.

Еще было — там, в эвакуации, в Новосибирске, с ними жила семья. Ленинградцы, Козыревы. Сын у них был на фронте. А с ними была дочка Леля. Пятнадцати лет. И вот однажды Лиза сидит у окна,

ну и, как всегда, смотрит вдаль. А потом вдруг тихо так говорит:

— Бедные Козыревы. Бедные, бедные...

Мама встрепенулась:

— А что, Лизочек? Похоронка на Толечку придет? Тебе что, приснилось?

Лиза вздохнула и покачала головой:

— С Толиком все в порядке, мамочка. А вот с Лелечкой...

— Что с Лелечкой? — испугалась мама. — Заболела?

Лиза побледнела и покачала головой:

— Лелечка здорова. Только... скоро умрет...

— Господи, Лиза! — мама тогда рассердилась. — Что за бред у тебя в голове?

Лида слушала это сквозь дрему и поэтому тут же забыла.

А через неделю Лелю убили. На просеке в дальнем лесу нашли труп бедной Лели.

Вернулись в Ленинград. А когда Лизончику исполнилось пятнадцать — тут хоть караул кричи! Женихи проходу не давали, совсем. На улицах приставали, в трамвае. Стихи посвящали, цветы под дверь. Был один, Вася, сосед. Из петли вынули — так любовь к Лизке скрутила. Кошмар! Папочка тогда к Васькиным родителям ходил, извинялся. Потом был грузин один, Иосиф. Красивый такой, волосатый. Богатый! На своей машине ездил. Сынок какого-то важного чина. Свататься к папе ходил, Лизкину руку вымаливал. Отказали. Говорят, начал пить. Может, слухи — больше его не видели. Ну, после отказа.

А Лизка, дурочка, все глазками хлоп-хлоп, на ресницах чернючих слеза, точно бриллиант, дрожит, переливается.

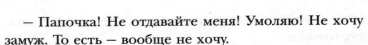

— Папочка! Не отдавайте меня! Умоляю! Не хочу замуж. То есть — вообще не хочу.

И папа ее послушался. Потом было много еще женихов — никто этой крале не подошел. Ну, так и осталась — в старых девах. То есть буквально. В прямом смысле. Ни одного любовника за всю жизнь. Ни одного! Лида тогда, в пятидесятых, встретила Алексея и с ним в Москву укатила. Все как положено — влюбилась, вышла замуж, родила первую дочку. А Лизка осталась в Питере. За родителями, правда, ухаживала хорошо. Досталось ей сильно — мама долго болела, и папа не отставал. Но — даже к ее сорока попался жених — приличный, надо сказать, человек. Хирург, вдовец. Мамочке операцию делал. Ну и влюбился в Лизку. Замуж позвал. А она — опять ни в какую: «Куда мне замуж на старости лет? Я ведь привыкла одна. Да и родители — кому нужны чужие старики? Как я брошу родителей?»

А что родители? Мамочка ее умоляла: «Лиза, соглашайся! Мы ведь уйдем — останешься на свете одна! Сестра не в счет — у Лиды семья, трое детей. Да и в разных вы городах!»

Нет, не согласилась, упрямая. После смерти родителей приехала к Головановым. Только... Алеша ее не очень здорово принял. Невзлюбил. Раздражала она его страшно. Своими привычками холостяцкими, эгоизмом. Восторгами своими дурацкими: «Ах, какая погода — воздух можно резать ножом!», «Какой прелестный роман!», «Чудесный фильм, я всю ночь прорыдала!».

А чтобы помочь сестре — так этого нет. Лида бьется на кухне, сад, школа, уроки, уборка. А эта

фифа — в руке роман, в глазах слезы. Ну, и кто это выдержит?

Лида злилась, но терпела — из благодарных была, добро помнила. Как Лизка за родителями ухаживала. Ни разу помощи не попросила — а ведь могла!

Да ладно, что говорить. Давно все в прошлом. Уехала Лизка обратно в Питер через полгода.

«Я здесь лишняя, — тихо сказала, потупив небесные очи. Ну и никто ее не отговаривал — и вправду, мешалась, и раздражала, и лишние хлопоты. — Я лучше буду к вам в гости ездить. Ну, или вы ко мне. Дети должны увидеть наш город, Лидочка! Музеи, парки, дворцы».

Все правильно, да. Однажды отправила Лида Димку с Ниной на школьные каникулы к тетке.

И что? Через три дня они заныли: «Мама, хотим домой! Иначе умрем от голодной смерти. Или от теткиной культурной программы. Замучила нас! Хотим во двор, к телевизору (у этой дуры даже телевизора нет, представляешь?) и твоего борща с котлетами!»

Потом, спустя сколько-то лет, Леше дали участок. Место гиблое, Шатура, торфяники. Но — бесплатно. Пришлось осваивать — куда деваться, дети. Нужен воздух! За лето в городе совсем дуреют.

Поставили вагончик и сколотили будочку туалета. Колодец — за два километра. Электричества нет пока, но все равно красота! Лес вокруг, елки, березы! Пруд совсем рядом. Ребята на улице, домой не загонишь. Счастливые, загорелые. Леша в Москве — работа. А она, Лида, опять в борьбе — завтрак, обед, ужин. Постирать, прибраться, воды натаскать. Затеяла еще огород — дура городская. Ничего не растет, ничего! Даже укроп и лук над ней насмехаются.

 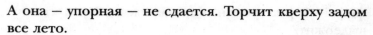

А она — упорная — не сдается. Торчит кверху задом все лето.

В августе приехала Лиза — «подышать свежим воздухом». Вышла из такси (!) и скривила личико:

— И это ты называешь дачей?

Стоит, чуть не плачет. От разочарования. Думала, наверное, что тут ей курорт. Ха-ха.

Леша смеется:

— Получай помощницу!

Издевается. А эта стоит — белая кисейная юбка, полотняный жакетик, шляпка и зонт — в смысле от солнца. Умора!

Лида в калошах резиновых и в Лешиных старых портках — дачная форма.

Ну, деваться-то некуда. Такси — тю-тю! Тут же сбежало.

А эта села на стуле, складочки на юбке расправила.

— Лидочка! А где моя комната?

— В Ленинграде, — буркнул хозяин.

Лиза скривила ротик.

— Лешечка! Ну зачем же вы так?

Лида тоже на него цыкнула — что теперь копья ломать? Мадемуазель прибыла, остается только одно — все это *перетерпеть*!

Ну а дальше, конечно, смех. Комната-то в вагончике одна! Дети на раскладушках, они с Лешей на старой тахте. Холодильник — старенький «Саратов» — дребезжит, как сбесившийся.

Дети и Лида спят — за день умаялись, под канонаду уснут. А Лизка... Всю ночь на улице, в гамаке, комаров кормит. «Гвоздикой» зальется — хоть святых выноси. И мается. А утром в слезах — замерзла, покусали, ноет спина. Дети над ней потешаются: «Пой-

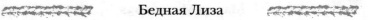

дем, Лиза, на пруд? За земляникой? За грибами?» Тащат бедную дурочку, она ведь ни сном ни духом — ни про лес, ни про пруд. Смешная! Потом снова расстраивается: «Пруд, Лидочка, грязный, словно там чертей отмывали. В лесу жарко и комары, земляники так мало — ни поесть, ни тем более набрать!

К тому же Лизу в тот год покусали осы. Оказалось — аллергик. Распухла дико, не видно глаз. Побежали на станцию, в медпункт. Слава богу, фельдшер сделал укол, и Лизка выжила. Но страху натерпелись не приведи господи!

После этих ос Лиза съехала.

— Я, Лидочка, житель городской. Теперь я в этом уверена. Ты уж меня извини, что я так быстро смываюсь.

Ну, и вздохнули, разумеется. Неловко, а такое облегчение, что... праздник просто!

Боковая ветка семьи Головановых — сестры Алексея, Надежда и Антонина, ударницы коммунистического труда. Орденоносицы, можно сказать. Две крупные, шумные, сильные женщины, обожающие своего младшего брата. Рано осиротев, сестры-погодки одни поднимали сорванца Лешку. Подняли, что говорить. Следили так, что пацан и к куреву не привык — отодрали как сидорову козу. И за первую пьянку так наваляли, что тот остался чуть жив. И школу бросить не дали — никаких семилеток, не для того мы на тебя жизнь положили! Выучили — техникум, институт. Стал человеком. От непонятных девиц охраняли — да не дай бог! Горло перегрызем, если что, не сомневайтесь. От одной отбили — вспоминать страшно! Пьющая и гулящая, да еще и с дитем! Мама с батей на том свете небось переворачива-

лись. Наде, старшей, так и снился кошмарный сон — стоит мама у постели и головой качает: «Как же так, Надежда? Как ты могла?»

Сами замуж вышли поздно, почти под тридцать. По тем временам — случай почти безнадежный.

Вышли только после того, как Лешка привез из Питера Лиду. Невесту.

От Лиды они были не в восторге — не их поля ягода, из песочного теста. В смысле — хрупкая, ненадежная. Не сразу поняли про нее. Думали так, а оказалось все не так страшно. Неплохая Лидка оказалась, не капризная, не ворчливая. Только... чужая. Понятно — интеллигенция! Папа — инженер, мама — учительница. А про младшую сестру лучше вообще не вспоминать. Горе, а не сестра! А куда денешься — тоже родня. Лидка, правда, сама ее сторонилась — стеснялась, все про нее понимала.

А они, Головановы, люди простые — как говорят, от сохи.

Ладно, живет Лешка не хуже других, да и пусть. В доме чисто, поглажено-постирано, обед на плите. Детей народили, как говорится, дай бог. Короче, смирились.

И на все праздники, семейные и государственные, Лидка к золовкам приезжала, не брезговала. Правда, песен деревенских не пела и носик морщила, а так — ничего. Нормально. Сестры ее задирали — цеплялись по-бабски, по-мелкому. А она все помалкивала, только усмехалась — что, мол, с вами, дурами деревенскими, связываться! Чести много.

Ничего, прижились, притерпелись. Тоня была похитрей — говорила сестре, мол, зря та на Лидку бал-

лоны катит. Вспомни-ка ту, пьющую. Вот бы такую невестку, а, Надь? Ругались даже.

Правда, когда у Лешки сынок обнаружился... Вот тогда чуть дураку глаза не выцарапали: «А где была, Леш, твоя голова?»

Жалели тогда Лидку очень. Сами ведь бабы, что говорить.

Надежда родила сына Борьку и двух девок — Люську и Катьку. Неплохие вроде бы девки, а жизни хотят полегче. Да все сейчас хотят полегче, чего уж там! Люська вышла замуж за тихого рыжего Костю Зельдовича, и все у них было в порядке. Не зря говорят: еврейский муж — самый лучший. Непьющий и думающий о семье. Квартиру купили кооперативную, машину. Мама у Зельдовича была хорошая, Люську жалела. За то, что та родить не могла. Деток завести никак не получалось. Всех врачей обошли. К знахаркам ездили. Люська креститься надумала — вдруг Бог поможет? Надежда, конечно, не возражала — смотреть было больно, как девка мается. Только не верила в это, хотя... однажды вынула мамину иконку и ей отдала:

— Бери, дочь!

Иконка была старенькая, картонная, совсем затертая. А Люська схватила ее и в лифчик спрятала.

— Спасибо, мама!

Расплакалась даже.

У Катьки тоже было ни шатко ни валко. Лысый Эдик, такое у него было прозвище, был мужик бестолковый. Вроде и неплохой парень, а ленивый как черт. Только бы в гараж к мужикам — и на весь выходной. Пивко, то-се. Катька бьется с Полинкой одна. А девка тяжелая, беспокойная. А муженьку по

барабану. Не муж, а мебель в доме. Да еще к тому же — неудобная, колченогая.

У Тони, младшей сестры, было два сына. У старшего, Васьки, жена-татарочка Дина. Очень веселая и певучая. На праздниках запевала так, что никому не перебить. Никогда не унывала. Даже когда больную девочку родила — глухонемую красавицу Верочку. Васька тогда запил страшно, а Динка все удивлялась: «Какое горе? Радость одна! Хорошенькая девочка, головановская. Чудо, а не ребенок. А что не слышит — так, может, и хорошо? Хорошо, что гадостей людских не услышит. Злобы людской, хамства. Плохих новостей». Такая была эта Динка.

Кому было плохо — все сразу к ней. «Динкин смех все печали сотрет», — говорила Нина, Лидина дочь.

Второй Тонин сын, Ваня, женился на осетинке Мадине. Ох, и красотка была эта Мадинка. А хозяйка какая! Какие пироги пекла Мадинка — пальчики оближешь! С сыром, с картошкой, с мясом.

К ним так и шли всегда — на пироги. Только здоровья у Мадинки не было — легкие слабые. Чуть ветерок — и сразу воспаление легких. В общем, подумали врачи и сказали, что надо Мадинке с Ваней ехать в Осетию. В тепло. Горный воздух — там будет полегче. Ох, как же Ваня не хотел уезжать! Из Москвы, от семьи. От всех Головановых. А пришлось. Мадинке, конечно, радость — там ее семья. Родители, братья, сестры. Что делать — уехали. Жизнь вроде сложилась. Только Ване там было тоскливо. Все в столицу тянуло, к семье. Успокоился не скоро, лет через десять. Когда по двору уже бегало три пацана. А только Мадинка все равно умерла. Не по-

могли ей горный воздух и родная природа... Не помогли.

Ваня вернулся в Москву. А мальчишек оставил в Кора-Урсоне. Понимал, что там им будет лучше. Совсем не столичные жители получились из его пацанов. Да и семья покойной жены отдавать пацанов не хотела. Уговорили Ивана. Поддался.

В Москву вернулся потерянный, словно побитый. Жил у матери и тосковал. По Мадинке и по сыновьям. Антонина мечтала его «обженить». А сын и слышать про это не мог. Так кричал на мать, что на улице слышно было.

Лида, невестка, тогда ей сказала:

— Где у тебя мозги, Тоня? Где, в конце концов, такт? Разве так можно — наскоком, нахрапом? Ты же женщина, а не бульдозер!

Поссорились тогда крепко, полгода не разговаривали. Ничего, помирились. Хотя обиделась тогда Антонина на невестку сильно.

Вот и получается: семья — корень, ствол, ветки и листья. Есть у тебя это — цени!

И Лида ценила. Головановскую родню терпела. Если не с трудом, то с усилием. Говорила: мол, Головановское поголовье все увеличивается. Хотя и сама, что называется, «ручку приложила».

Сестры-золовки иногда казались ей нахальными и грубыми. Искренность их, а это, конечно, была не наглость, а именно искренность, деревенская простоватость, когда привыкли жить открыто, гуртом... И все же то, с чем они лезли в ее жизнь — любопытство, забота, — было навязчивым, цыганским. Им надо было постоянно быть в курсе всего — как дети, что приготовлено на обед, сколько банок ком-

пота она закатала, ну и, конечно, как там Леша, любимый брат.

Они так привыкли — все документы открыты, архивы рассекречены, тайны напоказ. Да и какие тайны могут быть от родни? От близких людей? Они так стремились к объединению, что не оставляли в покое семью брата ни в какой ситуации. Узнав, что в августе младший Голованов собирается с семейством на море, засыпали кучей нелепых вопросов: «А зачем так далеко?! Так дорого?!» Потом зафыркали: «Барские замашки! Конечно, разве твоя Лидка без моря не перекакается? А что, родительская деревня им уже не подходит? Парное молоко, лес, ягоды и река — все это хуже вашего дурацкого моря?»

Леша заученно (жена постаралась) и упрямо бубнил: «Детям. Море нужно детям. Димка всю зиму в соплях, Нинка и Альбинка в ангинах».

Сестры возмущались, не спали первую ночь после «шокирующего» известия, перезванивались допоздна, поносили фифу Лидку, а потом вдруг засомневались: «А может, и правильно? Лидка-то вовсе не дура!»

И торжественно объявили, не сговариваясь, что готовы тоже ехать на юг! «Так же дешевле, правильно? Ну, если одним котлом?»

Лида, конечно, впала в тоску. Боже мой! Пропал отпуск, пропал! Снова будет шум, суета и постоянные крики. Золовки не умели общаться *не громко*.

Питерской девочке Лиде слышать по утрам: «Надь, слышь, где большая сковорода под яишню? А, ты, что ль, в сортире? Слышь, Надьк?» — было почти невыносимо.

Шумные сборы на пляж, крики мамаш и непрекращающийся ор детей. Звяканье посуды, хлопанье

дверей, чьи-то недовольства, конфликты между двоюродными братьями и сестрами...

Ужас и ужас. А что поделать? Муж сначала тоже расстраивался, а потом... потом сказал:

— А что я могу поделать? Они — мои сестры. Они меня вырастили. Да и, в конце концов, Надька и Тонька не хуже твоей чокнутой Лизки! Она, кстати, с нами не собирается? — недобро прищурил он хитрый глаз.

А Лиза-то как раз собиралась. Да, собиралась. Заказывала билет, шила новый сарафан и доставала с антресолей белые босоножки.

Лида ложилась в постель и начинала плакать. Ничего плохого. Абсолютно ничего!

Но... Почему ее жизнь принадлежит семейству Головановых? Почему? Почему она не может планировать ее сама — свою собственную, личную, семейную, можно сказать единственную, жизнь?

Почему не может восстать, возразить, отказаться? Поставить, в конце концов, ультиматум? Почему она должна зависеть от внезапных решений этих двух дур, Надьки и Тоньки? Разве мало они суют свой нос в ее семью? Чтобы еще тут, на отдыхе? Под платанами и каштанами?

Ладно Лиза. Человек несчастный и одинокий. А эти крикливые, шумные бабы? Какое они имеют право? Так проникать? Так внедряться?

Неделю она тихо плакала, а муж делал вид, что ничего не замечает. После слез приходили наконец мудрость и смирение — верные спутники Лиды.

Подумаешь, всего какие-то три недели. Всего-то! Что, не переживем? Не перетерпим? Не справимся? Да, не очень здорово, и так хотелось тишины — хотя

бы вечером, когда «упакованы» по кроватям уставшие дети. Но есть же и положительные моменты. Есть, как не быть! Тоня прекрасно готовит. Для нее обед на такую семью — плевое дело. Надежда обожает магазины и рынки — в шесть утра уже намыливается за покупками. А значит, Лиде не надо будет вставать и спешить за колбасой и курями. Еще Надька обожает стирать и гладить — говорит, что успокаивает нервы. (А у нее есть нервы? Вот чудеса!) Причем стирает и гладит «на всех», без разбору. Плохо ли? Тоня драит кастрюли — с таким остервенением, словно от этого зависит счастье всего человечества, да и вообще обожает мыть посуду. Плохо ли? Пусть моральной свободы не будет, но физическая — тоже неплохо. Вечером, уложив детей, можно будет сбегать в кинцо, ну, или посидеть с мужем на набережной. А что, хорошо!

Да и вообще — Лида усвоила это давно, — семья — это главное. Нет ничего важнее семьи. Ведь если, не дай бог, беда — Головановы вставали плотной, без щелей, без просветов, защитной стеной. Такой плотной, что неприятности отскакивали от нее, как футбольный мяч. И прочие горести не просачивались — некуда было. Лида хорошо помнила, как страшно заболел Димка. Две недели не спадала сорокаградусная температура, а диагноз поставить не могли. Лида тогда совсем потерялась — сидела у его кровати и гладила сына по голове. По лицу текли слезы — без остановки. Приходили врачи и разводили руками, сестра колола антибиотики, медики настаивали на больнице, а Лида, точно безумная, Димку от себя не отпускала. Ей казалось, что увезут мальчика, и больше он домой не вернется. В первый

 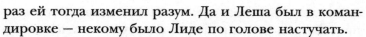
раз ей тогда изменил разум. Да и Леша был в командировке — некому было Лиде по голове настучать.

Тогда приехали Надя и Тоня. Надя вызвала «Скорую», а Тоня собирала племянника. Обе поехали с ним в больницу. Лиде дали снотворное и уложили в кровать. Проспала она почти сутки. Потом удивлялась — и где же он, материнский инстинкт? Как я могла уснуть? При чем тут снотворное?

А Надя осталась в больнице. Через сутки Тоня ее сменила. Пока дежурила одна, другая приезжала к Лиде, варила обед, кормила девчонок и обихаживала почти обезножевшую невестку.

Было еще и такое — в Лешином цеху погиб рабочий. По халатности и из-за нарушения техники безопасности. Естественно, отвечать должен был Голованов. Грозила статья. Прямой вины Голованова не было, да кто будет разбираться? Нужен был стрелочник. Потом, слава богу, все разрешилось — оказалось, что парень был пьян. И суд был товарищеский, заводской. Обошлось выговором в личное дело и трехмесячным снятием с должности. Но чего все это стоило! Господи, не приведи! Леша тогда поседел, она, Лида, похудела на двадцать кило. После суда Тоня принесла им путевку — выбила в заводском профсоюзе. И сестры силой выпихнули их в санаторий. Была ранняя осень, и в глазах рябило от разноцветных кустов и деревьев — красных, золотых, зеленых и бурых. Санаторий стоял на крутом берегу Волги, и они просыпались от протяжных, далеких пароходных гудков. Было довольно тепло, и Леша даже купался — вылезал синий, дрожащий, — но именно там, на Волге, он впервые за последние полгода начал нормально есть и улыбаться. Тогда, впервые за

много лет, они оказались одни. Без детей. Это было так странно, что они сперва растерялись и застеснялись друг друга. А спустя пару дней вдруг ощутили тихую радость, такую нежность от постоянного пребывания рядом друг с другом, беззаботные, свободные, никуда не спешащие, ни на что не отвлекающиеся. Они снова открывали друг друга, многое забывшие в жизненной суете, — медленно, радостно, ценя каждую минуту близости и наслаждаясь друг другом. Они словно вспомнили тогда о своих еще молодых телах — переливались друг в друга, заново знакомясь и открывая неведомые ранее возможности.

Лида тогда поймала себя на мысли, от которой испытала жгучее чувство стыда, — по детям она не скучает. Совсем. И домой тоже совсем не хотелось. Вот как бывает...

В последний вечер перед отъездом они купили в деревенском магазинчике бутылку сухого болгарского вина, распили его и, снова смущаясь, очень бурно (так, что утром стыдно было поднять на мужа глаза) провели последнюю «свободную» бессонную ночь.

Никогда больше не было у них такого — такой страсти и такой нежности. Никогда. Все было буднично, второпях, наспех и — никак. Даже слегка унизительно, что ли. Лида думала: их интимная жизнь похожа на собачью свадьбу.

Много было всего — обо всем и упомнить трудно, но Лида на память не жаловалась. И добрые дела мужниных сестер помнила.

Дети их дружили. Но постоянно вспыхивали какие-то дурацкие обиды, бывало, и зависть. И, разумеется, сплетни.

Матери, не разбираясь, вставали на сторону своего ребенка, и тогда начинались разборки и ссоры серьезней. А не стоило все это и пятиалтынного! Дети скоро мирились, снова создавали коалиции, ездили к друг другу на выходные, гуляли в Парке культуры и бегали в кино.

И снова было ощущение братства, защиты, семьи.

Однажды на каком-то очередном семейном сборище встала с рюмкой Надежда и, оглядев тяжелым, всегда недоверчивым взглядом головановское «поголовье», громко вздохнув, сказала:

— Вот запомните, дети! Что бы ни было — слышите! Все, что угодно! Но... — Она замолчала и оглядела притихших гостей. — Все, что угодно, — повторила она, — но в тяжелый момент вы будете вместе! Вы меня поняли?

Дети растерянно закивали, подталкивая сидящего рядом ногой, — поняли, что тут не понять?

Тетка Надя была «хороша» — это случалось с ней часто.

— Точно поняли? — с угрозой в голосе уточнила она. — Я вас не слышу!

Дети, подростки и малыши, опять закивали и недружно выкрикнули:

— Да поняли, теть Надь! Ты чего?

— Всегда! — чуть расслабившись, торжественно повторила Надежда. — А особливо — в беде. Как мы с сеструхой и братом. Ясно? Пока тишь да гладь — можете цапаться. А если беда — дружно все встали! Понятно? Встали в шеренгу, сомкнулись и про себя забыли, услышали?

Дети примолкли — всем почему-то стало не до шуток и не до тычков под столом.

 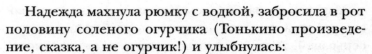

Надежда махнула рюмку с водкой, забросила в рот половину соленого огурчика (Тонькино произведение, сказка, а не огурчик!) и улыбнулась:

— И тогда — все нипочем. Вы уж поверьте! Не зря же мы вас рожали. В таком вот количестве, а, Тонь? И ты, Лид? Правильно говорю?

Тоня и Лида, переглянувшись, кивнули.

Надя умерла первая. Через восемь месяцев после того «собрания». Знала, что больна. Или догадывалась. Обнаружив шишку на необъятной груди, к врачам не пошла и ни сестре, ни невестке не сказала. На ногах была до последнего — ездила на участок (свой дом построить так и не успела), сажала картошку и даже соорудила парник с огурцами. Только похудела очень. Слегла за месяц до смерти.

На вопросы родных: «Как же ты так могла? Не сказать, не поделиться — мы бы все сделали, Надь! Бились бы до последнего! И чем черт не шутит — вытащили бы, а?» — Надя покачала головой: «Да не хочу. Устала. Да и боюсь я всего — крови, больницы, уколов. Врачей этих. А суеты столько! Вас бы задергали, замотали. А у вас и без меня хлопот выше крыши. Хорош, нажилась!»

Конечно, подергались — привозили врачей, мотали измученную и обессиленную Надю по больницам. Не помогло.

На поминках все говорили о ней так тепло и трогательно, что это никак, казалось бы, не вязалось с ее напористым, нагловатым и скандальным характером. Вспомнили, как она «ходила» за родителями. Как поднимала Тоньку и Лешку. Как всегда возникала на пороге моментально — если с кем-то случалась

беда. Как отдавала последнее, не задумавшись ни на минуту. Как была несчастлива со своим Петькой — мужиком пьющим и «никакущим» — по ее же словам.

А ведь она многое скрывала! Даже от сестры, не говоря уж о Лиде. Громогласная, бойкая и, казалось, распахнутая настежь, Надя утаивала от родных Петькины загулы и пьянки.

И еще — очень Лида горевала по Наде. Очень. Очень скучала. Вот никогда б не подумала! Сама удивлялась.

А тогда на «югах» собрались все, включая Лизу. Лиза подъехала двумя днями позже. Встречали ее на вокзале рано утром, пожертвовав драгоценным пляжным временем: «А как я доберусь одна? На автобусе? С вещами? Боже мой, я не справлюсь!»

«Мадемуазеля» — Тонино определение — вышла из вагона в соломенной шляпке с фиолетовым цветком, сарафане в фиолетовый же горох и белых босоножках. Беленькая сумочка кокетливо примостилась на хрупком бедре.

— Устала, — доверительно сообщила она сестре, — такой утомительный путь!

— Что же там утомительного? — возмутилась Лида, предвкушая Лизкины капризы и нытье. — Легла себе на полку и смотри в окно. Подумаешь!

Войдя во двор — обычный, южный, густозаселенный приезжими отдыхающими, — небрежно сбитый огромный стол под старой клеенкой, лавки, фруктовые деревья, виноград, оплетающий навес над столом, умывальник с металлической пипкой, хлипкая будочка туалета с характерным запахом, подгоняемым ветром к столу, — Лиза остолбенела:

— И здесь... мы будем жить?

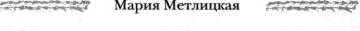

— Уже живем, — жестко отрезала Лида. — Ну, и ты будешь. Если захочешь, конечно.

Головановы ускакали на пляж — терять дни было невозможно, не принято.

На открытой кухне пахло кукурузой — в огромной кастрюле бултыхалась гора ярко-желтых початков. Детям еда после пляжа — придут, как обычно, голодные. Остывала на косоногой табуретке такая же гигантская кастрюля свежесваренного борща — Тонина заслуга. В трехлитровой банке, поставленной в таз, полный воды, охлаждался сливовый, замечательного цвета густой марганцовки, компот.

Лизе показали ее комнату — жить ей предстояло с племянницами, Ниной и Альбиной. Три раскладушки, табуретка, заменяющая тумбочку, марля на окне и липучка от мух.

— Годится? — недобро уточнила Лида.

Лиза жалобно взглянула на нее и осторожно кивнула.

— А море? Море отсюда далеко?

— Неблизко, — кивнула Лида, — то, что, милая, близко, стоит совсем других денег. Ты меня поняла? Да и к тому же снять на такую ораву — это, знаешь ли... Не каждый хозяин обладает таким чувством юмора.

И Лиза опять понимающе закивала. Гневить сестру она совсем не хотела.

Надежда и Антонина, особенно не скрывая, подсмеивались над «мадемуазелью». Лида понимала, смотреть на *это* без слез непросто. Ну да ладно — Лиза, слава богу, не обижалась. Только разводила бледными ручками в крупных конопушках и притворно вздыхала: «Ой! А я так этому и не научилась.

Ой, а это, оказывается, совсем не сложно! Нет-нет, я сама за это никогда не возьмусь. Не приведи господи! У меня ведь все равно не получится», — жалобно, по-девчачьи, добавляла она, хлопая длинными ресницами.

Все попытки хоть как-то приобщить ее к хозяйству, к самым простейшим кухонным манипуляциям, вроде терки моркови или порезки огурцов в салат, приводили к краху и порче продуктов, а золовок в настоящее бешенство.

— Иди, ради бога! — наконец не выдерживала одна из них и гнала безрукую родственницу прочь с кухни. — От тебя одни убытки, неумеха какая! И как ты еще с голоду не околела там у себя в Питере?

Лиза сокрушенно вздыхала, виновато поджимала губы и пятилась из кухни.

Наконец она была свободна. Она с удовольствием плюхалась в калеченое, древнее кресло, прикрытое старым полотенцем, и утыкалась в книгу. На пляже отсаживалась подальше от шумного головановского семейства — словно ей было неловко. От криков Надежды, тщетно пытающейся вытянуть детвору из воды. От утомительной суеты Антонины, раскладывающей на полосатом полотенце «перекус» — вареные яйца, колбасу, нарезанную оковалками, дольки подмокших помидоров, раскисшие от жары персики и крупный, прозрачный, словно стеклянный виноград.

Дети вываливались на берег, синегубые, покрытые пупырышками, словно только что сорванные огурчики, основательно замерзшие, и жадно — неужели проголодались? — набрасывались на «перекус». А мамаши, усевшись кругом, со счастливыми,

благостными лицами и блаженными улыбками смотрели на чад и прикрывали их полотенцами.

Лиза тихонько вздыхала, словно осуждая — не дай бог, заметят! — эту компанию и утыкалась в книгу.

Купаться она не любила: вечно мерзла и боялась «подводного царства» — рыб и прочих чудовищ. Дети веселились от души, глядя на то, как она подслеповато разглядывает сквозь толщу воды дно.

— Ихтиандр, Лиза! — кричали они, и бедная Лиза выпрыгивала из воды.

На пляже она сидела в сарафане и кофточке. Ну и, разумеется, в своей неизбежной соломенной шляпе с уже поблекшими, выгоревшими фиалками.

Дети относились к ней как к предмету интерьера — ну, есть в доме небольшая, неприметная тумбочка! Нет, для тумбочки мелковата, скорее этажерка — шаткая, негромоздкая и довольно изящная. И, как все этажерки, в домашнем хозяйстве бесполезная. Стоит сбоку, не на проходе. Никому не мешает. Правда, и пользы от нее никакой — ну, абсолютно никакой! Узкая, неудобная, ничего не положишь и не поставишь. Да и бог с ней — стояла тут всегда, пусть живет дальше. Видимо, для чего-то она все-таки нужна. Раз до сих пор не выбросили.

Она не трогала их, своих племянников, а они не замечали ее.

Лиду она, пожалуй, раздражала больше, чем сестер. Тех она скорее веселила, чем раздражала. К тому же постоянная пища для разговоров и обсуждений — как та сделала что-то, ну, или скорее всего *не сделала*. Как обычно. Что сказала, от какой ерунды расстроилась, какая глупость или нелепость вылетела из ее рта. Да и сама она — одна сплошная нелепость и, уж простите, — глупость. Разумеется, да.

Да и, в конце концов, было не до нее — орава вечно голодных, шумных и беспокойных детей. Стирка, готовка, базар. Купание отпрысков — накипятить пару баков воды, поменять постели и просто все в очередной раз *проконтролировать*.

А еще пляж, внеклассное чтение — поди уследи! До дурочки ли? А Лешечка? Тоже любимое дитятко! Нет, понятно — взрослый мужик, сам отец троих малолеток. Но — младший братишка, выпестованный, выкормленный. Сирота.

И все три женщины, две сестры и жена, крутились вокруг «хозяина», стараясь в угождении опередить друг друга.

Эти две женщины, Надя и Тоня, про себя, казалось, не подумали ни разу в жизни. Ни разу им не пришла в голову мысль, что отдыхать можно поехать одной. Ну, или с мужчиной. А ведь на заводе давали путевки! Например, в Болгарию. Лида тогда уговаривала Тоню поехать. А та посмотрела на нее, как на ненормальную: «Тратить такие деньги? Триста рублей? Ты спятила, Лид! Да я лучше... куплю куртку Ваньке или Васятке велосипед! А мне ведь нужны новые зимние сапоги! Ты что, одурела? Какие еще заграницы? Смешно! Да и что я там не видала, Лид?»

— Ты ничего не «видала», — выговаривала ей невестка, — совсем ничего. Кроме фабрики своей и домашних забот. Да! И еще хлева в деревне и печки.

Тоня махала рукой:

— Да отстань. Нормальная жизнь. Как у всех.

И Лида, вздыхая, конечно же, отставала.

Когда Лида похвасталась гэдээровским бельем, купленным по случаю, они посмотрели на нее, словно

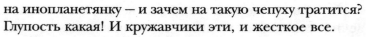

на инопланетянку — и зачем на такую чепуху тратится? Глупость какая! И кружавчики эти, и жесткое все.

Сами, разумеется, всю жизнь носили хлопковые панталоны до колен — розовые, голубые, салатовые.

Поход Антонины в парикмахерскую — шестимесячная завивка, казнь для волос, кошмар и ужас — происходил раз в полгода. А зачем чаще? И так хорошо. Ну а если и не хорошо — так просто сойдет. Там же, раз в полгода, красились ресницы и брови, пугающие своей неестественной, угольной чернотой, смывающейся, правда, дней через пять или шесть.

Любое нездоровье старались просто не замечать — само пройдет. Идти в поликлинику — еще не хватало! Так, кстати, Надя запустила и свою онкологию. Таблетки — например, от давления, — принимались по совету тети Кати или бабы Дуси, соседки. Глотались горстями, подряд, а через пару дней про них забывали.

Они просто не привыкли включать свои нужды в длинный список проблем, которые нужно решать.

Рано овдовевшая Тоня ни разу не подумала об устройстве личной жизни — это, по ее мнению, было неприличным для *порядочной* женщины.

А когда однажды к ней стал кадриться мужичок из соседнего цеха, она просто разобиделась не на шутку — за кого он ее принимает? За шалаву какую-то?

А Надя терпела своего алкоголика Петьку. Выгнать? Куда? В никуда? Ой, да как же так можно? Отец ведь детей, да и... муж. Совсем пропадет, если выгоню!

А то, что этот алкаш никому не давал житья, — так это ж нормально. Обычно. А кто живет по-другому? И кому легко?

Жизнь их была трудовой, безусловно. Тяжелой, почти безрадостной, монотонной и однобокой. Казалось, все бытовые трудности, тяжелый физический труд, вечные утомительные хлопоты, нескончаемые заботы лишали их не только радостей жизни, но и возможности остановиться, задуматься, оглянуться, что-то понять или заметить.

А может быть, в этом и было спасение — не задумываться о своей жизни, так и не прозрев до последних дней. Не ужаснуться своей женской судьбе — так живут все, ну а мы-то чем лучше?

Эти хорошие, трудолюбивые, вечно хлопочущие и озабоченные женщины вычеркнули из своей жизни самих себя: казалось, однажды и навсегда они решили, что они сами — это что-то случайное, неважное, временное, на что не следует обращать внимания — чести много, а толку чуть, как всегда.

В субботу, например, было счастьем просто отоспаться. Ну, если в будний день на работу нужно было к семи, то в выходные до семи можно было поспать.

Они никогда не жаловались — ни на трудный быт, ни на тяжелую физическую работу на *родной* фабрике, ни на женскую судьбу, ни на пьющего мужа или раннее женское одиночество.

Так было у всех. А они что, другие? А в войну? В войну было легче? Мужики? Да все ведь пьют. Ну, или почти все. Тебе вот, Лидка, повезло! Наш Лешик не пьяница!

Вдова? А в войну сколько их, вдов, осталось? Ничего, выдюжили. И детей вырастили и выучили. И сами, слава богу, не пропали. И еще страну под-

нимали. Когда-то им объяснили, что все держится на них, женщинах. И они это твердо усвоили.

Больше, чем собственная жизнь и мироощущение, их волновали профсоюзное собрание и чьи-то неприятности или проблемы.

Осенью начиналось безумство — они делали запасы на зиму. Это превращалось в какой-то ад — компоты! Тридцать трехлитровых банок. Огурцы. Двадцать, не меньше. Помидоры сливка по тридцать копеек — ну да, тридцать, а «совсем симпатичные» — сорок. Такая дешевка, как пропустить? Салаты, грибы (по грибы ездили по воскресеньям всей семьей и делили «по-честному», тоже на всех) — соленые и маринованные. Картошку закупали мешками — за этим ездили в деревню к знакомым километров за сто двадцать — потому что своя и дешевле. Ездили на Лешиной машине. Хранили все это на даче, в подполе. Раз в две недели командировали брата за «припасами», вручая ему бумажку — картошки полмешка, пять банок солений, пять банок компота, шесть пол-литровых варенья разного. Кухня превращалась в преисподнюю, где шел постоянный перезвон, — они ревниво выведывали друг у друга, «кто сколько», и, разумеется, хвастались. Потом, зимой, приходя друг к другу в гости, гостинцы вынимали из авосек и хвастливо, со стуком, ставили на стол.

Было еще одно — пельмени. Это было безумие зимнее. Раз в два месяца пельмени лепила одна, в другой раз — другая. Пельмени варились в огромном зеленом эмалированном баке, предназначенном для кипячения белья.

Подавались на стол эти дымящиеся, ароматные, крошечные у Тони и большие, словно мужские уши,

Надеждины, «страдания» в тазах. Вкусно было необыкновенно, что говорить.

Летом было что-то подобное с варениками. С вишней, малиной и сливой. Но не с таким размахом, слава богу, куда поскромней.

Когда, родив третьего ребенка, Лида ушла с работы, ее, разумеется, осудили — фифа, подумайте! А что, нет садов и яслей? Ну, понятное дело, такая же цаца, как и питерская мадемуазель, одного поля ягоды. Сестры! Нет, наша, конечно, не такая, как та, питерская. Но тоже хороша! Работать ей, видите ли, при троих детях сложно!

Леше в уши дули, естественно. Но тот остался непреклонен — Лида будет сидеть дома. Точка. И пользы от нее там будет определенно больше.

На Альбинкины занятия танцами и Нинкины в худшколе тоже смотрели косо. Но не комментировали. На Димкины хождения в биокружок при университете тоже помалкивали.

Но уж когда было куплено — по настоянию, естественно, Лиды — пианино, тут они не выдержали и высказали все не только любимому брату, но и невестке. Все!

Лида усмехнулась и покачала головой, показав тем самым, что они все-таки из разного теста. Так, между делом — да что вы там понимаете?

Опять провела черту — откуда вы и откуда я.

Напомнила.

Сестры обиделись всерьез. Но — ненадолго. Надолго они не умели.

Между ними, сестрами, тоже, разумеется, случались разногласия. Тогда обиженная принималась искать поддержку у невестки, названивая ей ежевечерне и осуждая сестру. Мирились быстро, потому что жить отдельно, не вникая в заботы друг друга, совсем не умели.

Но обиды помнили. После рюмочки на семейных посиделках нарывы вскрывались. Крик, шум, обильные слезы с обеих сторон — и инцидент, как говорится, *исперчен*.

Лида часто звонила в Питер. Не по зову души — душевной близости с сестрой не было никогда, а из простого человеческого беспокойства — эту дурочку могли каждый день обидеть или обмануть. Но ей, надо сказать, везло. Да и времена были совсем не людоедские — про отъем хорошей квартиры у одинокой немолодой женщины в центре города тогда и не догадывались, а воровать у нее было определенно нечего. Она так и работала в Русском — «стульчаком» — той самой интеллигентной тетенькой, сидящей на старом венском стуле и следящей за порядком в зале.

Лиза всегда радовалась звонкам сестры и принималась подробно рассказывать о своей жизни. Какие-то глупые, ненужные подробности о коллегах-старушках, соседях по дому, прочитанной книге или о просмотренном фильме.

— А что ты ела? — раздраженно перебивала ее сестра. — Что ты вообще ешь? И какие у вас там цены?

Лиза моментально грустнела, начинала бормотать совсем невнятное, словно оправдывалась за что-то.

Лида выносила вердикт:

— Все ясно. Окна ты опять не помыла — какой, кстати, год? Третий? Или четвертый? Шторы не постирала — вдыхаешь пыль и жалуешься на кашель. Замечательно! Опять на подножном корму — сушки,

печенье, конфеты. Потом будешь ныть, что желудок болит. Неужели, — голос ее наливался гневом, — неужели нельзя сварить себе хотя бы бульону? Ну, или каши? Обычной картошки? Проще ведь не бывает! И есть это всю неделю, ты меня слышишь? И уже горячая пища! В нашем возрасте, детка, уже не сидят на кофе и сухарях!

Чтобы задобрить сестру и просто перевести разговор, Лиза начинала расспрашивать о детях.

Разговаривая с сестрой, Лида раздражалась всегда. Даже не раздражалась, а злилась. Потом ей было неловко и стыдно — ну что она так, в очередной раз, припустилась на Лизу? Кому она, в сущности, мешает, кому делает плохо? Живет как хочет, никого не трогает, помощи не просит.

Позже поняла — внутри давно зрело неприятное чувство, что сестра живет одиноко и, в сущности, никому не нужна. Отдельно от ее огромной семьи. Оправдывала себя, что и ей, Лизе, не нужен никто. Но совесть точила. Завела разговор о переезде Лизы в Москву.

Та и слушать ее не стала — заверещала так, что невозможно было ее перебить. Не обсуждается. Точка. Здесь все свое, родное. А квартира? А мамочкин комод? А папино кресло? Нет, и оставь меня в покое! Пожалуйста! Навсегда. Просто — оставь. Эта тема — табу!

«Я ведь ничего у вас не прошу!»

Пугалась таких разговоров очень.

И все это было чистейшей и самой правдивой правдой — Лиза не попросила помощи ни разу и ни по какому случаю. Впрочем, какие там случаи? Жизнь ее текла так размеренно, так однообразно, словно заказано было откуда-то сверху: эта милая, тихая и одинокая женщина так и проживет свою скромную жизнь — без потрясений, страстей, ярких вспышек, обязательных безумств, случающихся в жизни любой, ну, или почти любой женщины, переживаний любого толка и разочарований в чем бы то ни было.

Ее все устраивало, она была всем довольна. Казалось, одиночество ее совсем не тяготит, а даже наоборот — оно ей приятно и необходимо. Она так привыкла к своей монотонной, непритязательной одинокой жизни, что любое действие, самое обыкновенное для обычного человека, например поездка к сестре в Москву, двухнедельное пребывание в шумной семье, расценивала как катастрофу, переворот или повинность — надо так надо. В конце концов, Лида — единственный родной человек. Обидеть ее нельзя. Невозможно!

Лида всегда была в хлопотах — вытаскивала что-то из холодильника, ожесточенно терла кастрюли после вечерней каши, до скрипа оттирала содой чайные чашки и простирывала в раковине кухонные полотенца.

— Сядь наконец! — просила ее сестра. — Ну давай поговорим, повспоминаем!

Уставшая Лида раздражения не скрывала:

— Да о чем, господи? В сотый, нет, в тысячный раз — про нашу дурацкую школу, про дачу в Ольгино, про эвакуацию? Сколько можно, боже мой! Ну, неужели тебе все это приятно? Про мамину болезнь, про «папочкины страдания»? Про то, как было в квартире невыносимо холодно и ты заболела воспалением легких? Лиза! — Она бросала кухонное полотенце, присаживалась на табуретку, тяжело вздыхала

и укоризненно смотрела на сестру. — Ну сколько же можно? Ведь все это такая тоска, такая печаль! Разве надо по сотому разу все это мусолить? Да и потом, — тут она прибавляла голосу, — у меня столько хлопот! Что просто не знаю, как со всем этим справиться. А ты, — она безнадежно махала рукой, — да что ты там... понимаешь... во всем этом! Ты же у нас... привыкла жить для себя!

При этих словах Лиза вздрагивала и начинала плакать.

— Вот и поплачь! — с каким-то садизмом кивала сестра. — Поплачь, дорогая! Что тебе еще делать?

Это было, конечно, жестоко. Совесть потом мучила сильно. Но скрыть раздражение и усталость было так сложно, что, наверное, не стоило и стараться. Тем более с Лизой все проходило. Обиды ее к утру испарялись — как и не было. К завтраку она вставала в хорошем настроении и бестолково толкалась на кухне, опять всем мешала. Птичка божья, одно слово!

И Лиде в который раз становилось стыдно.

Глава семьи по-прежнему относился к свояченице пренебрежительно — ну, есть и есть такой родственник, куда денешься. В конце концов, терпеть ее не приходилось долго — та приезжала максимум на две недели пару раз в год.

Однажды Лиза осторожно спросила сестру — та была, кажется, вполне в сносном настроении:

— Лидочка! А твоя жизнь с Алексеем? Ты никогда ни о чем не жалела?

Лида усмехнулась:

— Понимаю, о чем ты. То, что Алеша человек из другого теста, мужик деревенский, гораздо проще нас, «графьев», да? Мы ведь интеллигенция, да? Голубая кровь, белая кость! Ну, по крайней мере, ты так считаешь?

Лиза осторожно кивнула.

— Да о чем ты? — покачала головой сестра. — Мы женаты тысячу лет. Прошли через всякое. Трое детей. Приноровились к друг другу, привыкли. Знаешь, что в семье главное?

Лиза, разумеется, быстро замотала головой:

— Откуда мне знать, что ты?

— Главное, Лиза, почаще думать о других и пореже — о себе. Тогда и получается то, что называют семьей. Понимаешь? Ну, отодвинуть свои хотелки, свои обиды, свои привычки. А потом, — она задумалась, тяжело вздохнула и посмотрела в окно, — чего говорить! Жизнь-то почти прожита. И не самая плохая, думаю, жизнь! А Леша, — тут она оживилась, — Леша ведь совсем не плохой, поверь! Да, простоват. Груб бывает. Незатейлив, можно сказать. Но... понимаешь ли... В семье не это ведь важно!

— А что? — тихо и осторожно спросила сестра, радуясь, что интимный разговор, на который она почти не рассчитывала, наконец состоялся.

— Совсем другое, — засмеялась Лида, — совсем! Доверие, что ли. Жалость друг к другу. Привычка. Общее всякое — дети, разумеется. Поклейка обоев, покупка проигрывателя, отпуск, наконец. Грядки на даче. Семейные праздники. Ну, поняла? — с недоверием вздохнула она. — Семья — это общий стол и общие планы! А интеллект — так с годами не до него, ты мне поверь. Ценишь совсем другое. Вот поэтому я, — на секунду она замолчала, — и баб этих

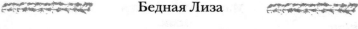

шумных, сестер его, столько терплю. Потому что эти дурехи — тоже семья!

Муж, конечно, Лизу терпел с трудом — Лида это видела и даже пыталась обижаться.

Он ответил резко, как ему свойственно, без церемоний:

— А пользы от нее, от этой букашки? Небо коптит, да и только. Вреда, правда, тоже немного, — добавил он, глядя на расстроенное лицо жены.

Ошибся. Ошибся насчет пользы. Когда его грохнул инсульт, Лида, совсем потерявшая голову, позвонила сестре. Не для дела — просто хотела сочувствия.

Лиза выехала на следующий день. Приехала строгая и серьезная.

— Ты, Лидочка, занимайся своими обычными делами, — почти приказала она, — а уж здесь я разберусь. Опыт, не приведи господи, есть, — громко вздохнула она и добавила: — Не приведи господи. Врагу не пожелаю.

И правда — сиделкой при зяте стала именно она. Так перестелить постель под лежачим больным не умела даже медицинская сестра, приглашенная из поликлиники. Вымыть, подложить судно, протереть, обработать кожу, поставить укол, накормить — все это она делала так виртуозно, что и предположить было нельзя, что эта сухонькая, маленькая немолодая женщина с крохотными ручками окажется такой ловкой, грамотной и умелой сиделкой.

Сильная и стойкая Лида, намаявшись за пару месяцев, надорвав спину и окончательно — нервы, только тогда чуть вздохнула: Лиза, бесполезная во всем, неумелая, неловкая, «дурноватая» и немного чокнутая, со всем распрекрасно справлялась.

 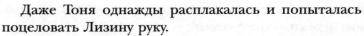

Даже Тоня однажды расплакалась и попыталась поцеловать Лизину руку.

Лиза умудрилась даже поставить его на ноги — несмотря на сопротивление родни: «Лиза! Не мучай его!» — и самого больного.

— Ничего, — приговаривала она, — мамочка у меня пошла, и ты, Лешенька, пойдешь!

И терпеливо, не отступая ни на минуту, поднимала его и заставляла сделать хотя бы шаг.

И он пошел! Сначала по чуть-чуть, отказываясь и капризничая, потом медленно, очень медленно прибавляя, опираясь на ходунки, а позже на палку, он все же пошел.

Она делала ему массаж, выводила на улицу в теплые дни и героически предложила уехать в мае на дачу: «Воздух и природа творят чудеса, не сомневайся!» — убеждала она сестру.

Лида отказывалась — да ни за что! Как это — с почти лежачим больным без удобств? Без горячей воды, ванны и туалета? Без отопления, в конце концов?

Но — поехали! И там он и вправду ожил.

Прожил после этого лета он еще почти три года. А там новый удар. И все, конец.

После похорон Лиза осторожно спросила сестру:

— Лидочка! Мне уехать?

Лида махнула рукой:

— Лиза! Делай, как тебе лучше. После того, что ты для нас сделала... Да что говорить! Не знаю, как ты вообще еще держишься!

Лиза облегченно вздохнула — соскучилась по Питеру, по своей квартире, по могилкам мамы и папы.

— Я поеду, Лидочка, да?

Лида кивнула.

Не то чтобы она устала от сестры. Нет. Она была ей так благодарна, что оплаты за это нет. Нет такой цифры, чтоб поместилась в квитанции. Просто хотелось побыть одной. Очень.

Такая накатила тоска — хоть волком вой!

Ну, и выла, конечно.

Через три месяца после Лизиного отъезда раздался звонок из Ленинграда — Елизавета Никитична Коноплева попала в больницу. С различными травмами. Перелом руки, трещина коленной чашечки, перелом голени и сотрясение мозга. В общем, гражданка Коноплева попала под машину. Опасности для жизни нет, слава богу, а вот уход не помешает.

Лида подхватила Нину и внучку Светку, и тем же вечером втроем рванули в Питер.

Лиза кудахтала и бормотала, что «затеяли они все это зря», что она в полном порядке и вообще — срочно берите обратный билет!

Через две недели ее привезли домой, пожили с ней еще пару недель, первой сорвалась Светка: понятно, в Москве куча всяких неотложных и важных дел. Потом уехала Нина. А через два месяца засобиралась и Лида.

С Лизой было все в порядке. Ну, или почти в порядке. Лида отмыла квартиру, запасла продукты, договорилась с участковым врачом, что тот будет «патронировать» Лизу, и с почти легким сердцем вернулась домой.

Казалось бы, все. Совесть могла спать спокойно — Лиза стала выходить во двор и медленно доходила до ближайшего магазина — за кефиром и хлебом.

А большего ей и не надо!

 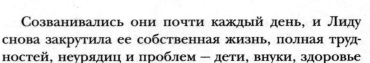

Созванивались они почти каждый день, и Лиду снова закрутила ее собственная жизнь, полная трудностей, неурядиц и проблем — дети, внуки, здоровье и прочее.

Похоронили Антонину, дети женились, разводились, плодились и, как всегда, давали пищу для бессонных ночей. Уже разводились и сходились, попутно размножаясь, внуки и внучки.

За всех болело сердце и ныла душа.

И тут Лида начала замечать за сестрой новые странности. Лиза стала рассказывать, что у нее бывают *видения.*

— Что? — переспросила Лида. — Не поняла, повтори!

— Ви-де-ния! — по слогам повторяла Лиза.

— Мало ты головой трахнулась тогда на Литейном! — рассердилась Лида и швырнула трубку, долго еще возмущаясь причудам сестры.

Видения у нее, видите ли! Совсем рехнулась на старости лет...

А Лиза словно не слышала. Могла позвонить поздно вечером и тихо пролепетать:

— Лидочка! Вы собираетесь в домик?

Домиком она называла дачку, действительно домик, маленький, засыпной, в котором места уже на всех давно не хватало, а денег отстроить новый, естественно, не было. И даже не в деньгах дело — в доме не было мужиков! Бабье царство, да и только. Дима, сын, к семье как бы уже и не относился — особенно это касалось дачных дел. У Диминой жены Лены была своя дача, куда они ездили по настроению — Лена была человеком *не дачным.* У Альбины была своя дача. Даже не дача, а загородный дом. Кирпичный, с башенкой-бой-

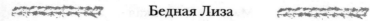

ницей (отстреливаться? — пошутила тогда Лида), добротный и безвкусный — по мужнину вкусу и деньгам.

Дачка зарастала бурьяном, хирела и сыпалась. Давно не крашенные доски потеряли товарный вид, покорежились и потемнели. Крыша, крытая когда-то дешевым рубероидом, подтекала. Трубы прогнили, крыльцо завалилось.

Нина требовала дачку продать. Это было, конечно, разумно. Но все же Лида, хоть и давно не спорила по этому вопросу, вяло сопротивлялась и дело это откладывала.

Ей было жаль продавать этот, в сущности, давно ненужный и бесполезный дом, но... Дом строил Леша, и там выросли дети. А сколько счастливых дней они там провели! Их походы в лес за грибами и ягодами, вечерние воскресные костры на полянке за домом, купание в речке.

Их с Лешей счастливые и тихие (главное счастье — дети уложены) вечера за столом на крылечке — под бульканье самовара, под неспешный разговор.

Нет, глупость, конечно. Внучек туда не загнать: условия, видите ли, не те! Избаловались молодые, что говорить. Нине одни хлопоты — пару раз за лето надо все-таки съездить, посмотреть, покосить, проверить. А она и так замученная дальше некуда. А все равно Лида тянула и разрешение свое на давала. Упрямая старая дура.

— Какой домик? — завелась Лида, ненавидя все уменьшительные, как у ребенка, слова, так почитаемые сестрой.

— Ну, в смысле — на дачу, — прошелестела Лиза.

— Ты же знаешь, — отчеканила Лида, — на дачу мы сто лет не ездим!

— Вот и хорошо! — вдруг оживилась сестра.

— А что хорошего-то? — хмуро уточнила Лида. — Что сил нет и денег?

Лиза глупо захихикала и зашмыгала в трубку.

Господи! И так мозгов было немного, а тут Бог совсем наказал. Последнее отобрал, будь неладна история с той аварией.

А в понедельник в вечерних новостях показали их поселок и двенадцать сгоревших домов. Поджог или торфяники? Старая проводка или подростковое хулиганство?

Концов, конечно, не найти.

— Зато, — хмуро и недобро пошутила Нина, — все проблемы решились. — И с отчаяньем добавила: — А повредили бы тебе десять тысяч долларов, да, мам? Лишние были бы?

Покачала головой, злясь на упрямую мать, и пошла к себе в комнату.

Лида долго сидела в кресле, словно ее чем-то сильно огрели. Ни мыслей, ни чувств. Ничего. Только ночью заболело сердце. Дочь не позвала — неловко было.

Про Лизин звонок вспомнила только через неделю. Странно как-то. «В домик поедете?» Бред, да и только. Дочке и внучкам ничего говорить не стала. Лизины глупости логике не поддаются, а тему сгоревшей дачи поднимать не хотелось. Лида, конечно, чувствовала себя виноватой.

Ночами она думала, что можно было сделать на эти огромные десять тысяч американских рублей. Немыслимая сумма! Нина с девчонками могла, например, поехать за границу. На море или в Европу. Мир посмотреть. Или внучке Ритке купить машину —

права у нее были давно, и о машине она мечтала. Или сделать ремонт в квартире — как об этом мечтала Нина! О новой кухне, о новой мягкой мебели, господи!

«Идиотка! — ругала она себя. — Какая же я идиотка!»

Что касается Лизы, дальше была еще парочка нелепостей, что от той ожидать?

Например, она позвонила Альбине и сказала, что в отпуск той лучше поехать в августе, а не в сентябре, как планировалось. Альбина, разумеется, позвонила матери и наорала, чтобы та «усмирила свою идиотку» и вообще запретила ей, тетке, звонить в ее дом.

Лида разозлилась, позвонила в Питер, отчитала сестру, а та, спокойно выслушав, монотонно повторяла:

— Лидочка, скажи Алечке, чтобы в сентябре она никуда не ездила. Очень тебя прошу!

Лида шмякнула трубку, и все об этом, конечно, забыли.

В сентябре Альбина с семьей поехала на Крит. Через три дня после их приезда туда началось извержение местного, казалось, совсем нестрашного и дохленького вулкана.

Дороги к аэропорту оказались перекрыты, и туристов перевозили на вертолетах. Все, слава богу, вернулись домой. А вот невроз Альбина лечила долго — месяц отвалялась в неврологическом отделении.

Или вот еще — Настя, Альбинина дочь, та, что собиралась за дипломата, получила «предписание» от «старой маразматички» отложить свадьбу. Минимум на год. Все это было, конечно, смешно. Ресторан уже заказан, гости оповещены, и шикарное платье — увядшая роза — уже прибыло из Милана.

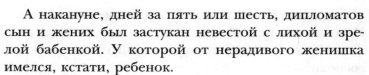

А накануне, дней за пять или шесть, дипломатов сын и жених был застукан невестой с лихой и зрелой бабенкой. У которой от нерадивого женишка имелся, кстати, ребенок.

Настя узнала об этом случайно, по стечению обстоятельств. Скандал был страшный. Папаша-полковник грозил несостоявшемуся зятю проломить голову, оторвать «причиндалы» и сломать карьеру. Папаша с другой стороны предложил помериться силой — кто круче? Были подключены какие-то странные люди с бычьими шеями в черных костюмах, начались «базары» и «стрелки». А несчастная невеста рыдала дни напролет — о ней все забыли. Битва титанов оказалась важней.

Или так, например: Лидиному сыну Диме предложили заняться бизнесом. Для этого надо было сорваться с насиженного места и уехать в Челябинск.

Дима долго раздумывал: здесь, в Москве, было все налажено и шло совсем неплохо. Как говорится, грех жаловаться. Но алчная Лена, Димкина жена, хотела стать еще и владычицей морскою. Жадная, ненасытная баба. К тому же — завистливая. А уж если эти качества собрались все вместе — что говорить.

Лиза позвонила Димке и нарвалась на Лену. Что ей ответила Лена, слышали соседи по дому — не сомневайтесь. С первого по двенадцатый этаж. Глотка у Лены была луженая.

После этого «милого» разговора Лиза позвонила сестре и пыталась что-то объяснить ей. Лида который день маялась давлением, и ей было совсем не до «этих глупостей».

Дима уехал, оставив свои «хорошие московские дела». Против жены аргументов не набралось.

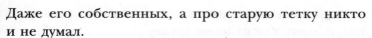
Даже его собственных, а про старую тетку никто и не думал.

А вот там, в Челябинске, не сложилось. Скоро начались такие неприятности, что Лену с детьми пришлось увозить и прятать — такие пришли времена. Московскую квартиру пришлось продать, да и еще отдать все, что было накоплено.

А про Лизу опять никто и не вспомнил — не до того.

Нет, не так. Лида что-то тогда начала вспоминать. Все сходилось, но верить во весь этот бред!..

Попробовала осторожно обсудить это с Ниной. Нина устало отмахнулась:

— Да брось ты, мама! Совпадение просто. Ну, не бывает же такого! Не Кассандра же она, в конце концов, и не Ванга. Забудь, и все. Ерунда.

Ну и забыли. Лида тогда уже очень болела — возраст, что говорить. Никого не минуют болячки.

Лиза тоже прихварывала, и сестры давно не виделись. По телефону, конечно, болтали. Как только Лиза начинала про свои «пророчества», Лида тут же ее перебивала: «Оставь, пожалуйста! И без твоих глупостей голова пухнет!»

И Лиза испуганно умолкала.

На похороны Лиды она не приехала — все закрутились, про нее позабыли и вспомнили только накануне, под вечер.

— А тетка? — испуганно спросила Нина у дочери, застыв с ножом для картошки в руке — на поминальный салат.

Дочь отмахнулась:

— Все равно не успеет.

Нина покачала головой, окончательно расстроилась и взяла телефонную трубку.

Известие о смерти сестры Лиза приняла спокойно.

— А я знала об этом, — тихо сказала она и протяжно вздохнула.

— Знала? — переспросила обалдевшая и усталая Нина. — Лиза! Что ты такое несешь?

— Знала, — упорствовала старуха, — знала, что в июне. Правда, не точно про день, а вот про месяц — точно!

— Ладно, — устало бросила Нина, — что с тобой спорить. Только ты уже не успеешь. Прости, закрутились, — извинилась она.

— Не успею, — согласилась та, — но это не так важно. Мы с ней уже попрощались, — спокойно сказала она, — ну... заочно.

— Ну, и ладно, — выдохнула Нина, — главное, что без обид. А как у тебя дела? — вяло поинтересовалась она. — Ты здорова?

Лиза ответила коротко:

— Да, здорова. Да, все нормально. И не стоит обо мне беспокоиться, Ниночка!

Нина положила трубку и рассеянно сказала вслух, в никуда:

— А никто, собственно, и не беспокоится. Не до того, ты уж прости!

И, на минуту застыв у окна, шумно вздохнула:

— И вправду чокнутая. Попрощались они! Заочно!

Письма начались примерно через полгода после смерти Лиды. Почему письма? Сложно объяснить. Может, она наконец поняла, что звонки ее лишние

и ненужные. Не стало сестры — проводника, так сказать, Лизиных «глупостей». А может, дошло, что человек на том конце провода мгновенно раздражается и торопится закончить беседу.

Неважно. Но письма начались. И это данность и факт. Неоспоримый. Потому что вещественно доказуемый.

Письма писались всем — по мере необходимости. Нине и Нининым дочкам. Альбине и ее дочерям. Диме и его отпрыскам. Надиным детям и внукам. Тониным внукам и детям. Короче говоря, всем, кто числился Головановыми — по рождению или по обстоятельствам.

Некоторые получатели раздражались и выбрасывали письма в помойное ведро. Но таких было меньшинство. Да и то — вначале.

Другие откладывали чтение в долгий ящик и попросту бросали письмецо в белом конвертике на комод в коридоре. Прочитывали, когда письмецо уже изрядно намозолило глаза и выходов было два — прочесть или, наконец, все же выкинуть. Иногда письма терялись, заваливались, например, за комод или тумбочку. И обнаруживались только во время генеральной уборки, ремонта или перестановки.

А некоторые рвали конверт торопливо — после прочтения, сразу! Быстро читали — сначала бегло, сквозь строчки, а уж по второму разу — медленно, тщательно, стараясь не пропустить ничего. А потом — сразу безжалостно рвали.

И поскорее старались забыть то, что там было.

На письма никто не отвечал — да и не для того они были писаны. Кто-то из тех, кто читал сразу, незамедлительно и внимательно, письма не выкидывал — прятал в письменном столе или в прикроватной тумбочке — что называется, поближе. Захотел — вынул и перечел. И такое бывало. Но редко.

Между собой послания не обсуждались — почему-то никто не хотел обнародовать предсказания чокнутой питерской Ванги. Но, конечно, подозревали, что адресатами являются не одни они.

Постепенно эти послания стали неотъемлемой частью семейной истории.

Есть в семье такой факт, как престарелая питерская пишущая тетушка. Предсказательница, блин, судеб. Прорицательница и мастер эпистолярного жанра. Чокнутая — да! Но тоже ведь член семьи. А с этим считались.

А что ей еще делать? Сидеть со старухами-соседками на лавочке перед подъездом? Не такова наша Лиза. Эти истории не для нее, женщины образованной и интеллигентной.

Впрочем, после того, как наша Лиза умишком тронулась... Что говорить. Но все безобидно и хлеба не просит. Пусть пишет, раз уж так вышло.

В письмах теперь стало меньше предупреждений, а больше всяческих пророчеств на тему «а что будет дальше». Это было совсем безобидно, не так страшно и даже почти весело. Потому что «пророчества» были в основном приятного толка. И даже очень приятного!

Всякие штуки вроде сказочного богатства, ожидаемого совсем скоро и оттого окончательно нелепого и фантастического. Или удачное устройство личной жизни. Такое же сказочное, что и возможное богатство.

Да кто обернется на полубезумную старуху?

Про нее почти не вспоминали — только Нина, самая ответственная из племянников и племянниц, изредка позванивала ей. Тетка неизменно отвечала, что все прекрасно и замечательно, пенсии хватает на все. «А может быть, помочь тебе, Нина?» — каждый раз испуганно спрашивала она.

Нина снова злилась и быстро сворачивала разговор — поможет она! Господи, ну что за дурочка, ей-богу.

Было немножко неловко, что она и ее бестолковые дочери помощи не предлагали. Все понятно — голь перекатная, нищета подзаборная, нищеброды — модное нынче слово, часто и с укором произносимое дочерьми, но все равно чувство неловкости было.

Нина по-прежнему билась, рвалась, разрывалась — дом, внуки, большое и бестолковое хозяйство, вечная нехватка денег, детские болезни, нескончаемые, наслаивающиеся одна на другую, истеричные от неустроенности, вечно недовольные, с претензиями к ней и к жизни, ее глупые и неудачливые дочери. Свои болячки, привалившие так внезапно, резко и скопом, что она терялась, пугалась и от страха не спала ночами — а вдруг что-нибудь случится со мной? Как они выживут?

Бегать к врачам не было ни времени, ни сил. Впрочем, однажды пошла в поликлинику. Отсидела, как положено, пару часов в душном коридоре, в старушечьем злобном шепоте, и наконец зашла в кабинет. Посмотрела на врачиху и сразу все поняла — та сидела с такой печатью обреченности и усталости на бледном и немолодом лице, что Нина просто увидела свое отражение. Сестра-близнец, не иначе.

Жаловаться расхотелось сразу. Она пробормотала что-то про плохой сон и усталость, врачиха хмыкнула и качнула головой, типа — вам бы мои проблемы!

Выписала какие-то капли и таблетки и посоветовала побольше гулять, отдыхать днем и есть сезонные фрукты.

Нина тоже недобро усмехнулась. «Вам все это тоже не помешает», — чуть не вырвалось у нее.

На этом походы к эскулапам закончились. А вот Альбина из частных клиник не вылезала. Так и говорила — из клиник. Наверное, это и были клиники — Нина знала только больницы и районные поликлиники.

Альбина с удовольствием рассказывала про новейшие обследования, МРТ, КТ, УЗИ и маркеры крови. Она кочевала из кабинета в кабинет, оставляя еженедельно в регистратуре деньги, равные месячному бюджету большой Нининой семьи. Была, как всегда, всеми и всем недовольна, ругалась с врачами, требовала повышенного внимания — словом, Альбина оставалась Альбиной.

Нина молча выслушивала сестру и разминала распухшее колено — наконец она перебила Альбину.

— Слушай, Аль, — сказала она, — вот колено распухло. Ты же у нас светило. Как думаешь, от чего?

— Артрит, — безапелляционно был тут же поставлен диагноз и даны рекомендации.

Нина все послушно записала, утром перед работой заскочила в аптеку, охнула, услышав цену на присоветованное сестрицей лекарство и, махнув рукой, бросилась за подъезжавшим автобусом.

Она так привыкла к своей жизни, что любое хорошее воспринимала с такой опаской, словно ожидая подвоха: а разве с нами такое может случиться?

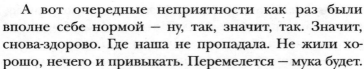

А вот очередные неприятности как раз были вполне себе нормой — ну, так, значит, так. Значит, снова-здорово. Где наша не пропадала. Не жили хорошо, нечего и привыкать. Перемелется — мука будет.

Она не подумала, что с годами стала напоминать своих теток — Надю и Тоню. Во многом. Например, в отношении себя и своего здоровья, равнодушного приятия очередных неприятностей, свалившихся на ее голову. Ну, и всего остального.

«Это — жизнь! — со вздохом говорила она. — Жизнь как она есть».

И ей казалось, как когда-то и им, ее родственницам, что по-другому и быть не должно. А праздники — так это же не про них, разве не ясно?

Тетка Лиза умерла под Новый год, успев отправить очередную порцию писем. Всем — Альбине, Альбининым детям, Дмитрию и его семейству, ну, и разумеется, Нине.

О смерти Лизы сообщила соседка — позвонила, конечно, Нине.

Трубку взяла Светкина дочка Маришка и, ничего не поняв, важным голосом пообещала:

— Бабушке сообчу обязательно. Взрослых никого нет. Только я!

Нины дома не было, а Светка спала — обычное дело, дневной и полезный сон. Она никогда им не пренебрегала. Как, например, работой. Разбудить мать было табу — сразу начнет орать и будет цепляться весь день.

Вспомнила о звонке девочка только через два дня. Случайно. Испуганно начала лепетать про бабушку Лизу, которая умерла.

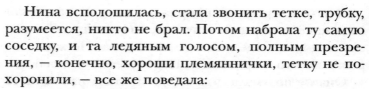

Нина всполошилась, стала звонить тетке, трубку, разумеется, никто не брал. Потом набрала ту самую соседку, и та ледяным голосом, полным презрения, — конечно, хороши племяннички, тетку не похоронили, — все же поведала:

— Лизу, да, похоронили. Вчера. Кто? Да я и мой сын! — снова возмутилась она.

Нина заохала, залепетала извинения, попыталась объяснить ситуацию, спрашивала про деньги на похороны и божилась, что все возместит.

Соседка отчеканила, что возмещать ничего не нужно, Елизавета Никитична деньги на похороны собрала и оставила.

— А что до наследства, — тут она усмехнулась, — так вам уж, простите, придется приехать! Хотя, думаю, здесь вы соберетесь незамедлительно! — добавила она презрительно.

Нина опять извинялась, делала «страшные» глаза и грозила кулаком и без того перепуганной внучке.

Светка дала дочери увесистый подзатыльник, гаркнула и отправила спать. На часах было четыре дня.

«Надо ехать», — думала Нина.

Надо ехать — посмотреть, что с квартирой, разобраться там, скорее всего. Поехать на кладбище, помянуть тетку, как положено, по-людски.

Позвонила сестре и брату. Альбина вдруг — неожиданно — изъявила желание поехать в Питер.

Звучало это так — прошвырнуться, отвлечься. Все надоело — муж, дети и клиники.

— Неужели? — желчно осведомилась Нина. — И клиники тоже?

Светка занервничала — эта сука Альбинка хочет делить теткину квартиру! Все у этой гадины есть, а ведь ни от чего не откажется!

Это было похоже на правду, а что поделать? Не скажешь же ей все это в лицо. К тому же справедливая и честная Нина тут же ответила, что наследство будет делиться на всех. На троих племянников. По справедливости.

Дочь хмыкнула, назвала мать «дурой отмороженной» и, хлопнув дверью, ушла к себе.

Дима поохал — для вида, разумеется, — и тут же сообщил, что ехать в Питер не может по причине ужасной занятости.

«Как будто кто-то тебя зовет!» — хмыкнула Нина, повесив трубку.

Но ехать в Питер ей не пришлось — Нина попала в больницу. Ничего страшного, обострение язвы, а чувствовала себя так отвратно, что впервые в жизни согласилась на госпитализацию.

Альбина, конечно же, тут же про поездку решила позабыть: ехать одной ей совсем не улыбалось — копаться в теткином старье, упаси бог! Искать заброшенные могилы на кладбище — да помилуйте! И к тому же — до вступления в наследство есть еще целых полгода. Нинка оклемается, там и съездим. Тогда и разберемся.

И вместо Питера Альбина отправилась в Венгрию на воды. Отдохнуть от тяжелой жизни и прочих забот.

А в Питер решила поехать Светка. Как ей пришла в голову эта мысль, она потом и не вспомнила. Наверное, просто осточертело пролеживать диван и готовить пресные супчики маме в больницу. Прихватив Маришку, Светка взяла билет и отправилась в Питер.

Перед отъездом Нина дала дочери указания:

— Разобраться в теткиной квартире обязательно! На кладбище съездить непременно, я тебя знаю!

Сводить Маришку в Эрмитаж и в Русский. Девочка совсем неразвита, а тебе и дела нет!

Светка отмахнулась от матери — как всегда, лишь бы нагрузить, слово неохотно дала, с трудом нашла в бабкином комоде связку ключей от питерской квартиры и отправилась на вокзал, покрикивая на счастливую и возбужденную дочку.

В Питере они взяли такси и очень удивились, что минут через семь машина остановилась у подъезда большого серого и очень красивого дома с лепниной и богатым фасадом.

— Так близко — и пятьсот рублей? — возмутилась Светка и сунула водителю два стольника. — Нечего дурить людей. Я ведь не с Урала, я из столицы, дядя!

Зашли в мрачный, прохладный и темный подъезд. Пахло кошками и вареной капустой. Маришка сморщила нос.

Поднялись на третий этаж — лифта не было, проемы огромные, равные трем в современном доме. Остановились у нужной квартиры. Входная дверь была высоченной, метра два с половиной в рост, простой, деревянной, выкрашенной серой краской.

С трудом провернули в замке ключ. Дверь нехотя открылась, и на них пахнуло пылью и затхлостью — Маришка опять поморщилась и протяжно пропела: «Фу-у-у!»

Мать дернула ее за руку, и они оказались в прихожей.

Им, родившимся и выросшим в наскоро сшитых панельках, придавленных потолками в два шестьдесят, привыкшим в туалет заходить слегка боком, а обедать на кухне по очереди, прихожая в одиннад-

 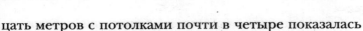

цать метров с потолками почти в четыре показалась огромной, словно пещера Али-Бабы.

«Ух ты!» и «Ни фига себе!» разносились в полной тишине — Светка была от увиденного в шоке и даже не одергивала возбужденную дочь.

Она отдернула тяжелые темные шторы в комнате и огляделась. Мебель, старая, даже древняя, покрытая толстым слоем пыли, была величественна и прекрасна. Огромный комод на львиных лапах, пузатая горка с треснутым стеклом, круглый стол под синей с кисточками плюшевой скатертью. Платяной шкаф с полуоткрытой дверцей. И, наконец, люстра — низкая, бронзовая, с тремя молочными плафонами в форме лилий, увитых острыми листьями.

Светка села на стул, обитый белесым бархатом, и он жалобно скрипнул.

— Да уж, — задумчиво проговорила она, — это уж точно — ни фига себе!

В маленькой спаленке, метров восемь, не больше, — стояла узкая и современная тахта, покрытая верблюжьим одеялом. Тумбочка из прошлого времени — так сказала бы мама, — и лампа с зеленым стеклом. Все.

А вот кухня — узкая, но длинная, с двумя окнами справа и слева, была совсем нищенской — две деревянные полочки со старой посудой, крошечный холодильник «Саратов» и древняя замусоленная плита, на которой стояла одинокая кастрюлька с отбитой эмалью, называемая в народе ласково — ковшик.

Светка взяла в руки кастрюльку и поморщилась — на стенках ковшика все еще тухла овсяная каша.

— Богатство, да, мам? — вертелась под ногами Маришка. — Мы теперь богатые, мам?

 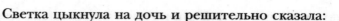

Светка цыкнула на дочь и решительно сказала:

— Уборка! Сначала все вымоем, а уж потом...

— Что потом? — тут же поинтересовалась любопытная девочка. — Потом — гулять?

Светка задумчиво кивнула и достала из чемоданчика старые брюки и майку.

Она драила квартиру с таким ожесточением и усердием, что, остановившись перевести дух и оглядевшись, сама удивилась своей задорной прыти. Маришка помогала — неловко протирала пыль и пыталась отмыть пожелтевшие тарелки и чашки.

Встав на широченный гранитный (или мраморный?) серый подоконник, Светка пыталась содрать тяжеленные пыльные шторы. И в этот момент раздался дверной звонок.

Она чертыхнулась, спрыгнула с подоконника, мельком глянула на испуганную и замершую дочку.

— Мам, это милиция? Нас сейчас арестуют?

— При чем тут милиция? — раздраженно буркнула Светка. — Мы что, воры, что ли?

Она подошла к двери, глянула в глазок — ничего определенного, какой-то высокий мужик в очках, — и дернула дверь на себя.

Мужик в очках смотрел на нее с удивлением.

— А вы, простите бога ради за вторжение, — собственно, каких будете?

Светка усмехнулась — смешной, неловкий очкарик выражался странно, не по-московски.

«Здесь у них, наверное, так говорят», — осенило ее.

— Родня мы теть-Лизина, — бойко ответила она, — а вы... из каких? — и она усмехнулась.

Мужчина тоже был явно смущен.

— А я, собственно, сосед Елизаветы Никитичны. Виталий, сын Норы Сергеевны.

— А-аа! — протянула Светка. — Сосед. Понятно.

Кто такая Нора Сергеевна, она и не знала, но догадалась, конечно, — мать часто вспоминала какую-то теткину соседку, святую женщину, помогающую Лизе.

— Может быть, я могу быть вам полезен? — кашлянув от смущения, проговорил он.

Светка пожала плечами и призадумалась.

— Точно! Сможете быть полезным, — хихикнула она, — надо снять шторы. Стремянки нет, а росту мне не хватает.

Виталий радостно закивал, затараторил, что сейчас вот, через минуту буквально, притащит стремянку — без нее нам никак! Такие потолки, что и лампочку без стремянки не вкрутишь! — и мгновенно исчез за соседней дверью — точно такой же, как и бабки-Лизина — темно-серой, покрашенной лет сто, наверное, назад, еще до революции, в Москве таких дверей днем с огнем не сыщешь — сплошные металлические, сейфовые, бронированные, как же, москвичи народ недоверчивый, да и кому доверять? Город переполнен ворьем и аферистами — столица!

Нескладный сосед вскоре появился — естественно, с лестницей, вволок ее в квартиру, довольно ловко снял шторы в обеих комнатах и на кухоньке и предложил — раз уж такое дело и стремянка в квартире — заодно протереть все люстры и лампы.

Светка, разумеется, согласилась.

Примерно через час на пороге возникла маленькая и сухонькая дамочка со смешным пучочком ред-

ких седеньких, словно птичий пух, волос, в кремовой блузочке с кружавчиками и брошкой у воротника.

— Мамочка! — обрадовался Виталий и, спрыгнув со стремянки, подлетел к бабульке и прижал ее к себе.

«Ничего себе! — удивленно подумала Светка. — Давно не виделись, что ли? Какие нежности, блин! С ума рехнуться».

Это, конечно, была Нора Сергеевна, маман Виталика и «добрый ангел» Лизы — по его же словам.

Познакомились, поболтали, поохали, и Нора пригласила Светку и Маринку на ужин.

Так и сказала:

— Прошу к нам на ужин!

Есть, конечно, хотелось страшно. Но не менее сильно хотелось и пивка — холодного, разливного, с пушистой пенкой. А к пивку заказать каких-нибудь острых куриных крылышек барбекю себе, а Маришке — пиццу. Та, как все дети, могла молотить эту пиццу три раза в день.

Светка уже поглядывала в окно, где напротив окон Лизиной квартиры давно зажглась неоновая красная мигающая реклама пивного бара и пиццерии одновременно.

Но, делать нечего, пришлось соглашаться. Соседи все-таки, да еще и с добром.

Соседская квартира была похожа на теткину, только поопрятнее, что ли. Сразу было понятно, что здесь живут бедные, но аккуратные люди. Та же старая мебель, темные и тяжелые шторы, старинные светильники и всякие прибамбасики вроде статуэточек с дамочками и собачками, да еще и небольшие натюрмортики, облаченные в богатые и слегка побитые с углов рамы.

Ужин был старушечий, скромный — гречка, куриные окорочка и тонко порезанный свежий огурчик — понятно, не лето. Неизбалованные и голодные девочки ели быстро и жадно, пока Светка вдруг не перехватила слегка испуганный и растерянный взгляд хозяйки. Та, кстати, тут же смутилась и стала предлагать добавки. Светка расстроилась, от добавки отказалась и пнула дочку, схватившую еще одно куриное бедро, ногой под столом.

Потом неловкость прошла, долго пили чай с вареньем из райских яблочек и вспоминали Лизу. Точнее, вспоминала, конечно, Нора — внучатой племяннице вспоминать-то было особенно нечего. В детстве на Лизу внимания никто из детей не обращал — ну, приехала родственница из Ленинграда, привезла каких-то сладостей и пластмассовых копеечных пупсов, да и бог с ней.

А Нора все рассказывала. Оказывается, Лиза была чудесной. Умницей, скромницей, трудягой. Это она, Нора, устроила ее на работу — понятно, в музей, где трудилась сама. Лиза не была сплетницей, к людям была доброжелательна, на чужую беду отзывалась всегда, делилась последним куском, последней копейкой — ну, и вообще, последняя из могикан: таких сейчас не делают и таких почти не осталось. Виталий мать не перебил ни разу, только кивал и во всем соглашался.

Светка подумала, что она бы свою мать уже раз сто перебила, даже заткнула и, не стесняясь, дала бы понять, что она, мать, всех порядком достала.

Маринка уснула прямо на стуле, и тогда Нора засуетилась, заизвинялась, запричитала и стала требо-

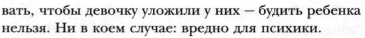

вать, чтобы девочку уложили у них — будить ребенка нельзя. Ни в коем случае: вредно для психики.

Светка попробовала поспорить — при чем тут психика? Надо — значит, разбудим, подумаешь, дело какое!

Но Виталий мягко ее прервал и сказал, что матушку надо послушаться — она женщина чрезвычайно умная и образованная, что ей, Светке, и так было понятно давно.

Маринку уложили на диване в «столовой», где, собственно, и происходил праздничный ужин.

Скоро отправилась «домой» и Светка, слегка растерянная от того, что дочка остается у соседей до утра — «Или, может, все-таки разбудить?» — попробовала поспорить она.

«Ни в коем случае! Идите, дорогая, отдыхайте, а завтра с утра, на свежую голову, — милости просим на завтрак! Питерский завтрак», — захихикала Нора и лукаво взглянула на сына. Тот радостно согласился и закивал головой.

«Чудны́е, — думала Светка, укладываясь на жесткую теткину тахту. — Чудны́е и, кажется, добрые. Славные. Не такие, как мы, смешные, манерные, чопорные. Хотя нет, чопорные — это, кажется, не про них. Чопорная у нас Альбина. Мама так и говорила: «Альбина — чопорная дура!» А эти — эти другие. Как с другой планеты, что ли. Все-таки немножко смешные, но милые. Чудаковатые, вот!»

Светка подобрала нужное слово и тут же, успокоившись, моментально уснула.

Еще бы. Денек выдался, мама моя дорогая! Никогда раньше она так не «припахивала» — видела бы маман, не поверила бы ни в жизнь!

Ни за что б не поверила! Решила бы, что дочка свихнулась.

Завтрак был тоже чудно́й — на черный хлеб было намазано масло, а сверху была уложена редиска — тоненькими колесиками — и посыпана солью. Ленинградский бутерброд — так весело объявили соседи. И вправду, это было просто и вкусно. Запивали отличным кофе, который варил Виталий. И снова беседы, беседы — про Норин музей, про войну и блокаду, про физику — непонятно, но любопытно, — Виталий был физик. А потом все пошли гулять. Виталий показывал гостям достопримечательности любимого города, рассказывал увлекательно, живо, словно заправский экскурсовод. А уж в Русском бразды правления взяла Норочка — так про себя теперь называла ее московская гостья.

«Прозавтракали и проужинали» неделю. А в Москву Светка с Маринкой больше не вернулись — Виталий сделал ей предложение, которое горячо (Светке, правда, показалось, что слишком горячо) поддержала его странная, но симпатичная мамаша.

Светка вздохнула и согласилась — немного странный Виталий ей нравился, а вот ее предыдущая жизнь совсем нет. Она с дрожью вспоминала московскую квартиру, переполненную родней до краев, — бесконечные дрязги, разборки, шумных сестер, претензии матери, свары детей, горы грязной посуды и кучи брошенного в ванной белья. Здесь, в Питере, она впервые задумалась о том, как бестолково, глупо, крикливо они все живут. И ей стало так тошно и стыдно, что в прежнюю жизнь совсем расхотелось.

Она позвонила матери и без подробностей сообщила:

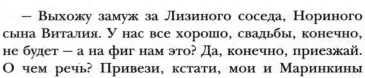

— Выхожу замуж за Лизиного соседа, Нориного сына Виталия. У нас все хорошо, свадьбы, конечно, не будет — а на фиг нам это? Да, конечно, приезжай. О чем речь? Привези, кстати, мои и Маринкины вещи. И возьми ее документы из сада.

Обалдевшая Нина, только подлечившая свою назойливую язву, разумеется, тут же бросилась в Питер. Не вовлекая в подробности младших дочерей — начнут завидовать, она их знает. Светка выходит замуж? Ну ни фига себе! И что это мы, дуры, не рванули туда?

Нина, как всегда, не ждала ничего хорошего — очередной подвох жизни, не иначе. Ну кто возьмет мою ленивую толстую дуру? Да еще и с довеском?

Она старалась припомнить этого Виталика, Нориного сына, но выходило плохо — на кой черт ей тогда было обращать на него внимание? Какой-то соседский пацан. «Наверняка дурак! — подумала она. — Иначе объяснить все это нельзя».

В голову лезли и дурацкие мысли — а вдруг это как-то связано с Лизиной квартирой? Вдруг этот Виталий с помощью дуры Светки хочет завладеть теткиной площадью? Ну, тогда он в пролете. Альбина собирается активно принимать участие в дележке наследства. «Все этой стерве мало! — со злостью подумала озабоченная и расстроенная Нина. — Ох, ничего, конечно, хорошего. Снова какое-нибудь дерьмо. Обязательно всплывет, непременно! Ждать от этой идиотки Светки чего-то хорошего? Да бросьте! Ни от Светки, ни от жизни вообще! Плавали, знаем. К нашему берегу — то говно, то палка».

С тяжелым сердцем она вышла на перрон Московского вокзала и пошла пешком. Питер, как все нор-

мальные люди, она обожала и с жадной радостью оглядывала Невский и знакомые места.

Она долго держала палец на звонке, а дверь не открывали. Теперь она так отчаянно забеспокоилась, что покрылась липким потом — что-то случилось. Дочку и внучку убили! Из-за этого чертова наследства!

Никакой логики в ее опасениях не было — потому что никакого наследства еще в принципе нет.

Она прислонилась к стене и заплакала. В эту минуту открылась соседняя дверь, и с громкими криками к ней бросилась внучка.

Нина разрыдалась, схватила девочку, жадно целовала ее и все спрашивала, где мама.

— Мама с Виталиком поехали в магазин. — Маринке надоело обниматься, и она стала вырываться из цепких бабкиных рук. — Мама и Виталик поехали в магазин, — раздраженно повторила она непонятливой бабке, — а мы с *бабулечкой*, — тут Нина вздрогнула, — раскладываем пасьянс. Хочешь, и тебя научим? — великодушно предложила внучка и опять повторила: — Хочешь?

Тут из дверей выплыла Нора и, всплескивая руками, разохалась и тут же бросилась к совсем обалдевшей Нине.

— Ну слава богу, ты здесь! — радовалась Нора, пытаясь затащить Нину в квартиру.

Нина вошла, плюхнулась на табуретку и тихо сказала:

— Ну, вы даете!

Норочка кокетливо, словно извиняясь, развела маленькими ручками с очень аккуратным, бледно-розовым маникюром.

Все, что происходило дальше, Нина обозначила одной фразой — сумасшедший дом.

Вокруг ее дурехи и неумехи Светки и ее плохо воспитанной (приходилось, увы, признать), болтливой и бестолковой внучки крутились — радостно, с воодушевлением, словно выиграв прекрасный и неожиданный приз, умница Норочка и ее благовоспитанный, образованный и очень приличный сын Виталик.

Маринку тут обожали — это было так очевидно, что исчезли все сомнения и дурные мысли, что здесь может быть что-то не то. А к ее бестолковой Светке относились с таким почтением и благоговением, будто в невесты им неожиданно досталась как минимум английская принцесса.

Светка вроде бы не зазнавалась, но вела себя так сдержанно и с таким достоинством, словно и впрямь получила воспитание во дворце, а не в жалкой панельке на последнем этаже дешевого спального района.

Нора, прихватив Маринку на «службу» — «Что ты, Ниночка, какие хлопоты, одно сплошное удовольствие!» — водила девчонку по музейным залам, поила чаем с пирожными в служебном буфете, а после работы *прогуливала* по Невскому.

Светка, ленивая и хамоватая соня, драила квартиру, зарывалась в кулинарные книги, выуживая сложные и малодоступные рецепты типа бланманже из сливок (проще — молочное желе) или каплуна по-французски (каплуном, кстати, оказался обычный петух).

Виталик, приходя с работы, протягивал молодой скромный букет и коробочку шоколадных конфет.

Потом все чинно рассаживались за стол, и Светка подавала ужин.

Нина смотрела на все это, широко открыв глаза, — это шоу, как считала она, было таким неправдоподобным и ненадежным, что она все время ждала, что дочь сейчас треснет тарелку об пол, заявив, как ей все осточертели, а внучка выплюнет в тарелку непрожеванное мясо и устроит свою обычную гнусную истерику.

Вот это было бы похоже на правду. А это странное театральное действие, постановка, Нину как минимум очень пугало.

Но ничего плохого не происходило. Так и текло — мирно и благостно. Все обожали друг друга, делали друг другу комплименты, расспрашивали о прошедшем дне и говорили друг другу «большое спасибо».

Поздно вечером, заловив дочь в ванной, Нина прижала ее к стенке и стала жарко, в лицо, задавать хлесткие вопросы, не дававшие ей покоя.

Светка смотрела на мать с недоумением и покрутила пальцем у виска.

— Не веришь? А во что ты, собственно, не веришь? В то, что я могу полюбить? А-а! Я поняла! — Дочь сдвинула брови. — Я тебя поняла! — зло зашептала она. — Ты не веришь в другое! Ты не веришь, что можно полюбить меня! Как же, понятно! Кому нужна такая дура, да еще и с довеском?

Нина с отчаянием махнула рукой и присела на бортик старой облезлой ванны.

— При чем тут это? — вяло спросила она. — Просто... все так стремительно и так... — она помотала головой, — так непонятно. Ты и Виталик — так быстро! Нора и Маринка — кто она ей, наша дурочка?

Светка усмехнулась.

— Ясно, мам! В чудеса мы давно не верим, да?

Нина пожала плечами:

— Мы — да. А вы?

— Мам! — горячо зашептала Светка. — Да я и сама не верю, честно! Так все странно как-то... И быстро. Но — вот ведь случилось! И знаешь, я сама обалдела. Они такие... Ну, чудны́е! Не такие, как мы. Но замечательные. Просто я такого не видела. Чтоб друг к другу с таким уважением. С такой нежностью, что ли... Он к матери — ну, вообще! Ну, и к нам так же, понимаешь? Он просто не умеет по-другому, наверное. Да, мам? Говорит, что влюбился сразу. Как только увидел. Я тоже подумала — псих. И Нора эта. Я тоже сначала думала — чокнутая. Оба чокнутые — наверняка. Со своими восторгами. Чем уж тут восторгаться? Нами, что ли? Мной и Маринкой?

Светка покрутила головой и замолчала. Так они просидели минут пятнадцать.

— А потом — нет, мам, не псих. Странный немного. Вернее, не странный — другой. А ко мне, мам... Я и не думала, что так бывает. Ну, после Кудрявцева моего и всех остальных идиотов. Пиво, футбол. Мат и разборки. Дружки всякие. Глаза б не смотрели!

Нина кивнула:

— Все так, Свет! И все же... Как-то стремительно очень. А ты... — Нина запнулась, — ты его... любишь?

Светка тихо рассмеялась и взяла Нину за руку.

— А я не знаю, мам. Веришь? Не знаю! Знаю только одно, — тут она замолчала. — Знаю только одно, мам, — шепотом повторила она. — Сейчас я счастливая, мам. Сейчас я — *другая*!

 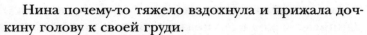

Нина почему-то тяжело вздохнула и прижала дочкину голову к своей груди.

— Ну, и слава богу, Свет, — повторяла она, — это ведь — главное!

— Это то, мам, — опять зашептала дочь, — то, чего у меня никогда не было. Ни разу, ты представляешь?

Нина усмехнулась и грустно кивнула.

— Представляю, Светуня! Ты даже не знаешь, как хорошо представляю!

Они еще долго сидели в темной ванной, обнявшись и чуть покачиваясь, словно убаюкивая друг друга.

Через пару дней, успокоенная, но все еще не очень уверенная в хорошем исходе, Нина уехала в Москву.

В тот же вечер позвонила Альбина и долго пытала по поводу дочки и ее новой жизни. Нина отвечала сухо, не вдаваясь в подробности. Альбина почти разобиделась и нехотя перевела разговор на квартиру. Что будем делать, как делить, ну, и все прочее.

— Все тебе мало, — зло бросила Нина, — никак не наешься!

Кончилось, конечно, скандалом. Но ничего — как говорится, не привыкать.

Потом покатилась обычная и привычная жизнь — Нина работала, помогала дочерям, возилась по дому, уставала, ругалась с обеими, перезванивалась со Светкой, продолжая удивляться переменам в дочери и радуясь ее хорошему настроению. В Питере все было, слава богу, в порядке. Маринку отдали в художественную школу — вдруг обнаружились способности к рисованию, к которым Нина отнеслась, как обычно, скептически. А потом *бабушка* Нора записала ее в хор и в гимнастику — ну, совсем обалдеть!

163

Нина ездила в Питер при любой возможности — длинные выходные, праздники или просто брала пару дней отгулов. Ее почему-то так стало туда тянуть, она и сама не могла объяснить эту тягу — к дочери, к внучке или к этому туманному, затянутому дождями, прекрасному городу, где она когда-то была так ослепительно и так радостно, так недолго счастлива — в очень далекой и почти нереальной молодости. Сразу после свадьбы рванули туда на неделю. С еще очень любимым первым Нининым мужем.

Ехала обычно «Сапсаном» — дороговато, конечно, но как же удобно! Выезжала в шесть утра, а к десяти — подумать только — уже в Питере.

Ночевала она в Лизиной квартире — ну, не стеснять же новую родню.

Но Альбина эту лавочку довольно быстро прикрыла — квартира общая, а стоит без дела и пользуешься одна ты!

Альбина есть Альбина. Никто и не удивился. Квартиру решили сдавать, а вырученные деньги делить на троих — Нину, Альбину и брата.

Димка сначала хотел отказаться, но железную длань наложила Лена. Ну и здесь не удивился никто — Альбина просто не могла отказаться ни от чего, что шло к ней в руки. А женушка брата просто теряла сознание, если копейка проплывала мимо ее рук. «Такая натура, несчастные люди», — думала Нина.

Сдать квартиру было поручено, разумеется, Нине — потому что даже сильно изменившаяся Светка доверия у родни по-прежнему не вызывала.

В начале июня Нина уехала в Питер, надеясь провернуть это дело за несколько дней. Дали объявление

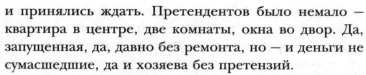

и принялись ждать. Претендентов было немало — квартира в центре, две комнаты, окна во двор. Да, запущенная, да, давно без ремонта, но — и деньги не сумасшедшие, да и хозяева без претензий.

И вот очередной претендент — немолодой иностранец приятного вида, седоватый, аккуратный, подтянутый и хорошо говорящий по-русски. Оказалось — бельгиец, искусствовед и вдовец.

На слове «вдовец» Норочка споткнулась. «А если?..» — дальше она не продолжила, но все поняли.

«Если» он будет водить девиц — все понятно, да, есть опасения. А ведь не спросишь — неловко спрашивать про его мужские потребности!

Словом, подумали и решили все-таки сдать одинокому искусствоведу, единогласно признав его на семейном совете все-таки лучшей кандидатурой.

Разбирая Лизин шкаф — а как же, куда арендатор будет складывать вещи? — Нина наткнулась на теткино завещание.

Там было прописано, что квартира завещана Нине — как самой «неимущей и одинокой». Обалдевшие Нина и Светка долго не могли прийти в себя, пока, наконец, первой в себя не пришла дочь и, сделав рукой жест, словно пытается дернуть стоп-кран, крикнула: «Йес!»

А глупая Нина тем временем размышляла, как сообщит эту новость Альбине и как та расстроится — ну, это уж к гадалке не ходи! Жена брата в расчет не входила — подумаешь, родственница! Не сестра. Что говорить.

А через полтора года бельгийский искусствовед обвенчался по православному обряду с хозяйкой квар-

 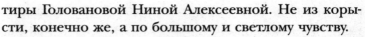

тиры Головановой Ниной Алексеевной. Не из корысти, конечно же, а по большому и светлому чувству.

А еще через полгода его командировка закончилась, и чета благополучно перебралась в городок Бусваль — родовое гнездо новоиспеченного мужа.

Все еще не пришедшая в себя Нина просыпалась в пять утра, словно по будильнику, и тихонько, чтобы не разбудить мужа, пробиралась к окну, где застывала как мраморная статуя.

Она вглядывалась в тихо и медленно вползающий на мощенную булыжником улочку молочный рассвет и все никак не могла связать и эту большую, мрачноватую, старую квартиру, и эту старинную, очень тихую узкую улочку, где на ночь окна домов закрывались глухими деревянными ставнями, и антикварный магазинчик напротив — с фарфоровыми птицами, выставленными в окне, и ранним почтальоном в черной фуражке на велосипеде, по привычке тормозившим ногой у каждого подъезда и приветливо машущим ей рукой, и перезвон колоколов в костеле на соседней улице — из их окна был виден только темно-зеленый и острый шпиль — и никак не могла связать это со своей жизнью. Ну просто никак! Ей по-прежнему казалось, что она спит и видит прекрасный, но обманный, сладко-обманный сон из далекого детства, который, естественно, не сбудется никогда.

Так она стояла на старом темном дубовом паркете часов до семи, пока не просыпался муж, бельгийский искусствовед, и не приветствовал ее радостно и нежно.

Тогда она бросалась на кухню, где стояла огромная старая плита с медными ручками, и торопилась

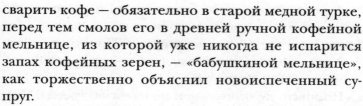

сварить кофе — обязательно в старой медной турке, перед тем смолов его в древней ручной кофейной мельнице, из которой уже никогда не испарится запах кофейных зерен, — «бабушкиной мельнице», как торжественно объяснил новоиспеченный супруг.

После кофе и тостов с клубничным джемом, обязательного зерненого творога от знакомой молочницы и пары кусочков острого и ну оч-чень пахучего сыра «Лимбургер» (муж ее к нему уже *почти* приучил), он, ее Флориан, пахший горьковатым одеколоном, уходил на работу в мэрию, где он служил в отделе культурных ценностей, а она снова застывала — уже за столом, и снова старалась представить себя в реальности. И снова не получалось.

Опять ей казалось, что кто-то подойдет сзади, довольно, кстати, ожидаемо, и она даже не испугается, и этот кто-то потреплет ее за плечо и грубовато скажет: «Эй, собирайся! Ты что-то тут задержалась!»

Она вздрогнет и спорить не будет — конечно, ей ведь давно пора. В Бирюлево, в родную девятиэтажку, на крошечную и тесную кухоньку, к плите, к отбитой мойке, к отвалившемуся бледно-салатовому кафелю, к родному и непроходимому никогда...

Очнись и возвращайся. К сварливым и ленивым дочерям — а что, сама виновата, таких воспитала! К крикливым внукам, к щам и котлетам. К гладильной доске и телепрограмме об устройстве личной жизни при помощи трех умных и опытных баб — резковатой, но справедливой красавицы-актрисы, громогласной и нарочито скандальной свахи и миловидной и умненькой астрологини.

А после этого всего, привычного и родного, падай в узкую и неудобную койку с продавленным матрацем и — улетай в свои эмпиреи. Приятного сна.

А все *это*, милочка, не для тебя — уж прости!

И она бы не удивилась.

Но никто не приходил и по плечу не трепал. Удивительно. Через какое-то время она, словно сбрасывая морок, приходила в себя и начинала хлопотать по хозяйству. Впрочем, какие же это хлопоты, просто смешно! Продукты — сплошное восхищение, да и едоки они с мужем... Рыба да салат, какая готовка! Белье гладит домработница, она же и убирает в доме, и закладывает стирку, и разбирает посудомоечную машину.

Можно просто почитать, поваляться, поучить язык. Или прогуляться по тихим зеленым улочкам, выпить кофе в кафе, прошвырнуться по магазинам и лавочкам. Можно посидеть в городском саду — ах, какие там розы! — и послушать пение птиц. А можно встретить мужа у мэрии и прогуляться по улицам вместе. И с ним же сходить в магазин и в кафе. Работу он заканчивает до смешного рано — в три часа дня. Соскучиться не успеешь!

Хотя нет — немножко все-таки успевала. Честно говоря. Самой даже странно и даже немного... неловко.

Странно и немножко неловко — не девочка ведь! Хотя иногда ей стало казаться, что именно девочка.

Впервые в жизни — и девочка! Потому что о девочках заботятся и восхищаются ими.

Худенькая и скромная Нина с короткой мальчишеской стрижкой, так и не научившаяся пользоваться косметикой, совсем не отличалась от местных жите-

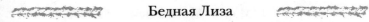

лей — она так легко влилась в толпу горожан, что казалось, прожила в этом уютном городке всю жизнь. Впрочем, какая толпа! Понятие толпы здесь было совсем не к месту — люди неторопливо прогуливались, очередей никогда не бывало — ни в продуктовых лавках, ни в промтоварных. Никто не спешил, не обгонял другого, не норовил пролезть первым. Все улыбались друг другу и узнавали в прохожих знакомых. Все здоровались и кланялись при встрече. Сыр и масло покупались уже сто лет в одной и той же молочной лавке, ветчина и вино тоже. В эти лавки когда-то ходили родители Нининого мужа, а теперь ходила и Нина.

В первое время она ловила себя на мысли, что ей постоянно кажется, что она снова что-то не успеет. Не достанет, не добежит, опоздает. Она тут же останавливала себя — замедляла свой быстрый шаг на улице, и ей становилось неловко — казалось, что прохожие удивляются ее резвому бегу. Она одергивала себя, садилась на лавочку или за столик в кафе и учила себя «жить и оглядываться по сторонам».

Впервые она стала думать о жизни — впервые у нее было на это время. Ей становилось страшно от того, как пробежала не первая, а основная часть жизни — нервно, бешено, раздраженно, без оглядки и остановок. Тогда раздражало всё и вся — родня казалась ей пожирателем ее собственной жизни, ее утомительные каждодневные обязательства были для нее наказанием и кошмаром — да, делала все, все исполняла, старалась хотя бы на четверку, но как угнетала эта обязательность, эти обязанности, эта по сути абсолютная каторга. Браки — поспешные, непродуманные... Первый, понятно, молодежный, сту-

169

денческий. Ну, развалился — обычное дело. Второй...
Тут еще хуже — какой-то сумасшедший, нервный, то-
ропливый, хотя сразу было понятно, что он обречен.

Отношения с матерью были вроде и неплохие,
но... Как они раздражали друг друга! Матери, про-
жившей всю жизнь с одним мужчиной, Нинины
«шатания» казались ужасными. А Нина отказывалась
понимать, как мать могла прощать отцу его измены.
Сама Нина едва терпела своих шумных и назойли-
вых теток. А мать — мать всегда стелилась перед
отцовской родней. Так считала дочь. Совместное
проживание со старой матерью было скорее данью
порядочности, чем велением души. И мысли тогда
роились страшные — а почему не Альбина? У той же
и места, и денег побольше.

Почему всегда я?

Отношения с дочерьми тоже не устраивали —
девки выросли наглые и ленивые, понятно, здесь
вина только ее, Нины. Но оправдание себе найдется всегда: а попробуй-ка подними их без отца! Не
было у нее помощников, не было — по большому-то
счету.

Всю жизнь словно тягловая кобыла на пашне.

Сейчас, оглядываясь, она испытывала стыд. За свое
вечное раздражение на больную и старую мать, за то,
что делала все без души и даже порой со злостью. За
то, что обрывала ее разговоры, покрикивала, а мать
обижалась, конечно. Потом, да, мирились, а Нина
все попрекала ее эгоизмом — конечно, тебе-то какое
дело, что я три часа по автобусам и магазинам!

Мать снова обижалась и поджимала губы — кон-
фликта никто не хотел, а тепла по-прежнему не было.

И все-таки было так жаль своих молодых, хотя и несчастливых лет. Так бездарно и глупо, так пошло растраченных! И так безвозвратно прошедших.

То, что ей выпало сейчас, то, что ей повезло, она сначала считала какой-то ошибкой. От этого было неуютно. Но со временем она себя убедила, что все это — и нежный и внимательный муж, и огромная прохладная ореховая спальня, и кухня окнами в розовый сад, и этот прелестный тихий городок, где ей так спокойно и сладко, — все это она *заслужила*.

И сразу стало легко, сразу все отпустило, и она начала просто жить.

А этому, как оказалось, еще надо было учиться...

А тем временем в Питере — у Светки и Виталика — было все превосходно. Они ждали младенца и купались в любви и счастье. Норочка занималась старшей внучкой, и тут происходили вообще чудеса. Девочка стала практически ангелом. Воспитанная, прелестная, умненькая и начитанная. Нина общалась с внучкой по скайпу и, вглядываясь в нее, не узнавала. Другая речь, другие манеры. Было, конечно, стыдновато — чужая по крови женщина сделала из ее бестолковой и невоспитанной девочки леди.

В Москве тоже происходили чудеса. Альбининого делового муженька посадили. Альбина убивалась недолго, а потом вдруг в ней произошли странные перемены — мужа-вора она прокляла, окрестилась, ежедневно ходила в храм и ездила по монастырям. Шубы свои продала, бриллианты туда же, вынесла из квартиры ценности и антиквариат, деньги отдала на строительство храма где-то под Кинешмой, а остальные отнесла в детский дом. А потом и вовсе уехала туда же, под Кинешму — вместе со своим духовником, получившим там новый приход.

Альбинины девки тоже заставили «похохотать» — старшая, Настя, бросила «чертов офис и всю эту пыль» и рванула на Дальний Восток, в Уссурийск, к какому-то старому возлюбленному, еще со школьных времен. Там, в маленьком городке, где ее новый муж занимался каким-то незначительным бизнесом, устроилась учительницей в местную школу и была вроде как совершенно счастлива.

Младшая, Даша, ушла от успешного, но пьющего мужа, забрав с собой двух малолетних сыновей, и рванула к мамаше под Кинешму. Сначала это был просто затянувшийся летний отпуск, а потом все это вылилось в бурный роман с врачом местной больнички Ильей — ну, как могли еще звать почти былинного богатыря огромного роста, синеглазого и бородатого?

Вот уж кино так кино!

Про бедного сидельца-папашу все как-то быстро забыли — ну, что тут поделать, стервы, конечно. Да, наверное, он заслужил, — а нечего было баб своих гнобить!

Их дядька Дмитрий, брат Альбины и Нины, уехал преподавать в Германию и там вдруг — бывает же, господи! — сошелся со своей первой женой Ларочкой. Встретились они совершенно случайно — Ларочка гостила в Мюнхене у друзей. Чего только не бывает!

Никто не осудил — все знали, что тот брак был по огромной любви, а второй — ну, так получилось. Жадная Лена быстро утешилась, узнав, что на имущество

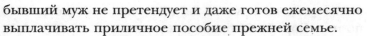

бывший муж не претендует и даже готов ежемесячно выплачивать приличное пособие прежней семье.

А теперь про младшую Нинину дочь — неразумную Таньку.

После трагедии с мужем-арабом она снова влюбилась — на этот раз в женатого — и очень хотела его развести. Разводиться молодой любовник не собирался и даже обрюхатил по новой жену. Танька, узнав об этом, любовника бросила — тут же, без выяснений и разговоров. Разошлись, как он ни бился в закрытые двери. А она вдруг взялась за себя — лихо сбросила вес, бросила курить и выпивать, оставила в прошлом любимый боевой индейский раскрас всеми цветами радуги (каждый охотник желает знать, где сидит фазан) и пошла в спортивный зал.

То ли пример старшей сестры, то ли изменившаяся жизнь матери — что подвигло ее на перемены, один бог знает.

Но, пока суд да дело, а через два года вдруг завербовалась на торговое судно в Одессе, вспомнив про свою профессию повара. И в Италии сошла уже дамой замужней — там, прямо на корабле, вышла замуж за старпома, такие дела.

Ритка, Нинина дочь, оставшись одна в квартире, наконец вздохнула, успокоилась и открыла собственное дело — стала шить и вязать из шерсти и прочих ниток разноцветные, прикольные торты и пирожные — выглядели они совсем как настоящие. Клиенток было навалом — богатые дамочки с Рублевки украшали свои кухни Риткиной красотой.

Да, что еще? Надина дочь Люська, та, что никак не могла забеременеть, жена смирного Бори Зельдо-

 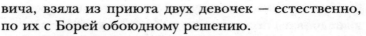

вича, взяла из приюта двух девочек — естественно, по их с Борей обоюдному решению.

Катькин лысый Эдик устроился наконец на работу и даже стал приносить приличные деньги. Сказал, что устал жить в нищете.

Тонин сын Ваня, вдовец, тоже устроил судьбу — сошелся с хорошей женщиной, а его старший сын от бедной Мадины приехал в Москву и устроился на работу.

Верочка, глухая дочь веселой Динки и Василия, второго сына покойной Тонечки, слышать, конечно, не стала, но вот чудесные суперчувствительные слуховые аппараты уже изобрели, и жизнь ее стала полноценной — Верочка окончила институт и вышла замуж за тоже слабослышащего и очень хорошего человека.

Спустя несколько лет Нина, приехав в Москву, перебирала какие-то старые бумаги, счета за квартиру и прочий, копившийся годами, обычный хлам. Тут ей и попались Лизины письма. Сначала читать и не думала, понесла было в помойное ведро, как вдруг на кухне остановилась. Присела на табуретку и прочла.

Долго сидела на месте, не в силах встать, да и вообще — двинуться. Через какое-то время встала, умылась под краном, выпила две кружки холодной воды, таблетку от головной боли и снова плюхнулась на табуретку.

Потрясению ее не было меры. Она еще много раз перечитывала теткины письма, не спала, конечно же, ночью, вскакивая и зажигая торшер, снова хватала ветхие конверты, надевала очки, перечитывала их по сотому разу, качала головой, гасила свет, а потом снова включала.

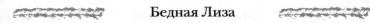

Уже в темноте прокручивала это снова и снова, тяжело вздыхала, тщетно пытаясь уснуть, вертелась на непривычно узкой кровати и снова вздыхала, повторяя строчки из Лизиных писем, уже крепко и навсегда заученные теперь наизусть.

«Ниночка! Ты не волнуйся, все образуется. Ты окажешься в другой стране, красивой и тихой. Рядом с тобою будет хороший человек, решающий за тебя практически все. Ты будешь спокойна и счастлива. А в твои окна будет литься прекрасная музыка».

«Светочка выйдет замуж и родит второго ребенка. У нее будет чудесная семья и очень добрая свекровь. Жить она будет в холодном городе, но в теплых и душевных условиях.

У Танечки тоже все сложится, ты не волнуйся! Она увидит разные страны, полюбит воду и очень сильного и хорошего человека. Риточка вылезет из нищеты, расслабится и наконец заживет.

Так что ты успокойся и ни за кого не волнуйся. Все образуется!»

«У Альбиночки будет много проблем, и со здоровьем, к сожалению, тоже. Но она поправится, и у нее все наладится. Не сразу, конечно. Мужа своего она не увидит очень долго, но горевать по нему не будет. Для нее это будет как избавление. И она, наконец, обретет лад в душе. Девочки ее тоже устроятся и будут жизнью довольны. И Настюшка, и Дашенька. Потому что поймут, что раньше жили не так. А это ведь главное. Сколько людей проживает до старости, а этого так не понимают!»

«Димочку ждут перемены к лучшему. Бизнес он свой, слава богу, оставит. Не его это дело, это идея Елены. Снова займется наукой, и очень успешно.

Слушать его будут молодые и умные люди, и будут слушать внимательно. С Еленой он разойдется — ты не расстраивайся. Ему от этого будет гораздо лучше. Дети уже подрастут, тут беды нет. А он снова встретит любовь и обретет свое счастье. Теперь уже окончательно и навсегда, слава богу. Жить вы будете недалеко друг от друга и видеться будете часто. Гораздо чаще, чем прежде. С его женой (не новой, а старой) ты будешь дружить. В общем, всему свое время, деточка. Ты только живи и верь, что все образуется. И еще — подожди. А все так и будет, родная!»

Да откуда? Откуда могла она это все знать? Про музыку, льющуюся в Нинино окно? Про того скрипача, что играет у дома напротив? Про Светку и Таньку? Про Ритку? Про Альбинкину болезнь, тюрьму и ее девок? Настю и Дашку? Про Димкину новую жену, которая *старая*, и Нина дружила с ней всегда? Про Ларочку? Вот уж от кого таких перемен и не ждали! Нет, бред какой-то! Чепуха, ерунда, глупые сказки! Так не бывает и быть не может. Ну не Ванга же наша бедная Лиза, в конце-то концов!

Господи! Что мы проглядели! Какие же мы идиоты, бессердечные и тупые! Она ведь была рядом с нами. И все насмехались над ней. Никто — ни один человек не воспринял Лизу всерьез. Даже Лида, родная сестра. А ведь эта, почти незаметная и тихая маленькая женщина... Бедная Лиза! И произносили мы это с усмешкой. Чуть-чуть с издевкой и пренебрежением.

Не понял никто! Да и не старался понять.

Тут вспомнилось и про пожар на даче, тогда, сто лет назад. И про прочие предсказания — например, про Настину свадьбу.

Она ведь писала! Да кто ее слушал, кто читал ее дурацкие письма? Все ведь выкидывали, остались только мои, потому что я — старый Плюшкин, который хранит «всякую дрянь» — так говорила, кстати, моя собственная мать и Лизина сестра.

Ах, если бы прочитать сейчас то, что она всем писала! Все те письма, что мы когда-то выкидывали!

И еще — эта мысль ее поразила в самое сердце. Ведь за эти годы было так много плохого, тяжелого. Кто-то умер, кто-то что-то терял — деньги, дружбу, любовь. Кого-то предавали, обманывали. Кто-то с кем-то серьезно поссорился, люди расставались, переставали доверять друг другу.

Но тетка об этом почти не писала! Она писала только о хорошем — о светлом, так сказать, будущем. О том, что ждет их впереди, — встречи, любовь, доверие, достаток и прочие радости.

О том, что могло заставить их перетерпеть невзгоды, пройти все, что выпадет, и, смиряясь, надеяться на хорошее. Просто верить и ждать.

Она так поддерживала их всех. Убеждала, что надо держаться. Ради... Да ради самой этой жизни — в которой хорошего ведь отнюдь не меньше, чем всего остального. Она просто жалела их. Ни во что не верящих — ни в Бога, ни в чудеса, таких бестолковых!

А они, дураки...

Нина вздыхала, ходила по комнате кругами и размышляла. А стоит ли говорить об этом родным? Да нет, наверное, все же не стоит. Все посмеются и покрутят пальцем у виска. В адрес Нины и тетки. Да и бог с ними! Это будет только Нинина тайна и Лизина.

Да и какая разница — выброшенных писем уже не вернуть. И жизнь у всех образовалась. Все сложилось, как-то выправилось, встало на свои места.

Вероятно, это и есть самое главное. А все остальное — загадки, домыслы и прочие фантазии.

Лишь бы все были здоровы и счастливы! А свою судьбу знать, наверное, и не нужно — к чему будоражить сердце и душу? Как написано, пусть так и будет.

Лизой ли, космосом, Богом — да разве поймут обычные люди?

А необычных уже рядом нет. Проглядели. Увы.

И все же чудны дела Твои, Господи. Чудны и необъяснимы.

А потом Нина подумала: «Правильно! И я б не хотела... Не хотела знать наперед — про себя и про дочек. Точно бы — не хотела!»

Потому что страшно немного... Даже тогда, когда все хорошо. В смысле — кончается.

Странная женщина

ДЕНЬ РОЖДЕНИЯ

Она смотрела в окно своей спальни. Смотрела на всю эту шатию-братию, без дела мотающуюся по участку. Кто-то сидел в плетеном кресле, кто-то трепался, кто-то потягивал винцо или пиво. И все, разумеется, ждали. Ждали, когда со второго этажа спустится именинница и их наконец пригласят за праздничный стол.

«Истомились», — подумала она и усмехнулась.

Потом тяжело вздохнула и в сотый раз подумала: «Какая я дура! Какая дура, что поддалась, согласилась. Прогнулась — как говорят нынче. Она! Железная леди, дамасская сталь. Непримиримая Снежная королева».

Прогнулась. Конечно же, только из-за любимой дочурки. Только она имела способность воздействовать на «железную» мать. Только ей та противостояла с трудом.

Что поделать — и у «стальной пружины» бывают слабости.

Да и аргументы, конечно. Пятьдесят, такая дата, юбилей, что говорить. Сороковник не справляли, была отмазка — сорок лет не отмечают, такая примета. А уж промежуточные — вообще смешно! Сорок

179

пять тоже, слава тебе господи, проскочили — грех, конечно, так говорить, но — обстоятельства! Муж тогда загремел в больницу, ничего, слава богу, серьезного. Обошлось.

Он тогда пошутил: «Когда в моем возрасте удаляют только аденому простаты, а все остальное оставляют на месте — уже огромное счастье!»

Он вообще умел пошутить, ее муж. На том, собственно, и держались.

Так вот, дочь настояла, да. Просто весь мозг вынесла — требовала фейерверков, анимаций и бурных оваций. Муж ее, разумеется, поддержал. Они с ним всегда были на одной волне.

Она даже слегка ревновала. Потом, когда она наконец согласилась, посыпался ворох предложений — одно нелепей другого. Например, поехать на экзотический остров в семейном составе. Или в Париж. «Хочешь, мамуля, в Париж? День варенья же, мам!»

Нет. Вот туда она не хотела определенно. Париж был исхожен вдоль и поперек — ничего нового. Хотя Париж есть Париж, что говорить... А в Лондон? Как насчет туманного Альбиона?

Ну его к черту! Какой Альбион, были там раз пять, и все не везло с погодой. Дальше еще страшнее — полет на воздушном шаре, альпинистскими тропами на Памир, сплав по горной реке в каком-то катамаране — короче, полный ужас.

Дочка была креативной затейницей. И вообще веселухой. Точно не в мать.

Из всего того кошмара, что она предложила, оставалось одно — обычный банкет на даче. Все, точка. Твой креатив детка, не для меня. И перестань веселиться! Дурочка просто, ей-богу...

Ладно, все смирились, общий знаменатель был найден. Банкет на даче — легкие закуски, все, разумеется, будет заказано в ресторане, барбекю — приглашен кавказский умелец, проверенный друзьями. Два официанта — накрыть, подать и убрать. Не так дорого, кстати. И все совершенно свободны!

— Валяйте, — устало согласилась она, — вы ж все равно не отстанете!

Она слышала, как муж и дочь шушукаются по углам. Снова вздыхала — господи, напридумают ведь все равно какой-нибудь чуши, дурацких сюрпризов. Знает она своих родственников! Банкетом не успокоятся, нет. Что же — это надо просто пережить, и все. Как нервная невеста переживает свадебную подготовку и суету.

Ладно, переживем. Ведь, в конце концов, родные люди стараются. Только... как же она не любит всего этого. Просто до дрожи не любит, такие дела.

В дверь постучали. Муж. Дочь врывается вихрем, ничего с ней поделать нельзя, как ни пыталась отвоевать право на личное пространство и частную, приватную, как говорят сейчас, жизнь. Хотя смешно — какая там у нее частная жизнь! Обхихикаться просто.

— Входи, — крикнула она мужу.

Он вошел. Как всегда — подтянутый, интересный, из тех, кому годы только на пользу. Седой ежик волос, смуглая кожа, тонкие очки. Ни грамма жирка — просто американский сенатор из одноименного фильма. Серые брюки, голубая рубашка, серая бабочка. Мечта, а не мужчина, что говорить.

— Владка, пора! — вздохнул он и посмотрел на часы. С укором, надо сказать. С едва заметным укором.

— Скоро начнутся голодные обмороки, — пошутил он, — да и вообще, неудобно.

Она кивнула, вздохнула, пройдя мимо зеркала, поправила прическу, «дала» задора во взгляде и кивнула:

— Ну двинули! Ух!

Раньше сядешь — раньше выйдешь, как говорится. Встретили, разумеется, аплодисментами. И пошло-поехало. От комплиментов сразу начало подташнивать. А ведь будут еще и здравицы. Тосты и пожелания. Стихи, не дай бог!

Гости, как на подбор, были умны, остроумны и велеречивы. Интеллигентная и небедная публика, куда деваться.

Домработница хлопотала с цветами — ваз, как всегда, не хватало, и заполошная, несчастная Верочка ожесточенно рассовывала букеты в пластиковые ведра и трехлитровые банки. На отдельном столике, под сиренью, пестрели коробки с подарками, перехваченные атласными лентами, некоторые даже с привязанными игрушками. Чушь, ей-богу. Бабе полтинник, а там плюшевые зайчики и медведики. И кому это пришло в голову? Кто изменил традициям и вкусу? Ладно, бог с ними, с медведями.

Столы были накрыты. Она бросила взгляд — красиво. Не придерешься, красиво. Сиреневые скатерти, тарелки и бокалы в цвет, все декорировано букетиками фиалок, перехваченными белыми лентами. Еды навалом — довольно отметила она, — а это главное. Она всегда боялась, что гости уйдут голодными. Это было семейное — так же кряхтела и беспокоилась мама, нервно оглядывая накрытый стол, и бросалась на кухню: «Надо еще отварить картошечки — на всякий случай». И это притом, что на столе стояло штук шесть салатов в хрустальных салатниках, рыба, селедка, соленья, домашние пирожки и прочее, прочее. А в духовке уже румянилась утка или баранья нога.

РОДИТЕЛЕЙ НЕ ВЫБИРАЮТ

Отец скандалил и называл мать «законченной дурой». Мать пропускала мимо ушей, никогда на него не обижалась, только махала рукой и принималась за чистку «картошечки».

Сумасшествие, конечно. Семейное сумасшествие. Такой же была и бабушка, мамина мать.

Гости, конечно же, объедались и еле выползали из-за стола. Еды оставалось море, и мать начинала всем собирать «кульки». Свертки пирожков, банки с салатами, остатки бараньей ноги или «гусочки». Мать была простая, деревенская. А отец был москвич — из генеральской семьи. Их брак был объявлен мезальянсом, но прожили они долго, до самой старости, вопреки предсказаниям генеральской родни.

В юности Влада удивлялась — они совсем не сочетались — отец и мать.

Мать была и вправду простовата. А потом поняла — отцу так было удобно. Мать хозяйничала, растила детей, ее, Владу, и брата. Никуда особенно не лезла — летом крутила компоты, варила варенья, солила и мариновала. Она всегда была при деле, ее тихая мать, — с утюгом в руках, с тряпкой, со шваброй.

А отец жил своей жизнью — работа, охота, рыбалка, банька с друзьями. Потом Влада, уже взрослой девицей, случайно узнала, что у отца всю жизнь параллельно была другая семья.

Точнее, другая женщина. Но к ней он не ушел. Вот странно даже, а почему? Там ведь явно была любовь. А что еще? Ну или страсть, как хотите. Женщину эту Влада увидела. Красавица. Умница и красавица. Без дураков. А жизнь он прожил с женой. Мать ушла первой, совсем не старой, в шестьдесят восемь. А с той женщиной он так и не сошелся — говорил, что привычки менять поздновато. Но жизнь странная штука. Странная, нелепая и жестокая — та дама ушла следом за матерью, через девять месяцев. Было ей, наверное, всего-то под шестьдесят.

И семидесятидвухлетний отец остался один. Влада тогда подумала — наказание. Ему наказание. А этим двум женщинам? Наверняка мать обо всем знала. Не могло быть иначе — отец ездил в отпуск с той дамой, брал ее с собой в командировки — попадались какие-то редкие фотографии из разных мест, правда, на них было много разных людей, но даму ту углядеть было нетрудно.

Значит, мать знала. Знала и молчала. Точнее — помалкивала. Чтоб не гневить. Отец был горяч и гневлив. И очень суров.

А та? Всю жизнь ждала. Вся жизнь в ожидании. Придет не придет. Возьмет не возьмет. Останется на ночь или обратно в семью. А праздники? Новый год, октябрьские, майские?

В праздники он всегда оставался в семье — это святое.

Всю жизнь как транзитная пассажирка. А ведь могла устроить личную жизнь. Наверняка. Потому что красавица. И умница точно — главврач столичной больницы. Детей не родила, гнездо, которое наверняка упорно свивала, не пригодилось. И даже на старости лет ей не было отпущено покоя и счастья — похоронив жену, вдовец вещички не собрал и на порог не явился. А ведь наверняка ждала. Ждала и надеялась.

После ее смерти года через полтора папаша женился. Точнее, сошелся с женщиной. Тоня была соседкой по дому. Мать с ней когда-то дружила. Они были в чем-то похожи — Тоня была женщина простая, бесхитростная и хозяйственная.

Никто и не скрывал, что и папаша, и Тоня жизнь свою *устраивают*. Никто не осуждал — все понимали. А вот то, что с Тоней отец вдруг расцвел и ожил — удивились многие. И Влада в том числе. Жили они дружно — так дружно, как не жили с матерью.

Ворковали аки голубки. Вместе на рынок, вместе в магазин и в аптеку. Вместе у телевизора — за просмотром идиотских бразильских сериалов, которые отец всю жизнь презирал и насмехался над матерью. Теперь они вместе крутили запасы на зиму, и папаша завел блокнотик, где записывал все достижения: огурец соленый — десять банок, помидор маринованный — пятнадцать, патиссон острый — семь. Дунайский салат, лечо, ну и так далее.

Влада смотрела на все это и только дивилась. Кудесница-жизнь.

Набегался кобель и успокоился — наверное, так.

Отца, кстати, она никогда не любила. Да, грустно...

КУДА ДЕВАТЬСЯ — ГУЛЯЕМ!

Расселись за пышные столы. Она оглядывала гостей. Знакомые, близкие и не очень. Точнее, приятели *не первого круга*. Сотрудники мужа, его родня,

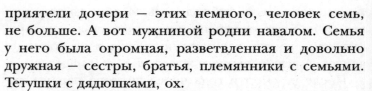

приятели дочери — этих немного, человек семь, не больше. А вот мужниной родни навалом. Семья у него была огромная, разветвленная и довольно дружная — сестры, братья, племянники с семьями. Тетушки с дядюшками, ох.

А у нее один младший брат. И тот из рук вон. Володя всегда был человеком слабым и неудачливым. Два нелепых брака, двое детей, с которыми бывшие жены ему не давали встречаться. Дурацкие любовницы — обязательно со шлейфом скандалов и дрязг. С работой тоже сплошная неразбериха — отовсюду его увольняли, везде «подставляли» или вдруг неожиданно закрывалась обанкротившаяся фирма, не выплатив пару месячных зарплат.

Словом, типичный лузер.

Она, конечно, всегда старалась помочь. Но брат раздражал ее чрезвычайно. Он так легко смирялся со всем, не пытаясь бороться и даже сопротивляться, что очень напоминал ей наседку-мать. Она-то сама пошла в папочку.

Брат еще не явился. Пунктуальности в нем тоже не было ни на грош.

Дочь тревожно спрашивала ее взглядом — ну как? Нравится? Все ли в порядке?

Она ей улыбнулась — да, все хорошо, милая. Замечательно просто. Расслабься и получай удовольствие.

А я... да тоже переживу. Не такое переживали. Все ведь проходит, правда?

Нет. Проходит *не все*. Совсем не все, моя милая. Увы, моя детка. Увы!

186

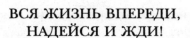

ВСЯ ЖИЗНЬ ВПЕРЕДИ, НАДЕЙСЯ И ЖДИ!

Восемнадцать. Что может быть лучше, чем восемнадцать? Когда ты красива как роза и как роза свежа. И когда впереди целая жизнь. Долгая, длинная. Бесконечная. И очень счастливая.

Ты так ждешь ее, так жаждешь, так торопишь года! Тебе хочется прыгать от шальной радости, захлебываться от восторга. А неудобно. Тебе ведь *уже* восемнадцать!

А рядом с тобой — совсем рядом, ближе, чем протянутая рука, ближе, чем стук твоего сердца, чем твое свежее юное дыхание, он — твой любимый!

То, что самый лучший на свете, нечего и обсуждать. Нелепо просто говорить об этом! Неловко.

Он рядом, и все прекрасно — и дождь, и холодный ветер.

Прекрасные, кстати, стихи. Только ни дождя, ни холодного ветра — июль.

Жарковато, но кого в восемнадцать это пугает?

Они сидят на скамеечке в парке Горького. Впереди серая река, мутноватая вода чуть колышется — совсем чуть-чуть, почти и не видно. Пахнет шашлыками и прибитой неспешным дворником пылью из шланга.

Они сидят молча, обнявшись. Она доедает мороженое. Любимое — «Ленинградское». Он «не потребляет». Он вообще не ест сладкого. Говорит, что ему не вкусно.

— У тебя странный вкус, — удивляется она, — горько-кислый. Ужасный!

Он кивает и соглашается:

— Ужасный, чистая правда. Ну, раз я выбрал тебя.

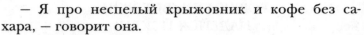

— Я про неспелый крыжовник и кофе без сахара, — говорит она.

И они заливаются смехом. Таким звонким счастливым смехом, как смеются только в юности. На них обращают внимание.

А им наплевать. Абсолютно, категорически. Им наплевать на все и на всех.

Кроме друг друга.

Друг к другу они нежны. Даже прислушиваются к дыханию друг друга. Им это важно. Они ловят взгляд друг друга. Это тоже так важно, что прямо...

Нет ничего на свете важней. Нет вообще ничего важнее, чем *они*. И еще — их любви.

Вот это самая важная штука. Самая важная вещь. И ничего, кстати, смешного!

Влюбленные — они ведь такие. Могут обидеться.

Только с ним она примирилась со своим именем. Он сразу назвал ее Влада. А на самом-то деле она была Владлена. Папуля изощрился, чтоб его. Мать рассказывала, что хотела назвать ее Дашей. В честь бабушки. А тут подключился папуля, и, разумеется, мамино предложение было тут же снято — с мужем она не спорила. Ни по каким вопросам. Отец называл ее всегда полным именем — Владлена. Лет в десять она узнала, что это означает «Владимир Ленин». Кошмар. После этого свое имя она стала ненавидеть сильнее. А он, ее любимый, вдруг сразу назвал ее Владой. Сказав, что она им владеет — навеки и безвозвратно. Влада, владелица. *Владелица* его души и сердца. И она примирилась тут же, а со временем даже смогла полюбить свое имя.

Став взрослой, она даже в связке с отчеством представлялась Владой — Влада Витальевна. А что, неплохо.

Познакомились они банально — на улице. Точнее, у выхода из метро. Ехали вместе от «Проспекта Маркса» до «Проспекта Вернадского». Она видела, что худой, синеглазый и симпатичный парень, сидящий напротив, внимательно ее изучает. Оторвалась от книжки и бросила на него довольно суровый взгляд. Он смутился, улыбнулся и слегка развел руками — не обессудьте, мол! Не в моих силах оторвать от вас взгляд!

Словно извинился.

А она нахмурилась и снова уткнулась в книжку. Всю жизнь она помнила этот день и помнила то, что читала — рассказы О'Генри.

Выйдя на улицу, она почувствовала, что он идет следом. Резко обернулась:

— Что вам от меня надо?

Он тяжело вздохнул и сказал:

— Все! С сегодняшнего дня и до конца жизни. Вас это пугает?

Она тоже вздохнула:

— Нет, не пугает. Это должно пугать вас и ваших родителей.

— Почему? — удивился он.

— А потому, что это — диагноз! — отрезала она. — Или несусветная наглость. Хотя вам кажется, что все это страшно остроумно, правда?

Он покачал головой:

— Ничего остроумного я здесь не вижу. И вообще, я человек серьезный. Честно. И это не мой способ знакомства.

Она досадливо махнула рукой и пошла к дому.

Он пару раз пытался завязать разговор, она что-то коротко отвечала, так дошли до ее подъезда, она повернулась к нему и сказала:

— Ну, вот. Все. Очень надеюсь, что здесь мы расстанемся. И расстанемся навек.

Он посмотрел на нее внимательно.

— А жаль, что вы не верите. Жаль, что до вас еще не дошло.

Она в изумлении приподняла брови.

— Жаль, — повторил он и улыбнулся. — Все равно. Ты. От меня. Никуда не денешься!

Она покрутила пальцем у виска.

— Ну, если вы маньяк, то, наверное, да. Только... у меня очень строгий папа. И есть еще брат.

— Разберемся, — отмахнулся он и пошел обратно к метро.

А назавтра с раннего утра он уже сидел на лавочке у ее подъезда. С огромным букетом ромашек.

Ее, кстати, любимых цветов. И как он только узнал?

Осаду она держала недолго — было лето, каникулы, почти все разъехались, а она продолжала торчать в Москве. Мать с братом сидели на даче, отец ночевал у своей зазнобы, а она, ссылаясь на неотложные дела, с удовольствием оставалась в квартире одна.

Через пару дней они гуляли по городу, ходили в кино, сидели в кафе-мороженом, ели пломбир и пили отвратительный жидкий кофе — хороший кофе тогда подавать было как-то не принято.

Ей было с ним интересно. Так интересно, как не было никогда и ни с кем. Говорили они обо всем и часами — о книгах, кино, родных. Делились воспоминаниями о детстве, не боялись открыть друг другу даже детские страхи.

Все лето они не разнимали рук. Все лето они целовались в укромных уголках. Все лето они любили друг друга и не мыслили прожить и дня в разлуке.

 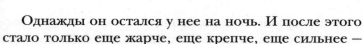

Однажды он остался у нее на ночь. И после этого стало только еще жарче, еще крепче, еще сильнее — все то, что происходило с ними тогда, тем самым далеким жарким летом.

А было оно, то лето? Да, было.

У ВСЕХ СВОИ ГОРЕСТИ...

Саша жил вдвоем с матерью. Отец оставил их давно — сто лет назад, как он сказал.

Втайне от матери Саша мечтал отыскать отца — просто посмотреть на него, так он сказал. Ничего не надо, просто посмотреть в глаза, и все.

В справочной им выдали четыре адреса людей, один из которых мог быть его отцом, они поехали по адресам. Он тогда признался ей, что один бы ни за что не решился.

Им повезло — его отец жил по второму адресу. Они позвонили в массивную, обитую глянцевой, в пупырышках, кожей дверь, и на пороге появилась красивая женщина с ярко накрашенным ртом, в широком, в цветах, сарафане и уставилась на них.

— Кого? Да, проживает именно здесь. А вы по какому вопросу, собственно?

Он растерялся, а Влада, взяв себя в руки, попыталась объяснить женщине в сарафане цель их визита.

Та нахмурилась, взгляд ее потемнел и не обещал ничего хорошего. В дом она их не пригласила, коротко бросив:

— А я тут при чем? Это его дела и его прошлое. Я и мой сын тут ни при чем. Хотите — ждите его во дворе. А меня это никак не касается.

Они совсем растерялись и стали быстро спускаться по лестнице.

А она крикнула им вдогонку:

— А вообще — зачем вы приходили? Денег просить, что ли?

Они не ответили и быстро сбежали по лестнице.

На улице, отдышавшись и сев на скамейку, он, очень смущенный, пытался шутить:

— И вот *на этом* он женился? Из-за этой вот бросил меня и ушел от моей матери? Слушай, я, похоже, совсем ничего не понимаю про эту самую жизнь!

Она утешала его, гладила по руке и умоляла уйти. А он отказался.

— Теперь нет! Теперь я еще больше хочу на него посмотреть. В глаза, понимаешь?

Она поняла — бесполезно. Спорить с ним бесполезно. И надо закрыть эту тему, вскрыв этот нарыв. Чтобы потом он не думал. Чтоб не терзался. Чтобы навеки отрезать, и все.

И они дождались. Подъехала «Волга», и из машины неспешно вылез высокий грузный мужчина. Тщательно проверил, закрыты ли у авто двери, и медленно пошел к подъезду.

Они встали с лавочки, и он решительно пошел навстречу к отцу.

Окликнул его по имени-отчеству. Тот обернулся и стал с удивлением рассматривать высокого и незнакомого парня.

Они поговорили о чем-то совсем коротко, не больше трех минут, а Влада стояла поодаль, не решаясь подойти, боясь помешать.

И увидела, как мужчина махнул рукой, недоуменно пожал плечами и, покачав головой, пошел к подъезду.

А ее любимый стоял как вкопанный, и на лице его застыла гримаса отчаяния и боли.

 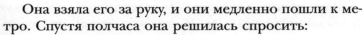

Она взяла его за руку, и они медленно пошли к метро. Спустя полчаса она решилась спросить:

— Ну, что? Что он сказал?

Он поморщился, словно от зубной боли.

— Он? Он сказал, что бывают ошибки. Я — это ошибка, понимаешь? Как все просто — он ошибся, и я — это ошибка!

Она прижалась к его плечу.

— Да и черт с ним. Подумаешь! Знаешь, у меня дома... тоже... не лучше. Тиран-папаша и абсолютно подавленная им мать. Всю жизнь — ни слова против, ни одного возражения! Виталий сказал, Виталий потребовал, Виталий так любит. Все! Все, понимаешь? Он сделал из нее какую-то тряпичную куклу. Безмолвную марионетку. И смотреть на все это... почти невозможно. Человек с парализованной волей. Это вообще — человек? Вот я хочу любить ее. А не могу. Могу только жалеть. А его... его — ненавижу! А ведь самое страшное, что я на него похожа. Ты представляешь, похожа!

— Да чем ты похожа? — махнул рукой он. — Глазами и овалом лица?

— Многим, — отрезала она, — я-то знаю!

— Слушай, — примирительно сказал он, — а давай не будем про них? У них своя жизнь, а у нас своя. И мы будем счастливы, слышишь? Назло всем врагам!

— Да какие враги, — устало отмахнулась она, — просто несчастные люди.

Потом ей не раз приходилось слышать, что женщина, выросшая в несчастливой семье и воспитанная несчастной матерью, счастливой быть не может. По определению, как сейчас говорят.

Выяснилось, что да. Подтвердилось. Жизнью и жизненным опытом. И она все думала про свою дочь: ей что, тоже такая судьба? Дочь повторяет судьбу матери. Несчастная мать — несчастливая дочь. Обязательно так? И этот порочный круг не разорвать никогда? Ах, она бы на все согласилась — на любую сделку с совестью или с дьяволом — только бы ее Наташка была счастливой. За всех — за нее, за ее мать, за ее бабушку Дашу.

А дочке было уже к тридцати. Ну, нет, неправильно. Двадцать пять — это никак не к тридцати, что за глупость! Кавалеров у дочки было как-то не густо. Может, и хорошо? Только странно — дочка хорошенькая, длинноногая, остроумная и веселая. Почему же?

Лето закончилось, и они понимали, что встречаться так часто им уже не придется. Во-первых, учеба, во-вторых, мать возвращается с дачи, и все — свободной квартиры у них больше нет.

И все равно они встречались ежедневно. Пусть на полчаса, пусть в перерывах между лекциями, пусть коротенько у метро: «Я только поцелую тебя, и все! Чмокну в нос, и до завтра мне хватит!»

Иногда появлялась какая-нибудь случайная комната или квартира, они летели туда, забыв обо всем, — пусть пару часов! И наплевать, что на чужих простынях и подушках! На все наплевать. Потому... Потому что она будет чувствовать его запах, будет лежать у него на груди, будет целовать его смуглое и гладкое плечо и чуть покусывать его темный и твердый сосок.

А он — он будет говорить ей такие слова... Что всю следующую ночь она просто не сможет спать,

вспоминая эти бесстыдные, «ужасные» слова, и ей будет так душно и так сладко... Ну, все понятно. Что тут объяснять?

К зиме они поняли, что даже на день расстаться нет сил.

— Надо жениться! — твердо сказал он. — Так больше продолжаться не может!

Это была фраза из какого-то фильма, и они дружно расхохотались.

Решили так — сказать обо всем родителям, перезнакомиться и выбрать день свадьбы. А еще лучше — без всяких свадеб, без всей этой суеты, колготни и маразма. Взять билет и уехать вдвоем. Куда? Да, например, в Питер. Или в Прибалтику, в Ригу. Или в Вильнюс — какая разница?

Вдвоем — на поезде, под запах уголька, под дребезжащий звук чайных стаканов. Под мерный стук колес и сердец. Здорово, да? Да нет, не просто здорово — сказочно здорово и нечеловечески прекрасно. Вот так. Где там жить? Это, конечно, вопрос. Вопрос советских времен — неразрешимый почти, глобальной какой-то сложности.

Но она сказала, что наверняка поможет отец — у него везде связи. Ну, закажет какую-нибудь гостиничку для командированных, из дешевых.

Он сказал, что уже сообщил матери про их планы. Мать, конечно, разохалась — рано, господи, ты же совсем ребенок! Поплакала даже. Но потом успокоилась и даже обрадовалась — все лучше, чем ждать тебя по ночам!

Теперь пусть волнуется законная жена. Передаю из рук в руки. Надеюсь, в надежные, ох... Хотя какие там надежные. Девочке-то восемнадцать лет!

Он засмеялся:

— Ты не знаешь ее. Там серьезности — на троих. Маленькая такая старушечка с очень серьезным взглядом на жизнь!

Теперь засмеялась мать.

— Ой, ну ты скажешь! Серьезности много! А если это действительно так, — тут мать запнулась, — то я ее уже боюсь, Сашка!

Мать была человеком легким и даже беспечным. Легкомысленным. Например, с получки могла «покупечествовать». Что это значило? Да накупить всяких дорогих вкусностей в кулинарии — пирожных, салатов, запеченного мяса. Могла шикануть и по-другому — купить две пары дорогущих гэдээровских колготок или французские духи — за немыслимые двадцать пять рублей. Или «урвать по случаю» — а тогда все было по случаю — в комиссионке шикарную итальянскую юбку из твида. Или пару импортных туфель — чуть сношенных, но все равно замечательных.

Он удивлялся:

— Мам! А как мы доживем до аванса?

— Как-нибудь, — отмахивалась мать, — и вообще, не порть мне радость. И счастья не отнимай!

Доживали, правда. Не было денег — пекли блины и жарили картошку. На это всегда хватало. Он думал — а мать-то права. Умеет человек устраивать себе праздник, и правильно! А лишний кусок колбасы — это мы точно переживем.

И уже в десятом классе не чурался работы — перебирал овощи на базе, разгружал вагоны на Курском, потом устроился туда же носильщиком — и это были очень приличные деньги.

Он очень любил мать и очень жалел. Ему казалось, что она так и осталась маленькой девочкой,

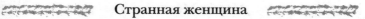

не понимающей жизни. А это, наверное, ее и спасало. Про короткий роман с его отцом она особенно не распространялась. Он понял одно — ее, мать, отец очень любил. Но жениться не стал — предпочел девицу из номенклатурной семьи. И карьеру свою не провалил. А вот был ли он счастлив — да кто там знает. Да и какая им с матерью разница?

Владу он привел к матери в пятницу, а в субботу решили, что пойдут в дом ее родителей.

— У меня будет пострашнее, — честно сказала она.

С его матерью она тут же нашла общий язык — болтали весь вечер без остановки. Солировала, конечно, болтушка-мать, но и его сдержанная, казалось, любимая тоже не отставала.

На прощание они обнялись, и мать сказала, что она ей *очень рада*.

Он был совершенно счастлив, глядя на двух своих самых любимых женщин.

Он проводил Владу до дома, и было решено, что они созвонятся — насчет завтрашнего «приема». Было видно, что она здорово нервничает, он ее утешал и обещал, что все будет тип-топ. Ну а если ее родители будут против — это ведь ничего не меняет, правда? Они все равно будут вместе. И нет такой силы, которая сможет их разлучить. Просто нету, и все!

Наивный. Он не знал тогда, что есть эта страшная сила. Есть! И она уже совсем рядом. Близко. Почти за углом. Точит свой острый нож, чтобы вонзить его в сердце. Сначала — в его, а следом — в ее, Владино.

ЧУЖИЕ ЛЮДИ

В субботу утром, за завтраком, она торжественно объявила, что собирается замуж.

Мать притихла, окаменела и только смотрела на отца — сама новость не так взволновала ее, как волновала, впрочем, как всегда, реакция мужа.

Отец со стуком поставил чашку на стол и тяжелым взглядом уставился на дочь.

— Замуж, значит, собралась, — тихо сказал он, — выросла, значит. Созрела.

Влада кивнула.

— А что женишок? Тоже из сопливых?

Влада пожала плечом:

— А какая разница, сколько ему лет? Главное ведь не это.

— А что главное, дочка? — осторожно спросил отец. — Наверное, чувства? Любовь, так сказать?

Влада кивнула:

— Да. Чувства.

— Ага, — удовлетворенно проговорил он, — ну, а все остальное?

Она пожала плечами:

— А что ты имеешь в виду?

— Я? — грозно спросил отец. — Я, милая, имею в виду, собственно, *все*! Где вы будете жить, например. Что будете есть. Во что одеваться. На что, кстати, будете свадьбу гулять. Достаточно?

— Все решено, — отрезала она, — никакой свадьбы не будет. Лично нам эта гулянка совсем не нужна. Жить будем у Саши — мы так решили. И его мама не против. А насчет денег ты, папуля, и не волнуйся — Саша работает, да и я устроюсь куда-нибудь. Не пропадем.

— Ага, — опять удовлетворенно протянул отец, — значит, не пропадете? И свадьбы не надо, и курорта не надо? И вообще ничего не надо — у вас же все есть, я так понимаю?

Она подняла на него глаза.

— Возможно, у нас многого нет. Ты прав. Но у нас есть главное, понимаешь? А все остальное — приложится. Наживется. Да и не надо нам многого. Теперь все понятно?

— Понятно, — спокойно ответил отец. — Мне-то понятно. А вот тебе!

Она махнула рукой.

— Моя жизнь, и я сама буду ей распоряжаться!

Встала, чтоб выйти из кухни. У двери обернулась.

— Да, кстати, мам. Подумай про завтрашний ужин.

Мать посмотрела на отца. Тот усмехнулся.

— Ну, раз ты такая у нас... самостоятельная, тогда ты и думай. Правильно, мать?

И та покорно кивнула.

«Чужие люди», — подумала Влада.

Совсем чужие! Не беда, не горе — просто очередная порция боли. Переживем.

Перед самой смертью мать попросила у нее прощения.

— За что? — спросила дочь.

— А за все, — ответила мать, — за все, Владка, за все. И за тот ужин, в частности.

Впервые она задала матери вопрос, который мучил ее всю жизнь:

— Мам, а почему ты терпела?

Она ждала, что мать скажет: любила!

И это бы все оправдало. Ну, или хотя бы — частично. Но мать ответила по-другому: боялась, что он

 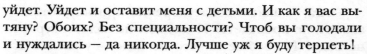

уйдет. Уйдет и оставит меня с детьми. И как я вас вытяну? Обоих? Без специальности? Чтоб вы голодали и нуждались — да никогда. Лучше уж я буду терпеть!

Она посмотрела на мать с такой жалостью, что та заплакала. Вернее, заплакали обе.

Потом, после ее смерти, она, конечно же, ее простила. Вспоминала ее жизнь и только жалела — злости совсем не осталось, ни капли. Голодное детство, война. Парусиновые туфли на бумажной подошве, подмалеванные зубным порошком. При дожде подошва размокала и отваливалась, а ноги окрашивались белым... Она боялась! Боялась всего — голода, одиночества, отца. А страх — это самая сильная мотивация. Вот и ответ.

А НАМ ВСЕ РАВНО!

Утром в субботу Влада торчала на кухне. Меню ее было простым — жареная курица с картошкой и свежий салат. Вряд ли вообще у кого-то из приглашенных прорежется аппетит при виде ее папашки с перекошенной физией и пришибленной мамаши с головой, втянутой, как водится, в плечи.

Ровно в семь раздался звонок. На пороге стоял Саша и его слегка перепуганная и взволнованная матушка. У любимого в руках были торт и цветы.

Отец сидел в кресле и почитывал газету. К ужину он так и не переоделся — треники и старая байковая рубаха. Мать сидела на стуле и испуганно, исподтишка, поглядывала на «хозяина».

Хозяин не поднимал головы.

Гости вошли в гостиную и замерли на пороге.

— Мама, отец! — запинаясь, объявила непокорная дочь. — К нам гости! Вы не заметили?

Отец поднял голову, сдвинул брови и медленно, нехотя, стал выбираться из кресла. Мать тоже встала и ждала, что будет дальше.

Отец подошел к растерянным гостям и, внимательно их разглядывая, медленно проговорил:

— Ну что ж... коли так — проходите.

Сели за стол.

Молчание было ужасным, невыносимым.

Потом отец крякнул и достал из горки бутылку. Разлил по рюмкам коньяк, положил в тарелку салат и грозно сказал:

— Ну, деваться-то некуда. Что, мать, — он сдвинул брови, и мать вздрогнула, — дочь пропиваем?

Она видела, как застыла будущая свекровь, испуганно взглянула на сына и нерешительно опрокинула полрюмки, зацепив вилкой кусок огурца.

Саша улыбнулся и протянул рюмку будущему тестю:

— Чокнемся?

Отец прищурил рыжий рысий глаз.

— Думаешь? — спросил он.

Саша безмятежно кивнул.

— Ну, попробуем, — согласился отец.

Отец чокнулся зло, громко. Но Саша опять улыбнулся. Ей, Владе, — ничего, детка. Прорвемся. Их ведь в конце концов тоже можно понять!

А разговор не клеился. Хотя отец вдруг сказал матери:

— Оль! Ты чего зажала грибы и огурцы? Доставай!

Мать тут же вскочила, закивала и бросилась на кухню.

Молчание тяготило, а отец словно наслаждался этим. Потом и ему надоело, и он обратился к Сашиной матери:

— Ну что, сватьюшка? Берешь к себе на постой?

Сашина мать растерянно улыбнулась.

— Беру. Куда денешься!

— А зря! — вдруг крякнул отец, откидываясь на стуле. — Зря, матушка. Ошибаешься!

Все замерли, ожидая чего-то ужасного.

— Зря, — повторил он, — раз уж решили — пусть сами! Сами, как мы. По баракам, подвалам. Да где они, эти подвалы? — с сожалением, словно расстроившись, вздохнул он. — Ну, тогда — в коммуналку. Снимут пусть угол и там, — он осклабился, — пусть наслаждаются!

Сашина мать удивленно спросила:

— Зачем же? Зачем эти муки? А разве вам не будет приятно, если у ваших детей будет легче, не так, как у нас?

Он усмехнулся.

— Приятно? — повторил он, качая головой. — Приятно? А почему должно быть приятно? А? Приятно, надо ж — приятно! Должно быть непросто. Вот так! Тогда, может быть, — он запнулся, вспомнив что-то свое, — тогда, может быть, и из них что-то получится.

— Пап, — не выдержала Влада, — ну, может быть, хватит? Хватит, а? Да и потом, — она усмехнулась, — ты, генеральский сынок, — много ли жил в коммуналках? И вообще — ведь все равно ничего не изменится! Мы любим друг друга и все равно будем вместе. Давай как-то... по-человечески, что ли?

Отец, уже хорошо принявший, посмотрел на нее тяжелым, недобрым и осоловевшим взглядом.

— По-человечески? — повторил он. — А вы с нами? По-человечески? Решили втихушку. И свадьбы им не надо, и путешествия свадебного. Умные какие! Всем, значит, нужно, а им — нет! Им, гордецам, ни к чему!

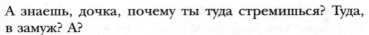

А знаешь, дочка, почему ты туда стремишься? Туда, в замуж? А?

— Почему? — одними губами спросила Влада, понимая, что скандала не избежать. Она слишком хорошо знала родителя. — Ну, и почему же?

— Да потому! — Отец встал со стула и хлопнул ладонью по столешнице так, что жалобно звякнули рюмки. — А потому, что спать тебе с ним очень нравится! Вот почему! Думаешь, так будет всегда? И ты тоже так думаешь? — повторил он, уставившись на будущего зятя.

Саша дрогнул и кашлянул.

— Вы, Виталий Васильевич, как-то все... не так понимаете. Я люблю вашу дочь. И помешать нам не сможет никто, — твердо добавил он.

— Ну и люби себе! — неожиданно миролюбиво ответил отец. — Лезь в ярмо, раз мозгов нет. В девятнадцать-то лет! — И рассмеялся. — А ты дурак, парень. Какой ты дурак! На что семью содержать будешь? Твоя-то не привыкла на пустой картошке сидеть. Сапожки любит, туфельки. Платьица разные. А ну как заненавидит тебя через год, когда совсем скучно станет? Эх, сопличье вы зеленое. Совсем отбились от рук. Свободы у вас слишком много. Хочу — женюсь, захочу — разведусь. Женилка выросла, да?

Саша покраснел, и Влада поняла, что он сейчас ответит. Ответит ее отцу, и все тут же рухнет, рассыпется, сломается мигом.

— Пап, — глупо хихикнула она — ты ж не на партсобрании. И не в горячем цеху. Слезь с трибуны и давай просто поговорим. Как люди, слышишь! И хватит всех пугать, папа. Не страшно, честно!

Она выпалила все это одним духом и тут же испугалась — с папашей такие штучки не очень-то проходили. Услышала, как тихо охнула мать.

— И ты дура! — с удовольствием добавил отец. — Еще дурее его. Куда ты лезешь? К свекрови под бок?

Саша резко встал и коротко бросил:

— Хватит! Мам, и ты, Влада. Давай собирайся. Поедем домой. Достаточно унижений и хамства. Наелись, спасибо! А вы, не очень уважаемый будущий тесть, и отца народов, наверное, почитаете? Вот при нем был порядок, а?

Он пошел к двери, и его мать поспешила за ним. Влада стояла как вкопанная.

— Ну? — ухмыльнулся отец. — Что застыла? Беги, догоняй! Обживайся. Может, не выгонят. А Сталин, сопляк, лично мне ничего плохого не сделал. Усек? — выкрикнул он в коридор.

Она вздрогнула, словно очнулась, и бросилась в коридор.

Громко хлопнула входная дверь. Отец чертыхнулся, а мать громко охнула и села на стул.

Он посмотрел на жену и спросил:

— Что, недовольна?

Она не ответила и громко заплакала. Кого она жалела сильнее, ее слабая мать? Себя или свою непутевую дочь? А она и сама не понимала. Просто было очень горько и страшно. И все. Даже ей, такой привычной ко всем этим семейным кошмарам.

Домой они ехали молча. Только Татьяна Ивановна, Сашина мать, периодически гладила ее по руке.

— Устаканится все, детка! И не такое в жизни бывает. Ты мне поверь, я через такое прошла...

Влада молчала. Молчал и ее нареченный. Молчал и не смотрел на нее.

 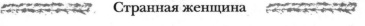

В эту ночь они даже не обнимались — Саша отвернулся к стене, вежливо пожелав ей спокойного сна.

Какой там сон, господи! Всю ночь она пролежала с открытыми глазами, думая о своей нелепой семье, ненавидя отца и трусиху мать и стыдясь перед женихом и свекровью.

Она знала, что отец Татьяны Ивановны и его родной брат прошли через сталинскую мясорубку. Один в лагерях и остался. А второй в пятьдесят пятом вернулся — сломленным инвалидом. И прожил совсем недолго, года два или три.

И бабушка Сашина в ожидании мужа перенесла два инфаркта и скончалась до его возвращения.

Наутро всем было неловко смотреть друг на друга. Но она нашла в себе силы и после завтрака тихо, но твердо сказала:

— Вы их... простите, пожалуйста! А я тут совсем ни при чем. Дети за отца, как известно... Что я могла поделать, слыша все это? Только страдать и краснеть.

Саша посмотрел на Владу, потом подошел к ней и обнял. Она выдохнула, поняв, что все образуется.

Вечером он принес два букета огромных садовых ромашек — ей и маме, — сказал, что купил у метро, у бабули. Потом сели ужинать, и неловкость постепенно исчезала, словно ее и не было.

А дня через три, выйдя из дверей института, она увидела мать. Та стояла, как всегда, в стороне и вглядывалась в толпу выходящих студентов.

— Владлена! — крикнула мать и быстро пошла ей навстречу.

— Зачем ты пришла? — сухо спросила Влада. — Я, знаешь ли, не соскучилась. Ты уж прости.

Мать разрыдалась.

— Отец в больнице! Ему совсем плохо, тяжелый инфаркт.

Влада молчала, опустив глаза. На мать ей смотреть не хотелось.

— И что вам от меня надо? — спросила она, подняв глаза.

— Доченька! — взмолилась мать. — Он... очень просит тебя приехать. Очень, слышишь? Может быть, он, — она помолчала, — попросит прощения?

— Ладно, подумаю, — ответила Влада, — до завтра подумаю!

Она развернулась и пошла догонять одногруппников.

Вечером она сказала любимому, что приходила мать. Тот молча выслушал и спросил:

— И что ты решила? Поедешь?

— А что бы сделал ты? На моем несчастном месте? Ты б не поехал?

— Я — нет! — резко отрезал он. — Никогда!

— А я — да! — так же резко ответила она. — А ты не подумал, если... ну, он умрет. Как мне потом с этим жить?

— Об этом и речь! — воскликнул он. — Ты ведь в нем совсем не нуждаешься. И в извинениях его тоже. Ты... хочешь облегчить свою участь. Совесть *свою*! Ну, чтобы потом без раскаяния и чувства вины. А это знаешь, как называется? Может, поспоришь со мной? Я не прав?

— Мне наплевать, что ты думаешь по этому поводу. И наплевать, как это все называется. Это мой отец, и он умирает! А тебе... Тебе, прости, незнакомо это чувство, и все. Вот поэтому ты меня осуждаешь и выговариваешь! Или я не права?

Он не ответил. Просто встал и вышел из комнаты. А она осталась. Сидела на чужой кушетке, в чужой квартире, понимая, что из комнаты сегодня не выйдет. И больше всего на свете ей захотелось домой.

Вот чудеса... Дура какая, господи!

Она вышла из комнаты, тихо прошла мимо кухни, где работал телевизор и была, слава богу, прикрыта дверь, и открыла входную дверь. На секунду задумалась, застряла, но, вздохнув, все-таки вышла на лестничную клетку.

В конце концов, она, и только она, здесь принимает решение. Это ее семья! Какая бы она ни была. Ее отец и ее мать. И никто — никто, кроме нее самой, просто не имеет права решать, как ей быть. И еще — осуждать. Ее семью. И даже не самых лучших родителей.

СЕМЬЯ... КАКАЯ НИ ЕСТЬ

Мать, увидев ее, закудахтала, захлопала крыльями и начала подробно рассказывать про отца. Дочь ее перебила:

— Мне это, прости, не так интересно. А завтра — завтра я поеду к нему. Все. Я ушла. Спокойной тебе, мама, ночи.

Мать ойкнула и мелко закивала головой, бормоча что-то, но Влада уже не слышала.

Утром она взяла с собой банки и термос, собранные матерью, и поехала в больницу.

Отец лежал в отдельной палате — большой, светлой, «царской». На тумбочке лежала прозрачная желтая кисть винограда и стояла бутылка боржоми. Отец дремал. В комнату било солнце, в открытую

207

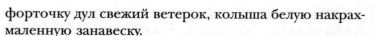

форточку дул свежий ветерок, колыша белую накрахмаленную занавеску.

Она смотрела на бледное, словно подсохшее, лицо отца и думала: «Почему ты такой, отец? Зачем? Я бы так хотела любить тебя. Любить и гордиться».

Он вздрогнул и открыл глаза. Посмотрел на нее внимательно и усмехнулся:

— Пришла?

Она не ответила — только кивнула.

— Правильно, — сказал он, продолжая усмехаться, — женихов-то еще куча будет, а батька один!

— Я думала, — тихо сказала она, — что ты... извинишься.

— Зря, — крякнул он и привстал с подушки, — не за что мне извиняться. А твой соплежуй — дурак! Мог бы... ради тебя... не ответить. Я его, дурака, проверял!

— Зачем ты так? — с мукой в голосе спросила Влада. — Тебе что, нравится меня унижать?

— Если для дела — конечно! Чтобы ты поняла. Ненадежный он, хилый. Не мужик еще, так, суета. Может, вырастет еще, а может, и нет. А пока — пусть сопли утрет, женишок! Не такой тебе нужен. Силы в нем нет, одна прыть. А на ней далеко не уедешь.

— Не тебе судить, — отрезала она, — и решать не тебе!

Она подошла к окну и встала к отцу спиной. Видеть его было мучительно.

В этот момент дверь в палату раскрылась, и она услышала женский голос:

— Виталечка! Как ты? Сейчас повторим кардиограммку, родной!

Она обернулась и столкнулась взглядом с женщиной в белом халате, с высоко закрученной «халой» на красивой, породистой голове.

Та, увидев Владу, тут же запнулась и покраснела.

Влада сразу все поняла — эта баба и есть та самая главврачиха, любовница папаши и его боевая подруга.

Влада взяла со стула сумочку и вышла прочь. У двери она обернулась:

— Ну, при таком-то уходе, я думаю, вы, Виталий Васильевич, скоро поправитесь!

Ей не ответили. Да и что тут ответишь!

На улице она села на лавочку и разревелась. Мимо медленно проходили больные в халатах и пижамах, пробегали резвые медсестрички, мазнув ее равнодушным и быстрым взглядом — что сделать, больница! Горя тут много и много печали. То, что кто-то рыдает, — нормально, не новость, а жизнь.

А он не звонил. Целую неделю — и ни одного звонка. На что обижаться? На то, что она защитила больного отца? За то, что не послушалась его и поехала в больницу? Ну, если все это — повод для смертельной обиды, тогда...

Тут она вспомнила слова отца, и ей сразу стало нехорошо, душно, дыхание перехватило — хилый, сопляк, не мужик.

Разве он не понимает, как ей сейчас тяжело? И где он? Где поддержка? Где — в горе и в радости? Так, как они говорили? Как мечтали, что будет именно так, и никак по-другому? А она-то одна. В своей беде, в своей тоске. В своих проблемах.

И она позвонила сама. Наплевав на все: гордость, обида — какая разница? Ей было так плохо, плохо вообще и плохо без него. Да что говорить!

ТАК НЕ БЫВАЕТ!
ТЫ МЕНЯ... ПРЕДАЛ?

Трубку взяла Татьяна Ивановна и веселым голосом сообщила, что он на сборах, в военном лагере. Почему не позвонил? Ну, тоже обиделся. Оба вы хороши — по больному друг друга. Он про твоего отца, ты про его. Молодость — а в ней обижаются насмерть, надолго. Но все, разумеется, перемелется, и будет мука́, — пошутила она, — только в дальнейшем... Ты мне поверь — женщина глубже, умнее. И женщина должна уступать. Как-то смягчать обиду. Ну, жизнь тебя, конечно, научит, — беззлобно заключила она.

У Влады чуть не вырвалось: а вас? Научила? И если вы такая умная, то почему вы одна?

Слава богу, сдержалась. А осадочек-то остался! Спросила, где находится лагерь, но та сказала, что, во-первых, адреса точного нет — да, конечно, можно узнать на кафедре, но бесполезно — туда, в лагерь, все равно не пропускают. Такие порядки. А приедет он через два месяца. Ерунда! Вот тогда все успокоится и все забудется. «А пока — жди письма. Напишет, наверное», — не очень уверенно закончила она.

Ни про отца, ни про мать она не спросила — Влада поняла: враги на всю жизнь. Презирают ее родителей и ненавидят. И даже не стараются этого скрыть.

Письма все не было. Она снова звонила Татьяне Ивановне, та отвечала, что у него все нормально, почему не пишет? Да бог его знает. Мне пару раз звонил — коротко, правда. Связь там ужасная.

— А мне — нет, — грустно сказала она.

Та утешила:

 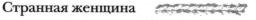

— Ну почем ты знаешь? Может быть, тебя не было дома?

В гости не приглашала, кстати. Ну да ладно. Два месяца — это и вправду не срок. Надо жить дальше и думать о том, что дальше все сложится. Дальше все будет хорошо. А как по-другому?

Отца уже выписали, и мать снова хлопотала возле него. По-дурацки, суетливо и бестолково. Он орал на нее, она убегала плакать, а Влада снова думала, как поскорее уйти отсюда, из постылого отчего дома.

С отцом она почти не разговаривала, — да и он не стремился. Слышала только, как он громко, не опасаясь, что будет услышан, ежедневно и по нескольку раз беседовал со своей докторшей — докладывал подробно и обстоятельно, как поел и что, какое давление, пульс и, простите, желудок. Ей стало смешно, и она подумала: а зря он не уходит. Зря не уходит к этой тетке. Наверняка — и это понятно — у них доверительные и близкие отношения. Жили бы себе и радовались. А мать — мать бы пришла в себя, пережила — куда денешься — и тоже зажила бы спокойно.

Два месяца истекали. Теперь она сразу после учебы бежала домой, чтобы не пропустить телефонный звонок. Мать вопросов не задавала, а вот отец однажды спросил:

— Ну что? Одумалась? Раздумала замуж? Значит, не зря на папашу обиделась. Умница, дочка. Моя кровь!

— Зря, — отрезала она, — и обиделась вовсе не зря, и зря ты думаешь, что одумалась. Он просто в отъезде, но как только приедет, твоя умница дочка отправится в загс. И не надейся, что так велика сила твоего воздействия и я так послушна!

Отец равнодушно пожал плечами:

— Хозяин — барин! Будет по-твоему. А уж как оно будет... посмотрим.

И снова она позвонила. И снова трубку взяла его мать.

Она была как-то растеряна и смущена — Влада почувствовала это сразу.

Да, приехал. Нет, дома нет. Почему не звонил? Ой, Владочка, я и не знаю. Занят, наверное. Хотя... ты знаешь, девочка... ты... не звони. У него что-то... переменилось. Передумал, наверное. Сказал, что подумал и — прав твой отец. Рано жениться. Ни жилья своего, ни денег. Запал, наверное, прошел.

— Пе-ре-ду-мал? — медленно повторила Влада. — Запал, говорите, прошел? А что такое — запал? Я думала, что у нас с ним — любовь. А у нас был запал. Я и не ожидала... И папаша мой прав. Ну, просто святой человек мой папаша — провидец! Жизни научил вашего мальчика. Образумил просто, глаза открыл! А мальчик ваш, — она помолчала, — мальчик ваш чудный. Ответственный такой мальчик. И честный! Прошел запал — ну, да бог с ним. Мы — по-честному, прошел, и все. Жениться не будем. И звонить даже не будем — зачем? Зачем травмировать себя, правда? Разговоры вести неприятные? Выяснять что-то, оправдываться? Объяснять про запал? Про жилье и про деньги — а я-то не знала! Ни про то, ни про другое не знала! Думала, что богатый ваш мальчик. Сын подпольного миллионера, ну, или генерала какого-то. Или — директора Елисеевского магазина. А у него — ни квартиры, ни денег. Вот незадача! Переменилось у него, видите ли! Планы поменялись, да? Подумаешь, дело какое! Ну и бог с вами. Живите счастливо. А мой дурацкий и хамский папаша оказался неожиданно прав. Еще одна неприятность,

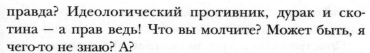

правда? Идеологический противник, дурак и скотина — а прав ведь! Что вы молчите? Может быть, я чего-то не знаю? А?

— Может быть, — тихо ответила та.

— А! Не догадалась, дурочка! У него что, новый запал?

— Будь счастлива, — еще тише ответила собеседница, — и... не держи на него зла.

Гудки. Раздались короткие и беспощадные гудки. Извещающие о том, что все закончилось. Все на свете — не только этот тяжелый, невозможный и дурацкий разговор. Жизнь закончилась, вот что.

Наложить на себя руки? Как просто! Ну, нет. Из-за этого мозгляка? Ничтожества? Оборвать свою, совсем юную, драгоценную жизнь? Даже если она в тягость? Да глупости. Не стоит он того. Она все-таки дочь своего отца. А он не из мозгляков, ее папочка. При всех своих мерзостях — нет!

Он, кстати, спросил ее снова:

— Ну? Что? Смылся Ромео твой дохлый?

Она не ответила. Ну, а больше он и не спрашивал. Слава богу.

Я БУДУ ЖИТЬ, СЛЫШИТЕ? БУДУ! ВСЕМ НАЗЛО!

Замуж она выскочила скоро, месяцев через семь. Влюблена не была ни минуты. А что будущий муж не из мозгляков, поняла сразу. Папина школа.

Павел Девятов был хорош собой, щедр и внимателен. Из достойной семьи — и мама, и папа большие начальники. Папа — по космосу, мама — историк. Жених окончил МГИМО и собирался в командировку.

Естественно, за границу. Естественно, в Европу. Без папы-космодела здесь, разумеется, не обошлось.

Повстречались три месяца, и она приняла его предложение. Свадьба была небольшой, но *достойной*, как выразилась ее свекровь. В ресторане «Космос» — простым смертным путь туда был заказан. Народу было немного — соратники свекра, пара подружек свекрови, очень похожие на саму свекровь, — скромно, но дорого одетые дамы в серьезных украшениях и с серьезными мужьями.

Ее родители смотрелись на их фоне, прямо сказать, не слишком достойно. Особенно мать — папаша еще хорохорился. Но — пережили и свадьбу. Через два месяца, глядя в окно самолета, несущего их с мужем в славный город Кельн, она вдруг подумала: «А что я тут делаю? В этом самолете, в этом удобном кресле, рядом с этим *достойным* человеком? Что ты тут делаешь, Влада?»

И тут же ответила себе: «Я выживаю. Просто нашла себе способ, чтобы не сдохнуть. И осуждать и жалеть меня — вот точно! — не надо. Каждый кузнец своего счастья, как говорил мой провидец папаша. Мудрец — что говорить. И дочь не отстала — туда же! В кузницу, где куют это самое счастье. Только вот интересно — выкуют ли? И что выкуют, Влада? Посмотрим».

А потом принесли обед, который она с удовольствием съела. Выпила кофе, закрыла глаза, и муж нежно погладил ее по руке.

Внимательный и тонко чувствующий супруг — что называется, уловил настроение.

И это, кстати, он умел делать всегда. В этом ему не откажешь.

Как и во многом, впрочем, другом. Ничего пло-

хого — замечательный человек. А если не складывается, ну, не сложилось — виновата она. Кузнец своего счастья — как было замечено выше. И больше никто и ни разу. Поверьте!

В Кельне было неплохо. То есть очень даже хорошо, *если бы*... Это «если бы» включало не так много, но «не так» вполне хватало, чтобы чувствовать себя несчастной.

Она не корила себя за то, что столь поспешно выскочила замуж — без всякой любви и даже влюбленности. Потому что понимала: не сделала бы этого, не уехала бы из Москвы — было бы в сто раз хуже. Потому что жить с ним в одном городе и дышать одним воздухом было совсем невозможно. А здесь, вдали от дома, да еще и в другой стране — так все поменялось, вся ее жизнь, — все равно было немного легче.

Днем она бродила по городу, заходила в костелы, в магазины, сидела в уютных кафешках с чашечкой кофе, глазела по сторонам, разглядывала прохожих, и боль чуть-чуть отпускала.

Муж по-прежнему был предупредителен и нежен с ней — упрекнуть его было не в чем.

Но разве любишь того, кого не в чем упрекнуть?

Он как будто ничего и не замечал — наверное, думал, что она просто крайне сдержанный человек, замкнутый и холодный. Что ж, наверное, это и неплохо — его раздражали торгпредские сплетницы и балаболки. Такую женщину он бы не выдержал точно.

А его жена была немногословна, обязанности по дому выполняла с достоинством, а что касается интимной, супружеской жизни — так эта сторона его

заботила не слишком. Не все, далеко не все люди на свете стремятся гореть в страстях, пылая на ночных простынях. Все люди разные.

И все же они жили неплохо. Не ругались, не цеплялись друг к другу по пустякам, не раздражались на бытовые мелочи — ей это все было до фонаря, а он — он просто был не брюзга, не зануда.

Через два года она забеременела и родила девочку, дочку. Назвали Наташей. Без выкрутасов. Влада отлично помнила, сколько неприятностей принесло ей собственное имя.

Его она почти не вспоминала — потому что просто запретила себе думать об этом. Не ругала его, не обзывала бранными словами и не желала ему пережить то, что пережила она, — предательство, худший из грехов. В этом она была абсолютно уверена.

Ничего страшнее предательства не бывает. Когда предает любимый, притом что и тени мысли не возникало, что он на это способен, внезапно, резко, как выскакивает из-за угла коварный убийца, маньяк с толстой веревкой, которую он готовится набросить на свою невинную жертву.

Она не желала ему зла — совершенно! Убивала только одна мысль — все эти годы она точила ее, терзала и мучила: почему? Почему он сделал это именно *так*? Как это случилось? Из-за чего? Что такого произошло, что он разлюбил ее и не нашел мужества даже объяснить ей причину?

Она что, не заслужила? Не заслужила простого человеческого разговора и объяснения?

Она старалась его не вспоминать. Но всегда знала одно — точнее, не знала, а чувствовала, — она его никогда не забудет. Он всегда будет с ней. Всегда.

И это ужасно.

Спустя четыре года они вернулись в Москву — деньги на кооператив были собраны, машина куплена, обстановку они привезли из Германии. Дочка росла здоровой и сообразительной. Все было отлично. Достаток, покой, комфорт, стабильность — что человеку надо?

Что человеку надо, чтобы быть счастливым?

А надо совсем другое, оказывается. И она про это знала — гораздо лучше других.

Только... только в одном она заблуждалась — в том, что ничего нет на свете страшнее предательства.

Вот это было не так. Бывают на свете вещи и пострашнее. Болезнь, например.

Болезнь как приговор — страшная и смертельная.

ТАК БЫВАЕТ, ЛЮБИМАЯ,
НО ТЫ — НЕ УЗНАЕШЬ

Тогда, в том далеком, приснопамятном году, когда перевернулась вся его жизнь, в военном летнем лагере, узнав страшную правду, несколько дней он пролежал на кушетке в лазарете, глядя в низкий и грязноватый, сто лет назад побеленный потолок.

Никто его не трогал — лежи сколько влезет. А встанешь — все решено. Поедешь в столицу. Для тебя, парень, построения и пробежки закончились — и, судя по всему, навсегда.

И ведь ничто не предвещало — совсем ничего! Свалился с банальной, как думали все, простудой — после очередного забега по болотам. Промочил ноги, и пожалуйста, температура. Высокая, правда, — сорок и один. Пошел в лазарет, а там, на его счастье (или несчастье), попалась опытная пожилая врачиха. Что-то заставило ее засомневаться,

217

и она настояла, чтобы из ближайшего поселка прислали лаборанта — взять кровь. Через пару дней с огромным трудом, скандалом и боем лаборант из сельской больницы приехал. А через несколько дней был готов результат.

Предчувствие ее, увы, оправдалось — кровь была кошмарная, и она вопила, кричала о том, что...

В общем, это было заболевание крови. Злокачественное. Проще говоря — рак.

Она вошла к нему в палату, села на стул и стала гладить его по голове. У нее тоже был сын — примерно его возраста, — и она все понимала.

Он открыл глаза и внимательно посмотрел на нее. Понял все моментально.

— Что, Анна Петровна? Плохи наши дела?

Она всхлипнула и кивнула:

— Плохи, Сашуля. Прости, очень плохи.

Пощупала лимфоузлы и покачала головой.

Он выслушал все довольно спокойно и, когда докторица закончила свой печальный рассказ, сказал:

— У меня два вопроса. Точнее, вопрос-то один, и еще одна просьба. Первое — мать не должна ничего об этом знать. Вы понимаете? Зачем ей страдать? И второе — только чистую правду, без экивоков и обиняков, потому что так мне будет проще и легче, вы понимаете?

Анна Петровна вытерла ладонью глаза и кивнула:

— Спрашивай, Саша.

Он громко сглотнул тугой комок, стоящий в горле и мешающий говорить и даже дышать.

— Сколько? — только и спросил он.

Она кивнула:

— Да, я поняла. Коротко и однозначно ответить тебе не могу — бывает по-всякому. Я много видела таких больных, работала когда-то в Омске, в гематологии. Повторю — бывает по-всякому — кому сколько отпущено. Год, пять, десять. Это сейчас, в общем, лечат. В Москве — на Каширке, там целое отделение. Жизнь продлевают, что говорить! Но, Саша, ты должен понять — что это будет за жизнь. Температура, слабость, потеря иммунитета. Кашель, зуд, слабость. Постоянные госпитализации — без этого жить ты не сможешь. Твоя жизнь будет подчинена этой... заразе. Она будет распоряжаться тобой, понимаешь?

— А если, — он снова сглотнул, — а если, ну... наплевать? Делать вид, что не знаешь? Что отпущено, то и отпущено, так? Год, два, три — ну, как придется, как сложится, в общем?

— Не хочешь бороться? — удивилась она. — Ну, здесь ты не прав. А если тебе продлят жизнь на год, на полгода? На три года, ну, или пять? Разве это не стоит того? Каждый день, каждый час?

Он помотал головой.

— День, час, — усмехнулся, — полгода... Не стоит! Валяться по клиникам, жрать таблетки, мучить врачей и мать? Нет, к чертовой матери! Этого мне точно не надо.

— Мать, — повторила врачиха. — А ей будет легче, если ты сложишь лапки? Легче, если ты откажешься от борьбы?

— Легче, — уверенно сказал он, — потому что она ничего не узнает. Я... умру внезапно. Для нее неожиданно. Страшно, конечно, но... Она не будет страдать предварительно и ожидать моей смерти. Я не прав, Анна Петровна? Ну, когда итог в принципе известен?

— Ты, Саша, не прав. Разумеется, очень не прав. Ты так молод, что жизнь для тебя — всего лишь ко-

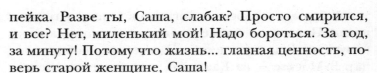

пейка. Разве ты, Саша, слабак? Просто смирился, и все? Нет, миленький мой! Надо бороться. За год, за минуту! Потому что жизнь... главная ценность, поверь старой женщине, Саша!

— Жизнь! — повторил он. — Правильно — жизнь! А не жалкое и убогое существование. В ожидании, простите уж, смерти.

— И это тоже... прости меня, жизнь, — вздохнула она и снова заплакала.

— По мне — нет! — жестко отрезал он. — Я не люблю, когда кто-то меняет мои решения и планы.

— Жизнь твоя, и тебе ей распоряжаться, — вздохнула она. — Надеюсь, ты передумаешь.

Он резко мотнул головой и отвернулся к стене.

Было стыдно — от того, что все эти бессонные ночи и дни он думал о Владе. Больше о Владе, чем о матери. Думал долго, продумывая все тщательно, до мелочей и подробностей, и вот надумал — лечиться он не пойдет, потому... Ну, не пойдет, и все! Не для него эти бесконечные больницы, капельницы, уколы и прочие медицинские муки.

Матери пока говорить тоже ничего не будет. А там — посмотрим. А Влада... Ну, здесь все предельно ясно — от нее он все это, безусловно, скроет и утаит, иначе она — кто б сомневался! — бросится его лечить и спасать. Она не откажется от него, это понятно. Просто бросит свою молодую прекрасную жизнь на алтарь его спасения!

Загубит себя, превратившись в сиделку и няньку, бросит институт и усядется у постели смертельно больного. Ни покоя, ни нормальной семейной жизни, ни детей, разумеется, — *ничего*! Ничего у нее не будет, кроме тоскливого запаха болезней и страданий. Кроме бесконечной боли за него.

 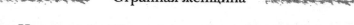

Ну а когда его не станет -- никто не знает когда, — она уже превратится в немолодую, бездетную, больную, замученную проблемами женщину. Сломленную и раздавленную. Все.

Он так четко это представил и так четко это увидел, что сразу решил, что ему делать.

Уехать! Уехать подальше — от нее и от матери тоже. И никто не увидит его больным и медленно (или быстро) уходящим из этой жизни и с этой земли.

Решение показалось ему гениальным, и он даже повеселел. Только понял, что видеть ее, говорить с ней, объясняться, придумывать версии, врать — ему не под силу.

И наплевать, в конце концов, что она будет думать про него и какими словами поносить, — здесь важно другое: он не испортит ей жизнь!

Она переживет его измену — а куда денется, переживет! Обида и боль канут в Лету, и она разлюбит его, полюбит другого, выйдет замуж, родит ребенка и будет счастлива.

Проживет долгую, счастливую и красивую жизнь — кто, как не она, этого заслуживает!

А он... Он проживет свою — пусть не такую долгую, но все же, надеется, не самую подлую.

Он провалялся еще несколько дней, пока не спала температура, потом пошел к военкому, все ему объяснил. Тот оказался мужиком вменяемым, и хоть и решения его не одобрил, но все же помог — с тяжелым, конечно, сердцем. Дал ему адрес своего друга, живущего на Байкале. Тот служил там давно — лесником. Был холост, бездетен, суров, но справедлив. В городе, с людьми, так и не ужился — слишком тяжелый характер.

Военком написал другу письмо. Через пару дней, не заезжая домой — видеть мать тоже было еще каким испытанием, — он уехал туда. На Байкал.

Матери позвонил и наврал с три короба — мол, случилась такая история, влюбился по горло в хорошую девочку. Она тут гостила у бабки — сама не местная, с Байкала. Ну, в общем, он уезжает с ней. Надеюсь, мам, ты поймешь и не осудишь — такая любовь! Фотографии с места обязательно вышлю, ну, а попозже — приедешь сама. Нянчиться с внуками. Почему не заехал — так у нее, у невесты, отпуск закончился. Не очень, конечно, красиво, но... Обстоятельства, мам! Да. Переведусь на заочный, уже узнавал, это можно. И еще — так, мелочевка, — Владе ты, ну... объясни. Можешь наврать — как тебе легче. Да, я сволочь, все понимаю. Но — жизнь, мам, так повернула. Я и сам обалдел. Не верил, что такое бывает. Владу любил? А я и не спорю. Но что поделаешь, мам! Как говорится, прошла любовь, завяли помидоры. Не узнаешь собственного сына? Да я и сам не узнаю себя, мам! Ха-ха! Вот ведь бывает как, а, мамуль? Сам офигел! Ну да, сволочь, конечно! И снова не спорю.

И снова — ха-ха.

Мать, как ни странно, поверила. Вот чудеса! И ничего — как ему казалось, — не заподозрила. Да, подтвердила, что он гад и свинья, тут же вспомнила папашу, сказав, что кровь не водица и яблоко от яблони, все понятно. Охала про Владу — разве так можно? Сын, что ты творишь! Про выдуманную невесту сказала коротко — знать ее не хочу!

Он опять хохотнул:

— Да при чем тут она-то? Она совсем с краю.

— Хорошенький край, — горько ответила мать. — Ладно, черт с тобой. Делай как знаешь. Все равно ведь слушать не будешь.

— Не буду, — словно идиот, весело повторил он, — точно — не буду!

— Хотя бы пиши! — грустно и безнадежно вздохнула мать. — Что еще ждать от тебя? В смысле — хорошего?

Он положил трубку в дежурке и выдохнул — ну, самое главное. Самое главное сделано. И еще — еще он надеется, очень надеется, что эта его подлость... Ну, Бог не накажет, простит.

А то, что не простит она, Влада, — так даже лучше. Ей будет легче.

Хотя чем еще этот самый Бог может его наказать? После того, что уже случилось? С ним, с его жизнью? С матерью, с Владой?

Вот только остается вопрос — а за что? Ведь он даже и напортачить еще ничего не успел! По молодости не успел — почему же все так?

ДРУГАЯ ЖИЗНЬ

Спустя неделю он уже вовсю колол дрова, учился топить огромную закопченную печь, кормить кур и кролей, чистить хлев за коровой Дуськой, ворошить вилами сено и снимать колорадских жуков с картофельных кустов. И делать множество других, совсем незнакомых и странных вещей, с которыми он и не думал столкнуться в жизни.

Правда, болезнь иногда давала о себе знать — хотя думать о ней он себе запретил. Только когда нака-

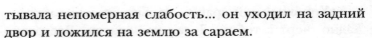

тывала непомерная слабость... он уходил на задний двор и ложился на землю за сараем.

Хозяин, лесник Прокофьич, оказался мужиком суровым и молчаливым — прочел письмо военкома, нахмурил брови и кивнул:

— Живи, коли хочешь. Захочешь уйти — не держу. А то, что больной, — твое дело. Здесь надо работать — просто, чтоб выжить. Сдюжишь — живи. Не сдюжишь — пойму. Пойдешь в город и там полегче устроишься. Смогу — помогу, но рассчитывай, паря, на себя. — И буркнул под нос: — Всем надо рассчитывать на себя. На других нет надеги.

Целый день Прокофьич проводил в лесу — уходил рано утром, подоив Дуську и взяв с собой котомку с картошкой, луком, салом и бутыль с молоком. Приходил, когда уже темнело, долго пил чай и ложился спать. Иногда слушал радио — телевизора в избе, понятное дело, не было.

В субботу ходил на рыбалку — привозил омуля, тайменя и хариуса. А однажды приволок усатого гиганта: «Смотри, парень, байкальский осетр! Редкая птица ныне!»

Вечером жарили или коптили рыбу. Из леса Прокофьич приносил корзины грибов — сушил и солил сам, не доверял никому. За ягодами не ходил — говорил, мол, бабье это занятие. Еще приносил много трав и сушил их в сенях — от сердца, от почек, от соплей и от перекрива — так называл радикулит.

Ночью страшно храпел, и Саша затыкал уши комками ваты.

Они почти ни о чем не разговаривали — только по домашним делам.

Никто ничего друг у друга не спрашивал. Только

однажды Прокофьич обмолвился, что жил в столице, в Москве.

— Вы москвич? — обалдел жилец.

Тот досадливо отмахнулся;

— Москвич, не москвич, какая разница? Везде говна хватает, а уж в столице — тем более.

Саша понял — в жизни Прокофьича было что-то серьезное, вполне возможно ужасное, ну, или драма тяжелая, или, возможно, тюрьма. На столичного жителя он не похож ни минуты — совершенно сельский мужик, отшельник. Сколько живет он здесь, на этой заимке? Сколько холостует? Сколько ему лет? Совершенно непонятно. Иногда кажется, что он древний старик. А так — побрей, постриги — еще не старый мужик, под полтинник, не больше.

Впрочем, у всех свои тайны. Молчит человек, ну и бог с ним. В душу к нему он лезть не собирается — приютил его, уживаются, да и ладно. Спасибо на этом!

Они для того и ховаются здесь, чтоб никто их не трогал.

Периодически он чувствовал себя вообще хорошо — уставал, конечно, от физической работы, но убеждал себя, что это все с непривычки. Тогда думал — а если? Если ошибка, ну, или прошло? Такое бывает?

Иногда, правда, ему казалось, что его лихорадит, — тогда Прокофьич заваривал свои «от соплей и жара», и все вроде бы проходило. Аппетит, надо сказать, у него был совершенно зверский — он убеждал себя, что умирающие так жрать не хотят!

Ночью спал теперь как убитый — после целого дня трудов да на воздухе. Ему даже стало нравиться сельское житье — старик научил его доить корову и заставлял пить еще теплое, пахшее луговой травой парное, с пенкой, молоко. Летом он долго плавал в холодной байкальской воде. Однажды старик взял его на охоту — но выстрелить он так и не смог — ни в зайца, ни в утку. Смутился и объяснил, что эта забава не для него. Старик усмехнулся: «Жрать захочешь — стре́льнешь!»

А года через полтора он уже мог зарубить курицу, ощипать ее и порубить на куски.

Матери он писал короткие, но емкие письма — все хорошо, живем с женкой в ладу. Только в гости не звал и про Владу не спрашивал. Никогда не спросил, и не единого слова.

Ну и умница мать помалкивала — своему дитенышу простишь и не такое! Спрашивала только, не хочет ли он вернуться в Москву.

А он бодренько отвечал, что нет, ни минуты! Жизнь здесь прекрасна, свободна и чиста.

Что, впрочем, и не было ложью — совсем. Совсем!

ЧУЖОЙ ГОРОД

В Москву он приехал через два с половиной года — совесть заела, да и тоска по матери тоже.

В родном и, казалось бы, знакомом городе он шарахался, точно деревенский мужик из дальней глубинки, впервые попавший в столицу. Город сразу, моментально оглушил его, ошарашил, испугал и накрыл такой безысходной и тревожной тоской, что, если бы не мать, он тут же бы уехал обратно, в первый же день.

Мать открыла дверь и несколько минут смотрела на него, не веря своим глазам. Потом они обнялись, и мать разрыдалась. Они пошли в комнату, сели на диван и долго, очень долго, сидели, обнявшись и замерев. Потом мать бросилась его кормить, и он, отвыкший от салатов и пирожных, мычал от удовольствия, зажмурив глаза.

Мать сидела напротив, подперев голову руками и с удивлением, нежностью и болью смотрела на него, не отрывая глаз.

— Не кормит жена? — вдруг спросила она.

Он вздрогнул и растерянно посмотрел на нее:

— Ну... почему сразу — не кормит! Кормит, конечно. Только без этих всех изысков, — и он кивнул на стол. — Там, у нас... просто все, понимаешь? Что поймаешь, ну, или в лесу соберешь, как в поговорке — как потопаешь, так и полопаешь.

— Да-а? — удивленно протянула мать. — Вы там совсем дикие, что ли? А разве в деревне не держат скотину? Коров, поросят? Птицу разную?

— Да держат, конечно, — оживился он, — корова у нас, Дуська. Куры... разные. Кролики.

— А фотографии ты привез? Ну, жены своей? Новой родни? Как обещал, Сашка?

— Мам, — он опустил глаза, — не любят они фотографироваться! Понимаешь? Совсем не любят!

Мать усмехнулась.

— Сектанты, что ли? Или староверы какие?

— Почему сразу сектанты? — делано возмутился он. — Скажешь тоже! Глупость какая-то, — продолжал он бурчать от смущения. — Просто... не любят. Там совсем другие люди, мам. Абсолютно другие. А если сравнивать с нами — то это вообще — смех и грех.

Мать остановила его.

— Люди везде одинаковы, Саша. Ты мне поверь! И хотят все ну примерно одного и того же. Перечислять или не надо? Сам знаешь? Просто ты мне врешь, Саша! Врешь давно, уже три года. И тебя не волнует, как я живу с этой ложью. И не могу задать тебе вопрос — почему? Почему, сыночек? Почему ты бросил институт, почему бросил Владу, почему бросил меня и Москву? Ведь должна быть причина, Саша? Серьезная причина, сынок!

Он молчал, опустив голову. Долго молчал. Молчала и мать. Потом она встала, подошла к нему, провела рукой по его голове — против роста волос, как всегда делала в детстве, и наконец тихо и твердо сказала:

— Ты все расскажешь мне, сын! Вот отдохнешь и расскажешь. Договорились?

Он кивнул. Молча.

И пошел к себе в комнату. Спать. Проснувшись — а уснул он тут же, моментально, только успев оглядеть свою комнату, показавшуюся такой родной, что он сглотнул тугой комок в горле, чтобы не разреветься.

Проснувшись, он долго лежал с открытыми глазами, раздумывая, сказать ли матери правду. И решил — нет, ни за что. Эта правда ее доконает, убьет, и она ни за что не отпустит его от себя. И еще он понял — остаться здесь, в этой квартире и в этом городе, он не готов. Совсем не готов. Он — вот чудеса! — уже скучал по заимке, по их с Прокофьичем хозяйству, по лесу, по озеру, по густому, пахнущему лесом и травой, словно жирные Дуськины сливки, воздуху и по всей той жизни, к которой он так неожиданно и крепко привык. К которой он прикипел.

И он придумал. Вечером, за чаем, он рассказал матери эту фальшивую историю — совесть, конечно, мучила, но, как говорится, ложь во спасение — благо.

Он беззастенчиво врал, что Влада ему изменила —

нашла себе богатого хахаля из какой-то «серьезной» семьи, вроде бы дипломатов. И объявила ему, что собирается замуж.

Ну, про его душевное состояние говорить и не стоит — тут все понятно. Предательство пережить он не смог, да, наверное, он сломался и решил уехать. Сбежать. Так, казалось ему, будет проще. И вправду, он пережил эту историю и даже окреп духом и телом. «Ну, ты же сама видишь, мам!» — бодренько улыбнулся он, задрав рукав майки и натянув бицепсы.

Мать молчала, обдумывая сказанное.

— Странно как-то, — задумчиво сказала она, — про Владу странно. Она ведь звонила. Часто звонила. Очень просилась приехать. Требовала твой адрес, когда ты сбежал. Повторяла, что этого быть не может. Ну, что ты нашел другую и забыл про нее. Нет. — Мать покачала головой и повторила: — Очень странно. А ты ничего не путаешь, Сашка? Может быть, все это — сплетни? Наветы, ложь, ерунда?

Он рассмеялся.

— Ну, ты даешь, мам. Я — перепутал? Когда человек говорит мне в лицо и прямым текстом — и я перепутал?

Мать вздохнула и пожала плечами. Немного помолчав, словно раздумывая, стоит ли продолжать эту тему, вдруг сказала:

— А знаешь, Сашка, я ведь ее видела. Месяцев через восемь, ну, или что-то в этом роде. Видела в метро, на эскалаторе. Я — вниз, она — вверх. И ехала она не одна. Какой-то высокий парень держал ее за плечо. Уверенно так держал, ну, по-хозяйски, что ли. Естественно, я ее не окликнула — ты ж понимаешь. Вот, собственно, и вся история, сын.

— Ну! Я ж говорил. Да бог с ней, — весело отклик-

нулся он и небрежно махнул рукой. — Что мы о ней да о ней. Поедем, мам, в центр. Просто так прогуляемся. По Арбату, по Горького, а?

* * *

«Быстро утешилась, — думал он, — быстро! Месяцев восемь, как мать говорит. Ну, значит, все правильно». То, что он сделал, — единственно правильный путь. Он освободил ее от себя, от своей болезни. Освободил от мучительной роли сиделки и няньки. Освободил от боли, волнений, безденежья — что может заработать больной человек? Какую дать жизнь молодой и красивой женщине? Запах больницы, запах болезни. Запах горя. Потеря золотых, молодых лет и дней? Все правильно он решил, все верно. Она наверняка вышла замуж, родила ребенка и — живет и не тужит. Свободная и счастливая Влада. И дай ей бог! Заслужила.

А то, что он ее оклеветал, так это фигня, она же про это не знает! А что о ней подумает его мать — так это точно ее не волнует.

И мать не узнает, что он все наврал. Вероятность их встречи — минимальна. Совсем мизерна и почти невозможна. И какое ей, Владе, дело до того, что думает о ней женщина, которую она наверняка давно и прочно забыла. Так же, как и его — вруна и изменника.

В Москве он пробыл почти две недели. Пару раз сходили с матерью в театр и даже один раз в цирк — вдруг ему захотелось, как в детстве.

То, что он уезжает, мать приняла мужественно и почти спокойно — по крайней мере, держалась хорошо. Договорились, что летом она приедет к нему

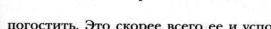

погостить. Это скорее всего ее и успокоило, и примирило с ситуацией.

Прокофьичу он купил — не без помощи матери — две теплые байковые рубахи и новый транзистор и отправился в путь. Домой — как сказал он себе. Чудеса!

В поезде, который вез его в Иркутск, он много спал и читал. На сердце теперь стало спокойнее — ну, во-первых, за мать. А во-вторых, то, что она рассказала ему про его бывшую девушку, тоже его успокоило — жива, здорова и, судя по всему, еще и счастлива. Дай ей бог!

На перроне мать спросила его:

— От кого сейчас бежишь, сынок?

— От себя, мам, — коротко бросил он, — от себя.

Прокофьич ему обрадовался — это было видно сразу, по глазам. Глянул на подарки и буркнул:

— А это еще зачем? Кто просил?

Но было видно, что и подаркам он рад — во всяком случае, новую рубаху на следующий день надел. Обновил.

А через три месяца он вдруг заговорил, что называется. Как-то вечером, покуривая на бревне перед домом, вдруг рассказал о себе.

ЕЩЕ ОДНО ГОРЕ

История, которую он поведал, была дикая и невыносимая. Прокофьич жил под Москвой, в Люберцах — почти Москва, что говорить. Жил с любимой женой и дочкой. Служил на каких-то складах, сказал коротко — охранял важный объект. Углубляться не стал. Жена работала поварихой в столовой, дочка

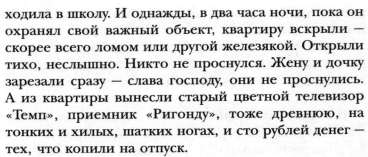

ходила в школу. И однажды, в два часа ночи, пока он охранял свой важный объект, квартиру вскрыли — скорее всего ломом или другой железякой. Открыли тихо, неслышно. Никто не проснулся. Жену и дочку зарезали сразу — слава господу, они не проснулись. А из квартиры вынесли старый цветной телевизор «Темп», приемник «Ригонду», тоже древнюю, на тонких и хилых, шатких ногах, и сто рублей денег — тех, что копили на отпуск.

С работы он возвращался рано, в полвосьмого утра уже был в подъезде. Поднялся на свой второй и увидел, что дверь открыта, и как-то подозрительно, страшно тихо. Жена вставала рано, провожая дочь в школу и ожидая с завтраком мужа с дежурства.

И он, минуту помедлив, шагнул в квартиру. В свой ад.

Потом было много чего — допросы, следствие. И даже подпал под подозрение. Он, сходя с ума от горя, дал в морду следователю в его же кабинете — после слов, что придется еще и проверить его алиби. От этих слов он начал задыхаться и, крепко вмазав уроду в погонах, тут же рухнул, потеряв сознание.

Его увезли с инфарктом — это его и спасло. Отвалявшись в больнице, он долго еще болтался по кабинетам, призывая искать убийц. Его не слушали, гнали прочь и дело закрыли — висяк. Он начал свое собственное расследование и через пару месяцев нашел тех ублюдков. Оказалось все просто — два наркомана, родные братья, жившие в доме напротив. Знали, что хозяина нет, и пошли добывать на очередную дозу.

Нашел их он просто — кто-то обмолвился, что сосед купил телевизор и не дает никому житья — телевизор орет до поздней ночи и не выключается никогда.

Он решил, что суд свершит сам, без посторонней помощи — тем более ментовской.

Успел разобраться с одним — второй накануне подох от передоза. Ну а живого братка он удушил — капроновым чулком погибшей жены. Прямо там, в его же квартире.

А потом пошел в ментовку. Ему повезло — следак на сей раз попался вменяемый, да и судья вполне — к тому же сыграло роль, что дело так и не было раскрыто, а дело-то пустяковое!

Дали ему пять лет. И он, отсидев положенное и на все наплевав, в Москву не вернулся. Сюда, на заимку, попал случайно — в поезде, идущем в Иркутск, встретил мужика из лесничества, и тот предложил ему должность.

— Ну а у тебя чего? Тоже — темно, если копнуть? — после своего рассказа спросил Прокофьич.

Саша мотнул головой.

— Криминала — нет, никакого. Только душевный — здесь я, наверное, преступник. Предал одну женщину и вру второй. Самым дорогим и близким.

И коротко, без подробностей, рассказал Прокофьичу свою историю.

Тот слушал молча, а дослушав, сказал:

— Зря ты так. Зря врачей сторонишься. Может, и помогли бы? А? Давай-ка в Иркутск сгоняем? Проверимся? Ну, или в Нижнеангарск? Я тебя поддержу, если что.

— Не сейчас, — ответил Саша, — сейчас — не хочу.

Прокофьич вздохнул, пожал плечами, затушил папиросу и молча пошел в дом. На пороге оглянулся:

— Иди в избу! Холодает.

Сильных приступов лихорадки у него не было почти два года. А потом случилось. Распухли лимфо-

узлы, и температура поднялась до сорока. Не помогали и травки, которые заваривал Прокофьич.

А через три дня Прокофьич привез из поселка врача.

В больнице в Слюдянке он провалялся около месяца. Лечащий врач, узнав, что он москвич, уговаривал его ехать в столицу. Он отказался. Прокофьич приезжал раз в неделю и молча сидел у его кровати. Позже, когда ему стало чуть лучше, выводил его гулять в больничный двор, предварительно укутав в больничный халат, нацепив вязаные носки и накинув свой овчинный тулуп.

Он перевез его домой, положил в кровать и приносил ему еду и горячий чай — на табуретку возле кровати.

А однажды уехал на целый день, с раннего утра и до глубокого вечера.

Саша тогда много спал, почти все время спал, дни напролет, а однажды открыл глаза, увидел перед собой мать, сидящую на стуле и неотрывно смотрящую на него.

Она была бледнее мела, с черными провалинами под глазами, с кое-как заколотыми волосами, в которых проглядывала свежая седина, — замученная, перепуганная, несчастная.

Она старалась держаться и не плакать. Только укоряла его очень тихо:

— Как же так, Санечка? Как же ты мог утаить? Ведь мы бы справились вместе. В Москве! Я бы всех подняла! И... отцу бы твоему позвонила!

Он гладил ее по руке.

— Ну прости, мам! Вышло как есть. Извини. Я думал, так будет лучше. Всем. И ей, и тебе.

И снова просил прощения. Потом ему стало лучше, он понемногу стал выходить во двор и долго сидел на бревне возле дома, щурясь от весеннего солнца и думая о том, что жизнь, собственно, продолжается.

ДАЙ ИМ БОГ, ЗАСЛУЖИЛИ

Мать и Прокофьич сошлись так неожиданно для него, что он поначалу ничего не заметил. Просто однажды мать — Прокофьич «сробел», — сильно смущаясь, сказала ему об этом. Он удивился, конечно, но так обрадовался, что шутя, разумеется, шутя, стал требовать свадьбу.

Они махали руками, отказывались, а потом он их уболтал — поехали в Листвянку и «отыграли» ее в ресторане — в большом, шумном, дымном, словно привокзальная площадь.

Но все вроде были довольны. Он даже станцевал с матерью медленный танец.

Теперь он совсем успокоился — мать не одна, и если что... С Прокофьичем она точно не пропадет. Да и за «деда» он был искренне рад.

Только стал понимать — он им мешает. Он лишний в избе. Теперь стал лишним.

И решил, что надо уехать. Они, конечно, встрепенулись, разохались, пытались его удержать. Но он был непоколебим. Уеду, и точка! Хватит мне с вами тут. Я ж молодой мужик. Может, еще и женюсь. Кто знает? Не всю же жизнь мне тут сидеть с вами, со старичьем...

В общем, уехал. Москву отмел сразу — отвык от столичного шума и суеты. Да и совсем не хотелось в прошлую жизнь.

Выбрал небольшой городок Бабушкин. Устроился в баню, истопником. Полюбил топить печи. Снял комнату. А через полгода он встретил Лену.

 **Мария Метлицкая**

ЛЕНА

Они почти не встречались — не дети. Лена была разведенкой и жила в своем доме с сыном и с матерью. Работала нянечкой в ночных яслях. Жили бедно, но спасал огород, в котором трудилась Ленина мать.

После пары свиданий Лена привела его домой и сказала матери и пятилетнему сыну:

— Мой муж. А тебе, Митька, папка!

Митька оторвался от телевизора, внимательно посмотрел на него, потом степенно, вразвалочку, подошел. Громко вздохнул и протянул маленькую ладошку:

— Ну здравствуй, папка! Коли не шутишь.

Он глянул на Лену, и они рассмеялись.

— Участь моя решена, — сказал он ей.

И она серьезно, даже сурово, чуть сдвинув брови, кивнула.

Жили они хорошо. Так хорошо, что он иногда удивлялся — простая, практически деревенская женщина с восьмилетним образованием и он, избалованный столичный житель. Бывший студент, любитель авторского кино, авангардной живописи и литературы, которая не для всех.

Что может быть у них общего, что?

Жизнь может быть общая. Мало? По-моему, «очень достаточно» — как говорила его новая теща, когда ей наливали суп или чай.

И кстати, была абсолютно права.

И еще — жена его удивляла. Такой душевной тонкости, такой внутренней культуры, такого глубокого достоинства человек была его Лена. С ума сойти — и откуда, спрашивается?

ДА ВСЕ ХОРОШО.
ЧЕСТНОЕ СЛОВО!

«Стерва! Стерва, — думала она про себя. — И чего тебе не хватает? Муж, о котором только мечтать. Прекрасная дочь, почти беспроблемная девочка. Достаток. Приличный, надо сказать, достаток. И никогда — никогда! — за всю их семейную жизнь не было дня, чтобы приходилось думать о хлебе насущном». Вопросы любого рода решал муж — ремонт, строительство дачи, смена машины. Даже поездки на рынок он с удовольствием брал на себя. Нет, она, разумеется, ни от чего не отказывалась — да ради бога! И дом вела прилично, ничем не манкируя.

И все же... жизнь свою она считала неудавшейся. Но об этом никто не знал — ни-ни! Стыдно ведь в этом признаться. Даже самой себе стыдно. Удачный брак, ну и так далее.

Только однажды она вывела формулу — формулу своей женской судьбы: брак удачный, но несчастливый. Вернее, так: все у нее хорошо, да. Но назвать себя счастливой, что называется, язык не поворачивается. Счастье — оно же в любви, разве не так?

Нет, с другой стороны — муж ей не противен, ни разу. Скандалов в семье не бывает — так, мелкие трения. Но все прилично, без оскорблений и унижения.

Она уважает его — безусловно. Ценит — да, разумеется. Считается с его мнением — определенно. У них много общего — за долгие годы жизни супруги, как известно, даже внешне становятся похожи. Ни разу — ни разу! — она не заподозрила его в измене или в обмане. Он был не только хороший муж и отец, но и прекрасный сын. И это тоже вызывало глубокое уважение.

С ним она увидела мир и много хорошего, да.

«Так что же тебе еще надо, кретинка? Восторгов до небес? Страсти — той, что до дрожи? Кипеть, бурлить, чтобы все на разрыв? Да бог с тобой, дурочка! Разве так проживается семейная жизнь? Разве счастье — не в тихих семейных вечерах перед телевизором да за чашкой свежего чая? Семья — это же другое, совсем другое! Это быт, планирование. Это стабильность, если хотите. Но уж точно не страсти-мордасти». И самое главное — здесь, в этом браке, она была уверена, что ее не предадут. Никогда. Как предали однажды...

И эта уверенность многого стоила. Ведь ее почти лишены — причем навсегда, словно вырезали скальпелем, — те, кого уже предавали.

Она даже теперь, по прошествии лет, не могла спокойно думать об этом. Потому что становилось трудно дышать. Подумаешь — история давно забытых дней! Далекая и дурацкая бесшабашная молодость. Первая любовь, которая, как всем известно... редко чем-то оканчивается. Крайне редко. Она — молодая дурочка. Он — мальчишка, сопляк. Испугался и «соскочил», поняв, что не готов быть мужем. Сколько таких историй!

А ей все равно сколько! Потому что эта история — только ее. Ее история и ее боль.

А то, что вышла замуж... Так здесь все понятно: не вышла бы — сдохла. Сдохла, и все, конец.

ПРАЗДНИК! ПРАЗДНИК?

Гости уже вовсю закусывали и выпивали. Здесь, на воздухе, елось и пилось замечательно. Она оглядела пышный стол, кивнула мужу, и он положил ей салат и слоеный сырный пирог. Наполнили рюмки, и первым, конечно же, слово взял муж.

Гости притихли. Муж кашлянул, улыбнулся, и она увидела, как он волнуется.

Его тост был краток и емок.

— Спасибо Господу за этот подарок — эту женщину, которая мне назначена в спутницы. Спасибо ей, моей женщине, за ее терпение и уважение.

Она приподняла бровь — какое терпение, господи! Уж просто смешно говорить!

Муж поднял кверху ладонь и продолжил:

— Спасибо за дочь. За красивый и теплый дом. За уют и комфорт. За поддержку. За «ни слова попрека» — ни разу, поверьте!

Все кивали и верили — эта пара считалась образцовой.

— Ну и вообще — за все-все, дорогая. За то, что ты — просто рядом, и все!

Она даже слегка растерялась и чуть покраснела. Смущенно пожала плечом — ну, я понимаю, юбилей. Но ты все-таки слишком преувеличил!

Он замотал головой и улыбнулся — нет, дорогая. Мне-то со стороны, знаешь, виднее!

Он поцеловал ее, она сказала «спасибо», и все зааплодировали и заулыбались. Ну, и дружно все выпили, разумеется.

Потом взяла слово она. Попросила коротко и очень требовательно, так, что и не возразишь:

— А вот на этом тосты закончились. Все пьют, едят, веселятся — ну и все остальное. Кому что понравится. А здравицы — ну, не люблю, извините.

Это было чуть резковато, но все облегченно вздохнули: не хочет — не надо! Так еще проще.

И вечер продолжился. После горячего — кучи разного шашлыка — мясного, куриного, рыбного, после печеных овощей всех цветов и калибров тихо

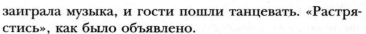

заиграла музыка, и гости пошли танцевать. «Растрястись», как было объявлено.

Она посмотрела на мужа, и он, поняв, кивнул. Они танцевали медленный танец, и она положила голову ему на плечо.

«А я ведь... счастливая! — вдруг подумала она. — Счастливая и глупая. Просто глупая дура. Очень глупая...»

А кстати, бывают умные дуры? Получается, что бывают.

Музыка кончилась, и они остановились. «Подожди», — шепнул муж.

Он подошел к музыканту и что-то ему сказал. Тот кивнул и взял первый аккорд.

«Странная женщина» — ее любимая песня. Потому что про нее, что ли...

Ну, ей так казалось.

Муж подошел к ней, и они посмотрели друг другу в глаза.

Потом она взяла его за руку, и они снова медленно и нежно, как-то очень бережно и осторожно, продолжили танец.

«Странная женщина, странная! — надрывался певец. — Радость полета забывшая! Что ж так грустит твой взгляд? В голосе трещина. Про тебя говорят — странная женщина! Странная женщина, странная! Схожая с птицею раненой! Грустная, крылья сложившая. Радость полета забывшая. Кем для тебя в жизни стану я?»

Песня такая — нельзя без надрыва.

Ну, певец и старался.

Потом официанты накрыли чай и внесли торт. «Господи, — ахнула она, — ну, просто как свадебный! А я — далеко не невеста...»

На торте горело восемнадцать свечей. Она вопросительно посмотрела на мужа. Он улыбнулся — ну да! Тебе — всегда восемнадцать.

Она снова смутилась, покраснела и еле сдержала подступившие слезы.

Ничем и никогда. Ничем и никогда он ее не разочаровал, этот мужчина...

Когда разъехались последние, самые поздние гости, она упала в плетеное кресло.

— Уф, слава богу, что все позади! Нет, — испуганно поправилась она, — все было прекрасно. Сказочно просто. И все равно — ты уж прости, — утомительно. Ну, не любитель я этих шумных застолий и праздников. А вообще — все прекрасно, конечно. Я — *счастливая?*»

Ночь была душной и темной. Где-то очень далеко, еле слышно, раздавались раскаты грома.

Она ворочалась, пила холодную воду, несколько раз вставала к окну и медленно и глубоко втягивала теплый тяжелый воздух. Потом залезла в душ, под почти холодную воду, потому что тело тоже было горячим и влажным.

Сморило ее только под утро, когда уже вовсю распелись птицы и стало почти совсем светло.

Спала она долго, почти до полудня, а когда открыла глаза — испугалась. Так долго она давно не спала. С самой юности.

Мужа уже не было — уехал в Москву по делам. Дочка качалась в гамаке и болтала по телефону. Она помахала ей и села на террасе пить кофе.

Погода была душная, предгрозовая — воздух «висел», словно авоська за оконным стеклом, тяжело покачиваясь и грозя оторваться.

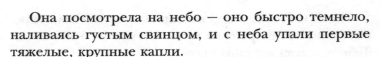

Она посмотрела на небо — оно быстро темнело, наливаясь густым свинцом, и с неба упали первые тяжелые, крупные капли.

— Наташка! — крикнула она дочери. — Иди в дом! Добежать не успеешь!

Дочь беспечно махнула рукой, продолжая болтать.

А она пошла в дом, поднялась на второй этаж, к себе в комнату, и закрыла все окна — дождь набирал силу и уже вовсю, ожесточаясь все больше и больше, барабанил по крыше.

Она увидела, как дочка, промокшая насквозь за пару минут, резво рванула в дом.

«Удивительное создание, — подумала она, — совсем не предвидит очевидной опасности. Впрочем, как и ее мать — никакой интуиции».

Она вздохнула и легла на кровать. Вот оно, счастье! Обычное бабское счастье — никуда не спешить. Не рваться — ни на работу, ни к плите, ни к пылесосу. И снова подумала о своем муже — в смысле: спасибо!

Потом она блаженно закрыла глаза и слушала, как дождь, уже слегка выровнявшийся и монотонный, стучит по крыше. Она очень любила дождь. А кто ж не любит — на даче, под пледом, да с ощущением счастливого бездействия и безгранично отпущенной лени?

В общем, еще раз — спасибо!

И ВСЕ-ТАКИ — ЖИЗНЬ!

Жизнь в этом маленьком городке, в этом медвежьем углу была монотонной и сонной, как долгий осенний нерадостный дождь.

Работал он посменно, а в выходные ходил в лес, на озеро порыбачить, ну, или занимался домашними делами — они, как известно, найдутся всегда.

Лена, жена его, была женщиной тихой, немногословной. Немного обидчивой и легкой на слезы — это да, было. Но жили они мирно, почти не ругаясь и почти не разговаривая — так, по делам — коротко и четко. Принеси воды, наколи дров, проверь у Митьки уроки.

Теща возилась на кухне, не трогая его ни по каким вопросам — стеснялась. Стеснялась, что он городской, и вообще, из другого теста, не то что они — люди простые, провинция.

Митьку он почти полюбил — мальчишка был не вредный и не противный. К тому же — молчун, как все в их семье.

Никто его не тревожил, не напрягал — и это было самое главное.

Он жил, по сути, своей обособленной жизнью, общаясь с семьей по ходу, по делу, особенно не задерживаясь.

И все были, казалось, довольны: теща — что муж дочке достался непьющий, да и что достался вообще. Митька — что у него наконец появился отец — пусть не настоящий, но все же.

А Лена — Лена любила его, как могла, — просто, бесхитростно, где-то в душе понимая, что достаться он должен был совсем не ей, но так случилось. Выходит — такая судьба. Он не обижал ее, отдавал ей зарплату. Не отказывал в помощи и мужественно делал с Митькой уроки.

Пару раз они ездили к *родне* на заимку. Свекровь была женщиной спокойной и невредной, невестку не доставала и вопросов почти не задавала. Ну

а Прокофьич — тот совсем был молчуном, что Лене было очень понятно.

На летние каникулы свекровь забрала Митьку к себе, а освободившиеся родители мечтали поехать в Москву. Вернее, мечтала Лена, а муж — муж, тяжело вздохнув, согласился. В столицу ему совсем не хотелось.

Только отпуск не состоялся — в июле ему стало плохо. Совсем плохо, так что не было сил встать с кровати.

Лена хотела сообщить матери, но он отговорил ее — ничем она не поможет, а душу сорвет. Да и Митька — куда срывать парня?

Жена согласилась, но на больнице настояла. Он долго отказывался — почти две недели. А потом, когда она вдруг расплакалась так, что и он испугался, наконец согласился — ему вдруг стало так жалко ее, что под ее быстрые причитания, деревенские, наивные и трогательные, под ее вопросы, на кого он оставит ее и сына, он согласился и попросил вызвать соседа с машиной.

Лена подхватилась, бросилась собирать вещи, а сосед уже сигналил у забора, давая понять, что сильно спешит.

В больницу они приехали поздно вечером, почти в ночь, и Лена наотрез отказалась уходить. Весь месяц она не выходила из палаты — кормила его с ложки, выносила утку и протирала его одеколоном, да так, что запах разносился по всей больнице — жена парфюмерию не экономила.

А он почти умирал. Так плохо ему еще не было. Он даже простился с ней, вернее, пытался проститься.

В эти минуты она закрывала ему рот холодной ладонью и, сдвинув брови, мелко мотала головой.

— Ты только молчи, умоляю! Только молчи! Тебе надо силы беречь!

Он в который раз повторял ей, что болезнь его никуда не делась и уж теперь точно не денется. Что это, возможно, и есть конец. Что надо принять эту правду и с нею смириться. А она продолжала закрывать ему рот и мотать головой.

Он видел, как она похудела и постарела, но тогда, пожалуй, впервые ему захотелось смотреть на ее лицо — долго и безотрывно. И еще — с большой нежностью.

ГЛУПАЯ И ВСЕ-ТАКИ... СЧАСТЛИВАЯ?

Она лежала под теплым пушистым пледом, слушая шум дождя. Он то утихал, то барабанил с удвоенной силой. И это было такое блаженство... Она задремала, но быстро проснулась.

«Хватит быть несчастной, — подумала она, — все, хватит, хорош! Столько лет пестовать, лелеять свою боль и страдания. Наверняка приукрашенные. Себе-то можно в этом признаться! Подумаешь — так ошпарилась в юности, что до сих пор не может прийти в себя. Господи боже мой! Подумай про других женщин — кому и что выпало. Подумай про свою несчастную и забитую мать, например. Хорош примерчик, нет? Ну, и про всех остальных — ты же начитанная девочка, вот и вспомни классиков. Много ли там счастливых? Когда вокруг столько горя, проблем, нищеты... Тебе так много дадено. Муж, дочь, достаток. Признай, наконец, что жизнь твоя удалась, сложилась. Тебя любят — а это уже так много, что... Да что говорить! А ты живешь тяжело — внутри себя тяжело. Отпусти себя и — радуйся жизни! Ведь совсем не известно, как бы тогда все сложилось. Вы были так молоды и так глупы. Что могло получиться тогда? Вряд ли что-то хорошее! Да и потом — кто не знает любви без предательства, тот не знает почти ничего, — пела прекрасная поэтесса и певица».

Она потянулась, громко зевнула, повернулась на бок и открыла глаза. На стене висела картина. Ее портрет. Муж заказал его по фотографии очень и очень известному художнику. Хорошему, надо сказать, художнику. И дорогому. Портрет удался — тот бородатый умелец ухватил самое главное — грусть и печаль в глазах. Портрет так и назвал — «Странная женщина».

Она действительно там, на портрете, была странной — отрешенной, что ли. Такая вот взглядом в себя. Словно ищет там, в себе, ответ на свои вопросы, что ли? И никак не может найти.

Она долго смотрела на картину, а потом кивнула и спросила:

— Ну что, дорогая? Ты как? А давай-ка... Давай-ка попробуем по-другому? Порадостней как-то. Повеселей. Может, получится, а?

Ей вдруг захотелось позвонить мужу. Это бывало не часто, звонила она ему только по неотложным, вдруг возникшим делам. Ну, когда нельзя временить. Понимала — муж занят, и занят серьезно. Да и потом — зачем звонить просто так? Это у них было не принято.

Она взяла в руки мобильный, но почему-то задумалась. А может, ну их, порывы? Не ее это как-то. Совсем не ее. Он, не приведи господи, удивится, насторожится и даже испугается. И что она ему скажет? Что? Я соскучилась, милый? Хотела услышать твой голос? Спросить, как дела? Или — когда ты приедешь и что приготовить на ужин?

Бред. Точно — его хватит кондратий. Не приведи господи. Она отложила трубку и снова закрыла глаза.

Подумала: а ведь не только себе она не дает быть счастливой. И ему ведь — в том числе. Ну, разве бы он не обрадовался ее неожиданному звонку? Разве ему не было бы приятно услышать, что она по нему соскучилась?

Дура какая, господи! На шестом десятке — дура! Зашоренная, закомлексованная, трусливая дура. Себе не дает воли и другим не дает.

А ведь она и вправду соскучилась по нему. Вот как бывает... оказывается.

Ну, день открытий просто! Познаний, что ли. В смысле — познай себя и откроешь других. И никак не иначе.

СПАСИБО ЗА ВСЕ И — ПРОСТИ!

Больницы шли чередом. Передышки были недолгими и почти не приносящими ощущения жизни. Нет, он пытался. Пытался жить по-прежнему. Но не получалось. Все его жалкие попытки хоть как-то соответствовать статусу мужа проваливались в тартарары. Сил было мало. Почти совсем не было сил. А жизнь в деревенском доме, как вы понимаете, предполагает... Когда в доме здоровый мужчина, все

это не кажется страшным. Обычное дело — наколоть дров и сложить в поленницу. Принести ведер эдак пять воды — это если нет стирки, а так, на готовку и чай. Ну, и всякое по мелочам — проводка, прохудившаяся крыша, покосившаяся дверь в сенях, выскочившая половица. А он... он не мог. Все это стало так тяжело и так не по силам...

Ну и, естественно, начались страдания. Жена не попрекнула ни разу. Ни жена, ни теща. Та, простая деревенская баба, безусловно ценившая в мужике физическую силу, от которой зависела жизнь семьи, ни разу не бросила на него ни одного косого и недовольного взгляда.

А жена — та только сводила брови, таща очередное ведро от колодца или взмахивая топором над поленом. И снова ни грамма раздражения, ни толики недовольства, ни слова попрека.

Но разве это могло облегчить его муки? Однажды он сказал жене, что хочет уехать к матери и Прокофьичу на заимку.

— Помирать там собрался? — сдвинула брови она и помотала головой. — Нет, мой милый. Здесь твой дом и твоя семья. И отпускать *туда* я тебя не готова! Слышишь?

— Зря, — бросил он и отвернулся к стене, — ты не права. — Потом резко повернулся и посмотрел на нее: — Слушай, Лен! А... зачем тебе это все?

На лице ее отразилось такое недоумение и непонимание, что сведенные брови тут же взлетели вверх.

Она медленно покачала головой.

— А ты глупый, Саня! — сказала она, чуть улыбнулась и медленно выдохнула. — Очень ты глупый, мой

 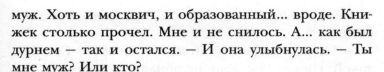
муж. Хоть и москвич, и образованный... вроде. Книжек столько прочел. Мне и не снилось. А... как был дурнем — так и остался. — И она улыбнулась. — Ты мне муж? Или кто?

— Или кто, — хрипло ответил он, — какой из меня муж, Лена? И еще я, — он закашлялся от волнения, — и еще я обуза тебе. Наказание господне. Вот кто я, Лен!

Смотреть на нее было страшно, и он отвернулся.

— Как есть дурак, — снова вздохнула она и тяжело поднялась с табуретки.

Он поймал ее за руку.

— Сядь, — попросил он.

Она послушно и осторожно села.

— Я ведь... — он помолчал, — ничего хорошего тебе и не дал. Ничего для тебя не сделал. Сначала... Ну, прости, не хотелось особенно. А теперь... Когда захотелось... Теперь — не могу. Ничего не осталось. Ни сил, ни желаний. Нет, вру! Желанья остались. Но — бодливой корове бог рога не дает, как известно. Ничего. Ничего я не успел тебе дать! Даже в Москву не свозил. А ведь мог. Сколько раз мог! А неохота было. Просто неохота, и все. А про тебя... я не думал. Нет, не так. Думал — успею. Честное слово! Веришь?

Кивнула.

— И еще... да что там Москва. Я и в Иркутск с тобой ведь не съездил. И в Нижнеангарск. В театр тебя не сводил. В ресторан — ни разу! В кино. Денег давал — копейки. Ни духов, ни золотого колечка... Ничего ведь, Ленка! Ну, и какой от меня прок? — смущаясь, шутливо спросил он.

Не сразу ответила. И у него заколотилось сердце.

Потом тяжело вздохнула и, наконец, переспросила:

— Прок, говоришь? Понятно. А прок, Сашуня, такой. Ни разу ты меня не обидел — чтобы так, посерьезному. Не обозвал. Не крикнул ни разу. И не унизил. В дым не пришел ни разу. Не поднял руки. Митьку моего не обидел и даже не цыкнул, когда тот доставал. На маму не злился — тоже ни разу. А денег — денег мне много не надо. У нас же хватало на все. Не голодали и в обносках не бегали. Театры — да жила я без них и еще проживу. А кино и по телевизору крутят. А уж про колечки — так это совсем смех! На кой мне колечки? Сортиры в колечках мыть? За поросенком ходить? В огороде? Нет, Саня. Не так. Все у меня с тобой было, ты понимаешь? Все! И любовь, и счастье. И радость. И нежность. И мама твоя. Как ведь она ко мне? И к Митьке? За внука считает! Родная бабка, свекровь, про него и не вспомнила, а мама твоя... И Прокофьич. У нас ведь семья, Саня. Семья! Просто жизнь, она такая... Ну, разная у всех, что ли... Только сравнивать ничего не надо и завидовать тоже. У кого-то — так, а у нас... с тобой — по-другому. Может, и лучше, чем у других. А ты мне муж! Все, точка. И сколько отпущено... Мне и тебе — там видно будет!

Молчали. И он все не мог поднять на нее глаза. Трус, слабак. Только и смог произнести:

— Я понял, Лен. А вообще... Хорошо, что мы с тобой поговорили, а?

Она ничего не ответила, просто погладила его по руке.

Да что тут ответишь? Не надо иногда слов, не

надо совсем. И так все понятно. Ну, если близкие люди. Сибирская кровь его Ленка. Совсем не трепло.

ЧТОБЫ Я ПОНЯЛА?

Расскажи Богу о своих планах, чтобы он посмеялся. Только решила, что будет счастливой!..

Авария была страшная. Жуткая. То, что он выжил, было из разряда чудес. Так говорили врачи. Чудес было много — то, что авария произошла на «Динамо», а это в трех минутах езды от Боткинской. То, что в травме в тот день задержался заведующий — просто чудом остался до вечера. То, что заведующий был близким знакомым и прекрасным хирургом. То, что в тот вечер дежурила отличная бригада анестезиологов и реаниматологов. Просто так все совпало. Совпало, чтобы он выжил. Чтобы она поняла. Поняла то, что понять следовало гораздо раньше, но, как говорится, что есть, то и есть.

Нет! Благодарить за такую науку — да не дай бог! Просто... Так вышло.

И ничего не было важнее, чтобы он, ее муж, опутанный трубочками, подключенный к мониторам, дышащий через аппарат искусственного легкого, окруженный врачами, просто был жив. Просто остался на этом свете. В любом состоянии, честное слово. Вот здесь она ничуть не кривила душой. Ни минуты. Сидя в больничном коридоре возле реанимации, где лежал ее муж. Ее любимый.

Она сидела на кушетке и молилась. Молитв она не знала — ни одной. Молилась своими словами —

старенькая нянечка сказала, что так тоже можно. Господь услышит, если от сердца.

И она просила. Умоляла. Извинялась и требовала. И снова просила. И еще — обещала. Обещала, что дальше, ну, если все будет... Она — никогда. Ни разу и ни на минуту! Не посмеет подумать, что у нее что-то не так. Честное слово!

Потому что стыдно. Неприлично. Ужасно. «Ты дал мне это понять? — прошептала она, подняв глаза к потолку. — Ох, как жестоко! Прости, но очень жестоко! И потом — а при чем тут он? Ну, если я.

Я, а не он?»

Бог услышал ее — или судьба. Муж выжил и даже вышел из этого ужаса с наименьшими потерями. Полгода на костылях — мелочь, подумаешь!

Два месяца она жила рядом в палате. После реанимации. Два месяца ужаса, растерянности, страха и ожиданий. Шестьдесят дней качался маятник — то вправо, то влево. То хуже, то лучше. Два месяца молитв и надежд. Два месяца горя и счастья — от того, что он рядом и дышит. Открывает глаза. Говорит — сначала помалу, два слова, не больше. Но все равно великое счастье! Ложка бульона, глоток воды, полстакана сока. Кусочек мясного суфле. Половинка творожника. Блюдечко каши.

Пятнадцать минут телевизора — новости. Нет, хватит, устал. Да и что там услышишь хорошего, господи!

Первая улыбка и просьба открыть окно. Первая спокойная ночь — без наркотиков. Первая просьба — почитай мне Толстого. Анну Каренину.

Теперь многое, очень многое у них было *впервые*.

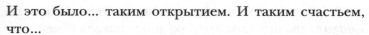

И это было... таким открытием. И таким счастьем, что...

Что просто кошмар думать про то, что должно было случиться, произойти, чтобы она поняла!

Через год с небольшим после аварии им разрешили поехать на море. Отель выбрали на самом берегу, в октябре, ну, чтоб без жары гарантированно. Погода была нежной и тихой — солнце по-осеннему медленно потухало и не докучало. После завтрака они шли на берег, садились в шезлонги и просто смотрели на море. Подолгу молчали. Иногда читали или дремали. Иногда болтали. Так, о чепухе. Строили планы. Мечтали, чтобы дочь наконец вышла замуж и поскорей, поскорей, осчастливила внуками.

— Ты кого хочешь — пацана или девку?

— А мне все равно. Лишь бы был!

«И ты — лишь бы был. Просто был рядом, и все». Казалось бы — малость!

ЧТОБЫ Я ПОНЯЛ?

И вся, собственно, жизнь. Сашка прожил еще три года. Тяжело, трудно и — очень счастливо. Иногда приезжал Прокофьич и увозил их на заимку. Естественно, летом. Они лежали на берегу озера, смотрели на воду и подолгу молчали. Если поднимался ветерок, жена тут же начинала тревожиться, вскакивала и укрывала мужа одеялом. Потом доставала из сумки еду — вареное мясо, хлеб, огурцы — и принималась его кормить. После еды Сашка блаженно откидывался на раскладном стуле и закрывал глаза. Засыпал.

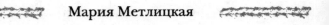

Лена шла мыть посуду, протирала ее полотенцем, поправляла под ним подушку и подтыкала одеяло, садилась рядом и смотрела на него, спящего.

Лицо его было спокойным и безмятежным. И как ей казалось — счастливым.

Впрочем, наверное, так и было. Женщины в таких делах ошибаются редко.

Когда касается счастья или речь идет о любви.

Внезапное прозрение Куропаткина

Куропаткин смотрел в окно и грустил. Точнее, печалился. В последнее время жизнь все чаще показывала Куропаткину дулю. Нет, все понятно — в стране снова кризис, бизнес загибается не только у Куропаткина, все жалуются, скулят и ноют, но все же от этого лично ему не легче никак. Да если бы только бизнес! Все как-то не складывается, по всем, как говорится, фронтам и азимутам. Инка совсем обнаглела — теперь стало окончательно понятно, что ласка и нежность у таких, как его жена, проявляется только при полном материальном благополучии. Когда все в шоколаде. Короче, когда хреново, не жди никакой поддержки. А он, дурак, все еще ждал. Матушка посмеивалась: «Миленький мой, какой же ты дурачок! Ведь я говорила. Инка твоя — до поры. Черненьким не полюбит, и не надейся!»

Надо признать, что матушка — женщина умная. А он, Куропаткин... Снова дурак. Про его благоверную матушка всегда говорила правильно. Та не нравилась ей никогда. Вердикт был вынесен сразу — капризная, избалованная, ленивая и очень охоча до денег.

Матушка — женщина умная, опыт большой. И чего было ее не послушать?

Когда сходились, Куропаткин матушку слушать отказывался. Да и кто кого слушает, когда всюду горит? От Инки балдел и тащился. Оно и понятно — красивая баба, очень красивая. Высокая, стройная, ноги там, грудь. Ох, эти ноги! Болван Куропаткин. Кто в тридцать семь смотрит на ноги? Только дурак! Нет, смотрят, конечно, все. А вот в жены умные люди берут не по ногам. На характер смотрят, на домовитость. На скромность.

Теперь, говорят, даже секретарш богатые люди берут на работу не по ногам. Время такое настало — время умных.

А он балдел, когда они с Инкой шли рядом. Просто от гордости перло. Такая баба и — только моя!

Ну, и так далее — в смысле интима. Тут она тоже... В смысле — ему показала. Где раки зимуют. И он опять обалдел. Такая женщина, бог ты мой! И снова рядом со мной!

Короче, увел Куропаткин Инку от мужа. Купил в ипотеку квартиру. Неслабую, кстати. Три комнаты, холл, обеденная зона и два туалета. Сделал ремонт — тоже нехилый. Ну и привел любимую. Любимая осталась довольна — только вот не одобрила мебель. Пришлось заказать новую, итальянскую, по каталогам. Снова в долги. Ей, любимой, — ни слова. Пусть спит спокойно и думает, что Куропаткин крутой. Потом поменяли машину — Инка сказала, что хочется джип. Снова кредит. Но ничего — как-то тянул. Бизнес тогда шел неплохо. Нервничал, правда. Ночами не спал — ворочался, мучился, мысли вертелись как карусель. А если, а вдруг? Блин, как накаркал!

Еще Инна Ивановна любила моря летом и горы зимой. Моря — Средиземное, Эгейское, Ионическое. Ну а горы — понятно же, Альпы. Лучше Швейцарские или Французские. Ну, и здесь пришлось понатужиться. Чего не сделаешь ради любимой? Да! Еще шубки, пальтишки, косметички, педикюрши и все остальное.

А что тут скажешь — шикарной дамочке положен приличный уход. Однажды он что-то попробовал вякнуть — ну, типа, попозже. Сейчас трудновато, родная. Прости.

Инна Ивановна бровки взметнула, глазками — сверк, чисто молнии, носик нахмурила.

— Ты что, Куропаткин? Прикалываешься? Ты в чем мне отказываешь? В массаже и в маникюре? Ты спятил? А как я выйду на улицу? Ты об этом подумал? Лахудрой буду ходить? Ты, милый мой, сначала подумай, а потом говори. Я тебя, между прочим, ни разу не обманула. В смысле — потребностей. И никогда не скрывала, к чему я привыкла. А ты теперь жмешься?

Инна Ивановна так расстроилась, что вот-вот заплачет. Носиком хлюпнула, и слезки из прекрасных глазок брызнули, как вода из клизмы — чисто актриса! Хотелось захлопать.

— Я, Куропаткин, от мужа ушла! К тебе, между прочим. Ушла от прекрасного человека! Щедрого, кстати. Уж он никогда — никогда, Куропаткин, — мне не сказал, что я много трачу. И я, Куропаткин, не шубу новую у тебя прошу. А, кстати, могла бы. Моей уже целых три года. Забыл? И не машину. Хотя ей, старушке, тоже лет двести. И не остров в океане. Ты, Куропаткин, не видел других. Такие есть бабы. Не то что я, скромница.

Сказала про этих баб с каким-то скрытым восторгом и завистью. А может, ему показалось?

«Слава богу, — подумал Куропаткин, потея спиной, — мне и тебя, королевны, хватает. О, как хватает, по самое горло. Скромница, блин!»

Все — про себя. А вслух усмехнулся. Это — про первого мужа, щедрого и прекрасного. Ну, тут вообще смех. Первый муж Инны Ивановны был человеком пьющим и ненадежным. Деньги водились, но к первому пороку присовокуплялся второй — «прекрасный и щедрый» играл. В казино. Ну, здесь все понятно — такие штуки до добра не доводят. Пришлось продать роскошную квартиру, пару машин, да и брюлики свои Инна Ивановна частенько носила в ломбард. Всяко было. И разно — Куропаткин потерей памяти не страдал. В отличие от прекрасной и сказочной Инны Ивановны.

А вот любимую память частенько подводила. От расстройства и нервов, наверное. Такое бывает от стресса — частичное выпадение памяти, амнезия называется.

Но, как говорится, поздно пить боржоми, когда почки отвалились. Поздно. Потому что был еще сынок. Ванька. Такой пацан, что... В общем, у Куропаткина сердце падало, когда Ванька его обнимал.

Да и тянуло его к Инке не меньше, чем раньше. А даже, наверное, больше. Как говорится, чем больше вложишь...

В общем, тянул Куропаткин, как мог. Из последних оставшихся сил. Чтоб сохранить достойный уровень жизни. И чтоб благоверная мозг не выносила. Ну, и чтоб у сыночка, у Ваньки, все было.

— Ты же отец! — говорила жена. — Ты же мужчина! А в мужчине главное — это ответственность.

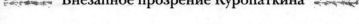

Матушка злобилась и невестку еле терпела. Тоже только из-за внучка. А так, говорила, баба никчемная. «Ни о чем», как сейчас говорит. Ни украсть, ни посторожить.

Куропаткин вяло отмахивался и мамашины выпады терпел молча. Понимал — права. А куда денешься?

— Я ее, мам, люблю, — говорил он, — а уж про Ваньку что говорить!

Матушка махала рукой — безнадежно.

— Ты всегда, Коля, был извращенцем. Никогда хороших девушек у тебя не было. Всегда тебя тянуло к ярким леденцам. Без обертки. А без обертки они замусолены чужими руками.

А теперь все было совсем плохо. Бизнес катился с горы. Да так быстро! Кредиты жали, держали в тисках. Как конец месяца — у Куропаткина аут. Лежит и глядит в потолок. А любимая злится. Злобится, чашки швыряет. Так глянет — ну, застрелиться.

Все понимал, теперь уже все. И еще понимал, что от Ваньки он не уйдет. Никогда. А если уйдет? Что решится? Что переменится? Кредиты его не закроют. Долги не простят. Проблем за него не решат. И не пожалеют его, дурака. Ну, если родная жена не жалеет...

А тут еще эта стерва Полина. Его секретарша и главный помощник. Боевая подруга. Сама говорила — мы с тобой, Николай, навсегда. Уж я тебя никогда не подставлю. И вправду, столько вместе соли съели — стали родными. А тут? Стала требовать, дура, прибавку к зарплате. В нынешние-то тяжкие времена! Ну, поругались, поорали, и он ей бросил:

— Не нравится — двери открыты!

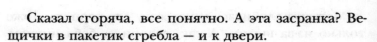

Сказал сгоряча, все понятно. А эта засранка? Вещички в пакетик сгребла — и к двери.

А у двери обернулась и гнусно хихикнула.

— И поделом тебе, Куропаткин. Лох ты педальный. Правильно Инка твоя говорит.

И дверью — бац! Как по мозгам.

Дрянь. Конечно, стерва. Какая стерва! А самое обидное — что Инку сюда приплела. Знала, что больно. Но без нее стало лихо. Совсем. Ковыряется Куропаткин в бумагах и путается. Все контакты у Полины в ее телефонах, все клиенты.

И понял Куропаткин, что пропадает. Совсем. Окончательно.

Что делать? Идти на поклон? Увеличить зарплату? С чего? Звонить этой дуре и умолять о прощении? «Ох, бабы! — горестно думал он. — Совсем вы меня замотали. Достали совсем. Все вы... одним миром мазаны. А может, действительно я извращенец? Может, матушка права?»

Сделал подборку из прежних и охнул — точно! Все, что были до Инки, — как на подбор. Из себя ничего, с ногами и сиськами, а вот со всем остальным... дело плохо. Все капризничали, требовали подарки, мелко торговались и крупно хамили.

Ни одной ведь не было другой! Ну, тихой, милой, скромной. Глаза в пол. Чтоб пожалела, ну, въехала чтоб! Не нравились такие Куропаткину. Не его сексотип. Совсем загрустил.

За окном накрапывал дождь. Мелкий, противный. Колкий, наверное. Он даже поежился — брр!

Чертова осень. Под стать настроению.

И снова затосковал. Так захотелось в тепло. На горячий песочек, под нежное солнце. Лечь и забыться — под тихий шум волн. И чтобы никто — вот никто — не просил и не требовал. Ничего!

А просто его бы любили. Просто любили и просто жалели. Или хотя бы сочувствовали.

Но — не видеть ему белого песочка и не слушать прибой еще долго. А может, и никогда.

Куропаткин вышел в приемную (громко, конечно, сказано — весь офис тридцать квадратов вместе с приемной) и попробовал включить кофемашину. Тыркался, дергался. Чертыхался. А не получилось. Запорол целых три капсулы, обжег руку паром и громко выругался — совсем неприлично.

Потом открыл ноутбук и дал объявление. О приеме на работу секретаря. Ну, и требования всякие. Что, в общем, понятно.

Потом надел плащ, щелкнул выключателем, запер дверь и вышел вон. К черту все. К черту! Вот поеду сейчас и напьюсь. К Мишке Труфанову, старому другу, он не откажет — он по этому делу любитель. Ну, и еще потрындеть по душам. Про баб и про жен. Плюс политическая обстановка в стране и в мире. Кризис, дефолт и кредит. Обычные темы мужских разговоров.

Он зашел в лифт, достал мобильник и набрал Труфана. Тот ответил не сразу, видно, только проснулся. Потом оживился и даже обрадовался.

— Приезжай, Колян. Побалдеем! Только, — замялся Мишка, — жрачки возьми. У меня — ни черта. Полный голяк, мышь повесилась!

«Это и так понятно, — подумал Куропаткин, — подумаешь, новости!» Мишка был отъявленный, закоренелый и идейный холостяк. И еще, наверное,

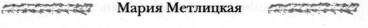

умница. Ну, раз так сумел распорядиться. Своей личной жизнью.

И своей личной свободой.

Труфан по жизни не напрягался — радовался тому, что имеет. А имел он крошечную однокомнатную квартирку в Беляеве, оставленную покойной бабулей, и непыльную работенку — составлял на дому дешевенькие, тыщи по полторы, юридические договоры частным лицам.

И ему, представьте, хватало. На колбасу, дешевый коньяк и китайский ширпотреб в виде байковых клетчатых рубашек, джинсов и кед. Труфан был неприхотлив и жизнью доволен. Периодически у него вспыхивали короткие и бурные романы со странными, не первой свежести, некрасивыми и часто замужними тетками.

Труфан не был эстетом. Уверял, что замужние бабы горячи и заботливы — кто супчику сварит, а кто и пирожков напечет. И в сексе торопливы и благодарны. Что, собственно, и надо Труфану. И самое главное — не задерживаются. Поделали дел — и домой, к муженьку. К мужу и деткам. Спешат!

Когда-то Труфан подавал большие надежды — окончил юрфак, и все дороги ему были открыты: папа Труфанов был большим адвокатом. Но подергался Труфан, подергался и выбрал свободу.

Однажды друг детства Куропаткин спросил:

— А ты любил когда-нибудь, Мишка?

Труфан на минуту задумался и почесал лохматую и давно не стриженную башку.

— Да нет, пожалуй. Пожалуй, что нет, — медленно повторил он и тут же оживился: — А кого, брат, любить? — Потом горестно вздохнул и добавил: — Нет ведь достойных. Приглядишься — и нет!

Почему-то обрадовался своим выводам, вероятно найдя объяснение.

— Совсем? — недоверчиво уточнил Куропаткин. — Что, ни одной? И ни разу?

Мишка медленно покачал головой:

— Лично мне такая не попадалась. — Потом прищурил узкий и хитрый глаз и ехидно добавил: — И тебе, друже, по-моему, тоже!

Куропаткин хотел горячо возразить, но... воздержался.

Мишка стоял на пороге — лохматый, с нечесаной бородой, в ретротрениках с пузырями — и внимательно разглядывал друга. Потом тяжело вздохнул и промолвил:

— Ну... все понятно.

— Чего понятно, экстрасенс хренов? — окрысился гость. — Давай ставь картошку!

Мишка снова вздохнул, принял пакеты и поплелся на кухню.

Это был ритуал — вареная картошечка с маринованными огурчиками, колбаска в нарезку и, разумеется, водочка.

Мишка усердно чистил картошку, попыхивая сигаретой в углу пухлого рта, и что-то мычал — типа, песню.

Песни Мишка любил комсомольские, из советского детства. «И Ленин — такой молодой, и юный Октябрь впереди» — эта была самая любимая.

Еще была такая: «Я, ты, он, она — вместе целая страна!» Страны давно не было, а песня осталась.

И еще была: «Слышишь, время гудит — БАМ!»

Этот БАМ — Байкало-Амурская магистраль. Стройка века. А не просто вам — БАМ — бам.

Куропаткин сел на табуретку и огляделся. Свинарник. Боже, какой же свинарник! Ну, чокнуться просто. И даже снял локоть с липкой клеенки. Кошмар!

Правда, удивился — не было грязной посуды. Совсем. Обычно — гора.

— Моешь посуду? — спросил он у друга.

— Не-а! — ответил друган. — Пользуюсь пластиком. Очень удобно. Сказка прям. Пожрал, в ведро, и — свободен.

Куропаткин поморщился — гадость какая! Как на первых шашлыках в парке у дома в начале мая. Картошка уже закипала, и Мишка стал накрывать на стол, приговаривая:

— Колбасочка сладенькая. Та-аак, улеглась. Огурчики... ух, хороши! В пупырях! Супротив. Сальцо. Сказка прям, а не сальцо. Главный продукт! Черняшечка, редисон. Стакашечки — стакашки! И — приборчики! — завершил он и победно оглядел плоды своего труда. — А? Красота? То-то, милай! — продолжал «придурствовать» он.

Ну, и присели, как говорится. А дальше — поехали!

— Пошла? — с беспокойством хозяина встревожился друг.

Куропаткин кивнул:

— Пошла. Хорошо!

Ну, и под картошечку, да под сальцо, да с огурчиками в «пупырях» — пошло не просто хорошо, а пошло замечательно. Со счастьем в глазах и в желудке.

Потом вспоминали детство и школу — это был обычный, до боли знакомый и заезженный ритуал, который им не надоедал никогда — дружба детства, она, знаете ли...

А дальше Куропаткин разнюнился. Поведал про бизнес, про кризис и Инну Ивановну. Добавил про Полинкин уход и расстроился окончательно. Просто раскис, как дитя без мягкой игрушки. Хоть плачь.

Мишка молчал, тяжко вздыхал, кивал и подкладывал другу картошечки.

А потом дал совет — как с плеча рубанул:

— А пошли ты их всех, Колян. Одновременно. Всех разом!

— Кого — всех? — не понял Колян. — В смысле — кого? — уточнил он. — Нет, ты объясни.

— Да всех разом! — упрямо повторил Мишка. — И в первую очередь — мадам Евсюкову.

Инну Ивановну он всегда называл Евсюковой — по девичьей фамилии. Так он демонстрировал свою нелюбовь, не желая отдавать ей фамилию лучшего друга — недостойна, типа того.

Ненависть у них была взаимная и долгая. Ну, антиподы, понятно. Только Куропаткин поносить друга детства не разрешал — все разрешал, а это — ни-ни! Это — святое! «А если я начну про твою Кристину и Яну?» — желчно осведомлялся он, вспоминая лучших подруг жены.

— Ага, — кивнул Куропаткин, — с этим понятно. В смысле — с этой. А дальше? Следующий кто, Ванька?

Мишка развел руками:

— Ну, Ванька тут ни при чем. Это я так, к слову.

— Ну и заткнись! — невежливо посоветовал Куропаткин. — Не тебе говорить. Ни жены, ни детей! — зло добавил он.

А Труфан обижаться не думал.

— Вот-вот! И именно поэтому я и имею право, — стал настаивать он. — Пошли — и начни новую жизнь. И ты меня вспомнишь!

— А как? Не подскажешь? — начал горячиться Куропаткин. — Советчик хренов. Забить на долги, да? На кредиты забить? На Ванькину школу? На теннис? На море забить? А у него, у Ваньки, простуды! Если без моря весь год, понимаешь? Ему море... как воздух. Усек? Матушке не помогать? А как она будет — на пенсию? Бутылки сдавать? Нет, ты ответь. Объясни, мне, дураку. Если ты такой умный...

Мишка надулся и замолчал.

— А чего приперся? Ты вроде совета просил? Или я ошибаюсь?

— Ошибаешься! — жестко отрезал Куропаткин и хлопнул ладонью по хилому старому кухонному столу. — И совета, я, кстати, у тебя не просил. Просто приехал как к другу. Душу излить. Что, нельзя? Нельзя, получается? — всхлипнул он.

— Можно, Колян, — мягко ответил Мишка и осторожно постучал рукой по плечу друга. — Конечно же, можно. А в остальном — удачи, друган! Каждый выбирает по себе, Коля. Женщину, религию, дорогу...

Умник! Ах, какой умник! Левитанского цитирует. По себе, да. И ты, друг детских игр и забав, выбрал тоже по себе — так выходит? Срач, в котором живешь. Помойку в вонючем холодильнике. Баб своих сумасшедших и, мягко говоря, некрасивых. Отсутствие детей — от них ведь один геморрой, да, Мишань? И моря-окияны тебе не нужны, и берег турецкий. Забуришься на месяцок в глухую деревню, в кособокий домишко, и там тебе радость и счастье. Разная жизнь у нас с тобой, Мишка. Разные потребности. Но все это не отменяет моей любви к тебе. И такой же огромной привязанности...

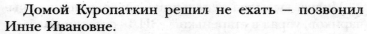

Домой Куропаткин решил не ехать — позвонил Инне Ивановне.

Жена фыркнула в трубку что-то типа: понятное дело. Слились в экстазе два алкаша.

И трубку бросила.

«Ну и черт с тобой, любимая, — пробурчал Куропаткин, рухнув на диван. — Черт с тобой!»

Минут через пять он уснул. Устал человек, все понятно.

Мишка Труфанов еще долго сидел на кухне, курил «Беломор» и смотрел в темное окно.

«Такая вот жизнь, — потянуло его на философию, — хреновая. Хороший мужик Колян. Ответственный. Толковый. Отец замечательный. Муж. Налево не ходит, особо не пьет. Все в дом, все в семью. И результат? Где она, эта семья? Где жена, верный друг и соратник? Та, которая пожалеет, поймет? Ау! Нету — ни разу нету. Тянет с Коляна бабло — использует. Противная баба эта Евсюкова. Ох, противная! Мелкий человек, несерьезный. И еще — ненадежный. Хотя красивая, да. Фактурная очень. С такой — хоть в Канн на красную дорожку, хоть в Елисейский дворец. Но туда Куропаткина не зовут. Почему-то. А значит, достоинства Евсюковой ему ни к чему».

Мишка тяжко вздохнул: «Эх, Коля, друг детства! Растила тебя мама, тянула. Себе во всем отказывала. Бассейн, дзюдо, аккордеон. Копейки считала. Чтобы ты стал человеком. А тут — Евсюкова! И все, кранты. Нет человека, и нет мужика. Есть конь на пашне со старым плугом, вьючный осел с бурдюками и тупейший баран. И все это она, Евсюкова! Вот вам наглядный пример — как дурная баба может погубить хорошего мужика».

Мишка высыпал пепельницу, доверху полную бычариков, убрал в старенький «ЗИЛ» остатки колбасы и пошел в комнату — спать.

Долго не мог уснуть — воспоминания накрыли его с головой. И все про Коляна. Вспомнил он Катю Баленко, первую любовь Куропаткина. Красивая, да. У него и не было других. Только противная. Капризная, с вечно надутыми губами. Ныла всегда — то жарко, то холодно. То попить, то поесть. Колян суетился вокруг нее, как юла. Работать пошел на каникулах — купить Катечке ценный подарок. Заработал двести рублей и — давай покупать! Духи у спекулянтов, джинсы и золотую цепочку. Все в пакет и — на, любимая! Это тебе!

Та пакетик открыла, узким носиком повела и сделала — фи. Духи слишком бабские, душные — ей такие не нравятся. Джинсы малы. А цепочка — дерьмо. Плетение ей не то, видите ли! Ну, и как? Стоит Куропаткин, словно дерьмом вымазанный, и страдает. Бледный, расстроенный. Жалкий.

Слава богу, эта дура Баленко его бросила — нашла какого-то хмыря из МГИМО. Колян отстрадал и снова влюбился. И снова... Ох, да что говорить. Беда. Опять с Коляном беда. Следующая. Ксюша, юбочка из плюша. Да уж, из плюша, как же! На шмотках была просто повернута, все друзья — спекулянты. И снова-здорово: «Колечка, хочу джинсики голубые! С вышивкой! Курточку кожаную, зелененькую! Юбочку под курточку, тоже из кожи...»

В общем, как говорится... А этот дурак? Давай зарабатывать бабки! Чтоб Ксюшу эту чертову ублажить. Чуть из института не вылетел — так увлекся. Стал с долларами крутиться. Мать его еле тогда отмазала, а мог загреметь. Сколько мамаша его тогда денег назанимала — море! Чтобы вытащить своего дебила. Потом отдавала долго, лет пять.

Он, конечно, притих. Испугался. А через полтора года — опять за свое. Сошелся с одной певичкой. Никому не известной, конечно. В кабаке каком-то пела. Дерьмовом, надо сказать. На рабочей окраине. И снова — красавица. Загулы любила — аж подметки летели. За ночь пять кабаков объезжали. Выпивала за ночь три бутылки шампанского. Или четыре — ну, как пойдет. И сразу в кураж. Много там чего было — гости с Кавказа, фарца, бандюганы. Ну и драки, конечно. Дурню этому Куропаткину то лицо разобьют, то руку сломают.

Замуж потом вышла за скандинава какого-то. А Куропаткин снова в страдания! Говорил, что не хочет жить. Очень боялись они за него тогда, очень. Матушка его даже в больничку устроила — в хорошую такую, по великому блату. Клиника неврозов называлась. На Шаболовке.

А Колян, пока здоровье поправлял, снова влюбился. В заведующую отделением. В красивую и не слишком молодую грузинку. Была эта эскулапша похожа на породистую кобылу — крупная, тонконогая, талия тонкая, грудь большая. Глаза огромные, черные — сверкают, горят, словно непотухшие угли, — а мужчин задевает! Замужем, конечно. Муж — человек серьезный и важный. Она все боялась: узнает — пропадем оба. Причем безвозвратно. Концов не найдут. А Куропаткин ее все уговаривал от мужа уйти. Ну не дурак? Забрать двоих дочерей и — к нему. А упаковка у нее была знатная, выше крыши. Хата огромная, «Мерседес» — в те годы-то! Дом где-то во Внукове.

Он, Мишка, тогда у Коляна спросил:

— А потянешь? Ее и детей?

А тот — так беспечно, с улыбкой своей дурацкой:

— Любовь у нас, Мишка! Это ты понимаешь? Любовь!

Ну, тогда снова подключилась умная и несчастная Колькина мать. Пошла к солидному мужу и посоветовала ему «держать свою сучку на коротком поводке». Иначе — беда будет.

Ну, тот разобрался быстро, в два дня — отправил законную в Поти к своим родакам, вместе с дочурками.

А там — тюрьма, со двора и то ходу нет. Вот пусть посидит и подумает! Пару годков. Или поболе. А ты, паренек, погуляй! А что с тобой делать — подумаю. И радуйся, что мне *так удобно*. Что сразу тебя не зашиб.

А этот дурак хотел ехать за ней, в этот Поти! Вызволять любимую. Украсть и увезти — ее и, соответственно, дочек.

Слава богу, отговорили. Иначе — была бы большая беда. Как пить дать.

Ну, и все последующие романы Коляна были из той же серии, как под копирку. Бабы мутные, отношения бурные, а на выходе — слезы, страдания и пустой кошелек.

И опять спасла мама — усхала Коляна в ссылку. От грузинского мужа подальше.

Матушка его бедная уже и не чаяла, что внуков увидит. А тут Евсюкова. Все с ней было понятно, но все же... Хоть поженились и Ваньку родили. А что сын ее, Николай Куропаткин, отменный дурак — так это же ясно всем и давно. Чему удивляться?

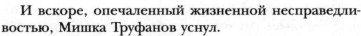

И вскоре, опечаленный жизненной несправедливостью, Мишка Труфанов уснул.

Куропаткин проснулся от нечеловеческого храпа — такого мощного и невозможного, децибеллов таких, что он от испуга подскочил на кровати.

— Труфан! — позвал он лучшего друга. — Проснись, хрен моржовый!

Крикнул громче — реакции ноль. Подошел к Мишке и дернул пару раз за руку и за ногу. Перевернул Мишкину тушу на правый бок. Храп стал чуть гуманнее, но через пару минут Мишка снова перевалился на спину и зарычал как медведь.

Бесполезно, огорчился Куропаткин, с этим не справиться. Сна больше не будет — это ясно как день.

Он вертелся с боку на бок, вставал, ходил на кухню пить холодную воду, несколько раз посещал Мишкин санузел, не уставая удивляться грязи и свинству кореша.

Снова бухался в кровать и отчаянно ждал рассвета.

Всякие мысли лезли Куропаткину в голову. Всякие. О бренности жизни. О ее несправедливости. О скоротечности — ее же — и о сложности тоже. Думал он и об Инне — с горечью, с болью, с тоской. Думал о маме и сыне — с печалью и нежностью.

А потом вообще в башку полезла всякая ерунда. Всплывали давно позабытые лица, события и прочая хрень. Какие-то незначительные, дурацкие мелочи, о которых и вспоминать-то смешно! Вспомнились и возлюбленные — Катя Баленко, Ксюша. Певичка Лариска. Врачиха Тамара. Это — из тех, с кем было *серьезно*. Серьезно и бестолково как-то — не по-людски, как говорила мать. И, как обычно, оказывалась права.

Потом в памяти стали появляться женщины второстепенные — из тех, с кем бывали просто романы. И тоже, надо сказать, хорошего мало. Куропаткин совсем расстроился — из всех, кого он припомнил, чьи лица сейчас проплывали перед его глазами, не было ни одной стоящей...

Да что говорить! Ничего. Потому...

Потому что *нечего* просто! Фигня.

А под утро, конечно, сморило. В семь зазвонил на телефоне будильник, он нехотя открыл глаза и услышал, как Мишка гремит на кухне.

Мишаня жарил яичницу. От количества желтков на сковородке Куропаткин обалдел. Пересчитал — восемь штук.

— Ну, ты и обжора, — покачал он головой. — Нет, я не буду. В такую рань, да еще с будуна. Окстись, Труфан! Я вообще утром не ем — только кофе пью.

Мишка развел руками:

— Кофе, брат, у меня не водится — только чай, извини! Могу заварить покрепче, на манер чифиря. Сразу проснешься.

Пришлось согласиться. Пил горький чай и с ужасом наблюдал, как Труфан поглощает яичницу с хлебом. Для интереса подсчитал — восемь яиц, шесть кусков хлеба. Причем с густым слоем дешевого масла.

Вышел на улицу и посмотрел на небеса. Все обложено плотно и густо. Значит, снова не будет солнца, а скорее всего, будет дождь. Ох, и противный же месяц ноябрь! До настоящей зимы далеко, а уж до лета...

Завел тарантас, и снова взгрустнулось. Эх, жизнь копейка! Думал про то, как вечером поплетется домой. Как Инка откроет дверь и обложит его не по-детски. Как Ванька все это услышит и выкатит свои

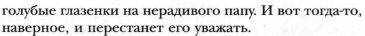

голубые глазенки на нерадивого папу. И вот тогда-то, наверное, и перестанет его уважать.

Он вошел в офис и загрустил еще больше. Без этой чертовой дуры Полины было так пусто, хоть плачь. Обычно Полинка с раннего утра трепалась по телефону. А он, дурак, раздражался! Теперь бы послушал Полинкин треп с удовольствием. Эх... нету Полинки, и нету горячего кофе. И нет свежих булочек из соседней пекарни. Нету. Только тишина, пустота и снова тоска — телефоны молчат.

Мелькнула мысль позвонить этой засранке. Позвонить и сказать: так, мол, и так, Поль, давай друг друга простим и плохое забудем. Столько лет вместе, ну, честное слово! Целых пять или шесть! Столько прошли, мама дорогая, столько, простите, говна съели вместе... Ладно, Поль! Я все понял. Ты не права, конечно, но... придумаем что-нибудь. В смысле бабла.

Подумал и — передумал. А что он может придумать «в смысле бабла»? Когда нет этого бабла и в помине. Просто банально нету, и все. Из чего Польке добавить зарплату? Может, из маминой пенсии?

Снова расстроился, ну, просто до слез. Как вспомнил всех этих... баб своих, в смысле. Жену, секретаршу.

Все из него жилы тянут и веревки вьют, все! Все под себя прогибают, словно он не мужик. Не мужик, а тряпка половая.

Ну, а если... найти в себе силы признаться... то так оно и есть, между прочим.

Он зашел в кабинет, открыл ноутбук и проверил почту. Одна ерунда — и ничего по делу. Ничего! Словно всех клиентов слизала страшная таиландская ураганная волна.

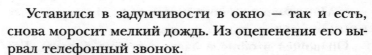

Уставился в задумчивости в окно — так и есть, снова моросит мелкий дождь. Из оцепенения его вырвал телефонный звонок.

Он вздрогнул и схватил телефонную трубку.

— Кто? — переспросил он. — Ведяева Дарья? А, по поводу места. Я понял. Ну, что ж, приходите. Когда? А когда вам удобно? Прямо сейчас? Вы здесь, в холле? Ну, поднимайтесь, Ведяева Дарья. Будем на вас «посмотреть».

«Шустрая, — подумал он, — раз — и внизу, прямо в холле. Ну, что же. Посмотрим. Приезжая наверняка». У него абсолютный слух — мама-то дирижер-хоровик. Нездешний акцент он сечет, что называется, с полоборота.

В дверь постучали, и он открыл. На пороге стояла девица. Бледная моль, серая мышь — как там еще?

Он даже поморщился — уж слишком неказистая и незаметная была эта Дарья.

Она тоже вроде как растерялась — стояла, не шелохнувшись, и хлопала серыми, в бледных ресницах, глазами.

— Ну, проходите. — Он пропустил Ведяеву Дарью вперед.

Провел в кабинет, уселся за стол и указал ей на стул.

— Рассказывайте, — не очень вежливо буркнул он, понимая, что Даша эта — не «наша». В смысле ему не подходит. Категорически.

Она дернулась, чуть подалась вперед, побледнела, громко сглотнула в волнении слюну, отчего он поморщился, и начала:

— Ведяева Дарья, — сказала она, — мне девятнадцать. Ну, почти двадцать. Будет в апреле.

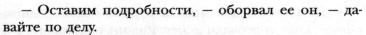

— Оставим подробности, — оборвал ее он, — давайте по делу.

Она снова кивнула и снова сглотнула.

— Да-да, безусловно. Окончила курсы секретарей-референтов. Знаю английский — ну, разговорный и читаю. Со словарем, — пролепетала она.

— Опыт работы, — сурово поинтересовался он, — имеется?

Она снова подвинулась к краю, он глянул на стул — не свались, сердешная! Изъерзалась от волнения.

— Нет, — прошелестела она, мотнув головой, — почти нет.

— Что значит — почти? — удивился он. — В каком это смысле?

— Ну-уу, — протянула она, — в смысле того, что я мало работала. Вот. Всего два месяца. Дома.

— Дома — это где? — уточнил он. — Вы откуда?

— Из Энска, — тихо ответила она, — это город такой, на Волге. Точней, городок.

Он откинулся на стуле и кивнул.

— Знаем. Бывали.

Почему-то сказал о себе во множественном числе. Сам удивился.

— Правда? — обрадовалась Ведяева Дарья. — Давно?

Он махнул рукой.

— Да в прошлом веке. В общем, лет двести назад.

Она расстроилась.

— А-а, так давно... Хотя... — она чуть задумалась, — с тех пор, наверное, ничего и не изменилось. Как был медвежий угол, так и остался, — она тяжело вздохнула, словно переживая за свой городок.

— Ну, и? — спросил он. — Что было дальше?

Она пожала плечами:

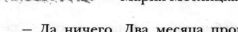

— Да ничего. Два месяца проработала в одном офисе. Они торговали деревянными поддонами, ну, и всем остальным. А потом прогорели. Закрылись. И все.

Он снова кивнул:

— Ну, все понятно. И тогда вы решили... Рвануть в столицу, я так понимаю?

— Так, — подтвердила она, — просто... там, дома, совсем нет работы. Совсем! Ну, или только в торговле — на рынке или в продуктовом. Платят копейки, — тихо добавила она и покраснела.

— Понятно! — Он вздохнул, встал и прошелся по комнате. — Все едут в Москву. В столицу. Здесь есть возможности, да? — спросил он, уставившись на нее.

Она пожала плечами и неуверенно ответила:

— Ну да... наверное.

— Наверное! — покачал он головой. — Вот именно, что «наверное»! А не наверняка, понимаете?

Она послушно кивнула и опять побледнела.

— Да ничего вы не по-ни-ма-ете! — почему-то разозлился он. — Совсем ничего! Вот смотрите, зарплата секретаря — да? Да! Зарплата. Тысяч двадцать, не больше. Ну, двадцать пять — на крайняк. При вашем досье-то. Без опыта и все остальное. Согласны?

Она смотрела в пол и чуть заметно мотнула головой.

— Итак — двадцать. Ну, пусть для начала, — повторил он. — Ну, пусть даже двадцать пять. Больше, простите, вам не дадут. Из них проесть — минимум десять. И это если совсем экономно — «Доширак», «Ролтон», картошка и макароны. Все. Понимаете, все! Ни фруктов, ни кофе, ни тортика и ни сыра с колбаской. Ну, или там пару раз в месяц, не больше. В день получки, как говорится. Два — жилье.

То есть комната, угол. Хотя скорее второе. На комнату вы не потянете. Угол. В лучшем случае у тихой и вредной бабульки койка под вытертым одеялом. Вечером бабулька смотрит все сериалы подряд вместе с ток-шоу. А ночью храпит. И еще вредничает, придирается, дает советы, рассказывает про подвиги жизни и с тоской вспоминает милые сердцу советские времена. Ну как, симпатично? Не правда ли, Дарья? И угол этот убогий вам обойдется не меньше десятки. Ну, или тыщ восемь — как повезет. Если у черта, простите, в заду. И что остается? На пудру, помаду? Мороженое? На кофточки и все остальное? А маме послать, а? Наверное, надо и маме послать?

Она вдруг как-то вся сжалась, окаменела и качнула головой.

— Нет. Маме не надо. Мама... умерла.

— О господи, — сказал он, — ну, совсем плохо. Ну, папа там или бабуля с дедулей. Хотя положение дел это никак не меняет. Вот это важно! Вы будете недоедать, мерзнуть в дешевой куртяшке, промокать в дрянных сапогах, шарахаться от ментов, бояться этого шумного и неприветливого города, терпеть нужду и страдать. Вот я о чем! Вы понимаете? Такие зарплаты — ну, если только для бестолковых москвичек. У которых есть дом и семья. Мама и папа прокормят, ну, а жилье и так есть. Так, на шпильки и сигареты. Этого хватит — если по-скромному.

Она молча кивнула.

— Ну и выводы? — риторически спросил он. — Езжайте лучше домой. Там хоть родня... И квартира.

— Нету родни, — сказала она. — Никого. Папы и не было. Никогда. А дед с бабушкой умерли. Комната есть — в частном доме. С печкой. Колодец на улице. И туалет.

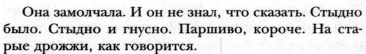

Она замолчала. И он не знал, что сказать. Стыдно было. Стыдно и гнусно. Паршиво, короче. На старые дрожжи, как говорится.

Она молчала и смотрела в окно.

Он, тяжело вздохнув, наконец произнес:

— Ладно, Ведяева Дарья. Оставьте свой телефон. А там — там посмотрим. Может быть, вы и правы: Москва — город возможностей. Неограниченных. Кто знает — может, карьеру сделаете. А может, богатого жениха подберете. Всяко бывает. Чудеса, наверное, все же случаются. Хотя...

Бледная моль Дарья Ведяева явно обрадовалась и закивала:

— Да-да, конечно! Вот мой мобильный!

Он протянул ей листок бумаги, и она старательно, чуть высунув кончик языка, красивым, каллиграфическим почерком оставила свои координаты.

Он молча кивнул — аудиенция, типа, закончена, и она, поднявшись со стула, медленно пошла к двери.

Там обернулась и тихо и неуверенно сказала:

— До встречи?

Он пожал плечами:

— Как получится.

Она опять побледнела и обреченно кивнула:

— Ну да...

Он откинулся в кресле и стал покачиваться — ага, как же! Карьеру она сделает! Замуж удачно выйдет! Мышь незаметная — зубки торчат, бровки домиком. Здесь, в столице, таких на рубль пучок. А уж красавиц — так тех вообще море. А олигархи слегка в меньшем количестве, надо сказать.

Потом опять загрустил — конечно! А кто придет ко мне на собеседование на такую зарплату? «Зряплату», как шутила его матушка. Хорошие секретари, знаете ли, меньше чем на полтинник не согласятся. Вот и эта сука, Полинка... А что, права! Девка она ловкая, коммуникабельная. Кого хошь уболтает. Покойнику впарит, как говорится. И денег хотела вполне справедливо. Все они справедливые — и Полинка-умница, и Инка-красавица. Все хотят жизни красивой, душистой. Безбедной.

Да и он был бы рад. Нет, честное слово! Да разве ж он отказал бы стерве Полинке? Разве жалел бы на красавицу женушку? Да никогда! Просто... денег-то нет! Банально нет денег. А есть долги и кредиты. Такие дела.

Выпил чаю — к кофемашине боялся притронуться — и лег на диван. Сразу уснул.

Проснулся через пару часов, и снова от телефонного звонка.

Звонила соискательница. Голос противный, писклявый. Визгливый даже: «Скоко-скоко? Двадцать пять? Да вы что, дядя? Сейчас таких получек не бывает!»

Да пошла ты, «получка»! — трубку швырнул со злостью.

Открыл окно — пахнуло свежестью и холодком. Закурил.

Что делать-то? Что? Как сказать Инке, что дела такие хреновые, что... хоть в петлю. Нет, Инка туда не полезет — она жизнелюбка. Выпучит томные очи, ресничками хлоп и спросит металлическим голосом: а что ты раньше, Коля Куропаткин, думал? Когда женился, сына рожал? Семья, мой дорогой, это ответственность. Большая ответственность! На это способны только настоящие мужики. Ну, думай, что делать. Думай, Коля! Ты ведь мужик? Или как?

И мерзенько так прищурится. Сразу унизит, растопчет и ноги вытрет. Одновременно.

Он бухнулся на диван и закрыл глаза. Хорошо бы снова уснуть — чтобы хоть пару часов не думать об этом. Но сон не шел. А шли странные воспоминания. Такие странные, что он удивился.

Например — вспомнился город Энск, откуда была родом бледная моль Дарья Ведяева.

Бывал он там лет двадцать назад. Тогда. Матушка его туда услала, от знойной грузинки спасая.

Городок этот ... Ну, как все городки средней России — провинциальный донельзя, с кривобокими улочками, с частными домиками. С памятником вождю на центральной площади. Вождь мирового пролетариата был смешным и нелепым — руки ниже колен, кепка в руке, а размер ботинок — тут вообще обхохочешься. Тридцать пятый, похоже. Такой ваял спец. Каждый год вождя серебрили — красили серебрянкой для свежести. Он блестел, словно новый таз. А птицам было все равно — птицы-то гадили и гадили на серебряную фигуру. Городок был с пустыми прилавками, кафешкой под названием что-то вроде «Ромашки» или «Ветерка». Ну, все как обычно. Скука, серость, покой. Но! Вечером грохотала дискотека на площади, и возле нее дежурил милицейский «УАЗ» — махач происходил ежедневно и по-серьезному.

Он снимал комнату у немолодой одинокой вдовы. Вдова была работником почты, и от нее пахло картоном и сургучом. Женщина она была спокойная и невредная. Только иногда... запивала. Пила, правда, тоже тихо: ставила у кровати бутылки и начинала «гулять».

Стонала громко — так, что сердце рвалось. Тогда приходила ее племянница Ольга. Девушка лет двадцати. Хорошенькая блондинка со вздернутым носиком и небесно-голубыми глазами. Она была славная, эта Ольга. Именно это определение ей подходило. Видя Куропаткина, она то бледнела, то краснела, то опускала глаза. Он отпускал ей дурацкие комплименты, и она снова бледнела и «входила в краску».

Она даже в какой-то момент ему понравилась — ну, от скуки, что ли. Или подобный тип был ему незнаком — милая, скромная провинциалка. А уж по сравнению с недавней знойной докторицей!..

Она ухаживала за почти невменяемой теткой, и Куропаткин удивлялся ее терпению. Однажды они сели на кухне пить чай. Разговор не клеился, она смущалась и отводила глаза.

А он веселился, подначивал ее, подкалывал и отпускал столичные шуточки. Тогда она подняла глаза и тихо, но твердо сказала ему, что вот этого делать не надо.

Теперь смутился и покраснел он.

С удивлением он вдруг обнаружил, что ему нравится смотреть на ее, казалось бы, такое неяркое и даже невзрачное лицо. Ее спокойная милота как будто успокаивала его. Теперь ему казалось, что и в такой неброской красоте есть своя тихая прелесть — как в природе среднерусской полосы — ничего яркого, резкого для глаза, только спокойная ласковая зелень, мелкие соцветия полевых блекловатых цветов и тонкие, прозрачные молодые березки по краю изумрудно-медового поля.

Ему нравилось, что она говорит мало, только отвечая на его вопросы, а по большей части молчалива. Она не вскрикивала, не охала, не причитала. Если

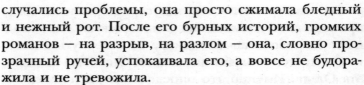

случались проблемы, она просто сжимала бледный и нежный рот. После его бурных историй, громких романов — на разрыв, на разлом — она, словно прозрачный ручей, успокаивала его, а вовсе не будоражила и не тревожила.

Она стал теперь ее ждать — по вечерам в саду, на скамейке. Она приходила и молча садилась рядом. Молчать они могли долго — шелестел листвой сад, гулко падали яблоки, ударяясь о землю, и негромко пели поздние птицы.

Пахло чуть подвядшей августовской травой, мятыми яблоками и душистым табаком.

Он брал ее за руку, она чуть, почти незаметно, вздрагивала, но руки не отнимала.

Сначала ее ладонь была прохладной, почти холодной, но скоро она становилась теплее, и он сжимал ее крепче.

Потом она шла к тетке, кормила ее, сквозь стену он слышал глухой разговор, а спустя час она опять выходила во двор.

— Спит, — коротко бросала она и, вздохнув, добавляла: — Слава те господи. Угомонилась.

Однажды она рассказала, что теткина судьба «не приведи боже» — муж утонул, когда тетка была на сносях. Ребеночка она не доносила, да и вообще с этого времени все покатилось под горку.

Тетку она жалела, ходила к ней, а вот ее мать, родная сестра, с той не общалась — не могла простить ей какую-то мелочь вроде пропавших золотых часиков их покойной матери.

Однажды она призналась, что в Энске ей жить тяжело — грустно и безнадежно. Замуж она не пойдет — да не за кого! Кто посмелее, давно уехал, а кому все

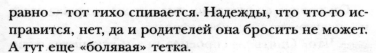

равно — тот тихо спивается. Надежды, что что-то исправится, нет, да и родителей она бросить не может. А тут еще «болявая» тетка.

Он горячо и бурно начал уговаривать ее бросить Энск, наплевать на все и уехать в Москву.

Она качала головой, чертила на земле кружок босоножкой и не отвечала.

Потом вдруг подняла голову, внимательно посмотрела на него, и он увидел в сумраке августовского вечера ее светлые, прозрачные глаза.

— Боюсь, — сказала она. — Одна — очень боюсь!

— Чего? — не понял он.

— Всего, — усмехнулась она и добавила: — Москвы, например. И тебя.

— А меня-то за что? — глухо хохотнул он. — Разве я страшный?

— Для меня — выходит, что да. Потому... — она помолчала, — потому что ничем это все... хорошим для меня не кончится.

Он вдруг смутился, кашлянул и — ничего не ответил. А что тут ответишь?

Только понял одно — а она-то права!

Это понял, а все остальное — конечно же нет.

В тот вечер тетке было особенно плохо, и Ольга осталась.

Он лежал за стенкой и слышал, как тетка вздыхает и стонет. Ольга спрашивала ее, не надо ли чего — воды или сердечных капель.

Под утро, уже светало, а он все лежал почему-то без сна, тетка угомонилась — раздался ее богатырский, раскатистый храп.

Он вышел на кухоньку и увидел, что Ольга сидит на табурете, положив голову на стол, — спит.

Он тронул ее за плечо, она тут же открыла глаза и с испугом на него посмотрела.

— Что? Опять? — спросила она и вскочила, откинув назад распустившуюся косу.

Он мотнул головой:

— Спит, все нормально. И ты иди. Поспи хоть пару часов.

Она кивнула, одернула платье и пошла в коридор.

Он остановил ее, взяв за плечи, и развернул к своей двери.

Она обернулась, глянула ему в глаза, побледнела, но в комнату зашла.

Он вошел следом и закрыл дверь.

— Ложись, — кивнул он на кровать.

— А... ты? — тихо спросила она.

— А я тут, в креслице, — усмехнулся он.

Креслице было старое, драное и колченогое. Она с сомнением посмотрела на него и покачала головой.

Потом подошла к его кровати, легла к стене, отвернулась и глухо сказала:

— Ложись. Места хватит.

И почему-то громко вздохнула.

Он быстро лег, стараясь не касаться ее тела, но она чуть подвинулась к нему и спустя пару минут обернулась.

— Ты... уверена? — хрипло спросил он, боясь на нее посмотреть. — Не пожалеешь?

— Да, уверена, — коротко ответила она. — И уж точно, — тут она усмехнулась, — уж точно не пожалею!

После той ночи она оставалась часто. Они ничего не обсуждали, не разговаривали на тему их отношений, хотя он все ждал, что она — впрочем, как и все женщины, — спросит однажды: а что будет дальше?

Ожидая ее, он лежал в постели и смотрел в потолок. Она, обиходив тетку, тихо прикрывала дверь, стягивала платье и белье, аккуратно раскладывала вещи на стуле, и, подавляя тяжелый вздох, шлепая босыми ногами, шла к нему.

Он видел в темноте ее белое, словно фарфоровое, тело, светящееся белизной почти прозрачной кожи, крупную женскую зрелую грудь и волосы, которые она быстро, одним движением, мгновенно и легко распускала. Они мягко ложились на плечи и струились по узкой спине.

Она осторожно ложилась с краю, они замирали, не смея дышать, но через пару минут он резко разворачивался, приподнимался на локте, и...

Все это продолжалось недолго, месяца три с половиной или четыре.

Кончилось лето, пролетел теплый и неожиданно солнечный сентябрь, и тут же начался холодный октябрь, обдав резкими ветрами и накрыв уже почти не проходящими, сплошными колючими ливнями.

В октябре он так затосковал, что ежедневно бегал на почту и заказывал разговоры с матерью.

Она умоляла его «досидеть до весны», боясь, что времени прошло слишком мало и что он вернется к «царице Тамаре». Та, по непроверенным слухам, была прощена и снова жила в Москве.

Он рассмеялся, сказал, что это все «ее больная фантазия», возврата туда нет и не будет.

Мать не верила ему, врала (он это чувствовал), что грузинский ревнивец его караулит по-прежнему, и умоляла не приезжать.

Но в середине ноября он точно понял, что едет в Москву. Ничего не сказав матери, он стал собираться.

Однажды Клавдия, его квартирная хозяйка, хитро прищурившись, спросила:

— Лыжи востришь?

Он дернулся и покраснел.

— С чего вы взяли?

Она махнула рукой:

— А чему удивляться? Зиму ты тут не высидишь, знаю!

— Все-то вы знаете, — буркнул он.

Мучил его разговор с Ольгой. Были даже трусливые мысли просто сбежать. Без объяснений. Просто уехать, когда Клавдия уйдет на работу, и все. Просто и быстро. Главное — просто.

Но не решался. Понимал, что с Ольгой надо поговорить. Только о чем? Сказать ей спасибо за, так сказать, проведенные совместно часы и минуты? За то, что скрасила его дни в этой постылой ссылке? За то, что одарила теплом и любовью? Не поскупилась на нежность?

Глупость какая! И как это выговорить? Смешно. Наврать, что едет ненадолго? Типа — дела? И что вернется?

Ну, это вранье она тут же раскусит. Она ведь не дура! Наврать, что приедет за ней? Слишком подло. Она станет ждать и надеяться. Такие, как она, готовы ждать жизнь, а не годы.

Начеркать письмецо? Это, конечно, проще. То есть совсем легко. Например, так — все было чудесно и даже волшебно. Но, ты понимаешь — там мой город и мать. Ничего не попишешь — такое бывает. Спасибо за все. И — прощай. Буду помнить всю жизнь!

Все правда, кроме последнего. Помнить «всю жизнь» он и не собирался. А то, что все было чудесно, чистая правда, ей-богу! Ни капельки лжи. Только вот... вряд ли ее это сильно утешит.

Ну а жизнь, как всегда, мудрее. Сама подсказала, как быть.

Ольга спросила сама:

— Когда ты... домой?

Он растерялся, что-то забормотал, а она перебила:

— Да езжай ты! И поскорее. Зимой тут вообще... невыносимо. Ты уж поверь. И дом этот... холода плохо держит. Щели одни, посмотри!

Он шагнул к стене и провел рукой по шершавым бревнам.

— Да, ты права — уже сейчас... очень холодно.

Она кивнула:

— Ну, вот! Я ж... говорю...

Потом резко вышла из комнаты, а он смотрел на захлопнутую дверь, не решаясь выйти за ней.

Минут через десять она позвала его ужинать.

Он сел за стол, а она накладывала ему в миску картошку. Ели молча. Он бросал на нее осторожные взгляды и видел, как она с аппетитом ест, как берет еще кусок хлеба, отрезает колбасу и хрустит соленым огурцом.

Она была, казалось, совсем не расстроена и даже весела.

Потом они пили чай, пришла с работы тетка и вывалила из бумажного пакета свежие пряники.

Разговор пошел общий, пустой, ни о чем, и тетка только переглядывалась с племянницей, или ему так казалось.

Потом тетка ушла к себе, а Ольга стала убирать со стола, и они снова молчали.

Он пошел к себе, обронив осторожно, что ждет ее в комнате. Она ничего не ответила. Он лег на кровать, взял книгу, но чтения не получалось — он прислушивался к звукам, доносящимся с кухни, а позже — из комнаты. Ольга о чем-то спорила с теткой, но звук был монотонный, приглушенный, и он ничего так и не понял.

Он сам не заметил, как уснул — под стук очередного дождя по жестяной крыше, дождя, который так уже всем надоел.

Проснулся он ночью и удивился, что ее рядом нет. «Значит, обиделась, — подумал он, — ну да, все правильно. Я, конечно, сволочь отменная, но... Я же ничего ей не обещал. Ничего! Она все знала — что я — временщик, что мать меня «спрятала». Что оставаться я здесь не намерен. И что уеду — совсем скоро уеду. Ну, а то, что случилось... Так по взаимной договоренности, если хотите! Она девочка взрослая, двадцать два — не пятнадцать, ну, и все остальное. А то, что обиделась, — это понятно. Любой бы обиделся. А уж женщина...»

Письмецо он все-таки написал. Вышло дурацким: «Спасибо за все! Ну, и прости — жизнь есть жизнь, она и диктует. У нас разные жизни и разные планы. И снова — прости».

Письмецо это неловкое он положил на колченогий и шаткий кухонный стол тети Клавы.

И был таков. В поезде, отъезжавшем от городка, он вдруг загрустил. На душе стало зябко и пусто, словно вот сейчас, когда он уезжает, надеясь при этом, что навсегда, у него что-то забрали — не то, что вроде дорого ему и сильно нужно, но все-таки...

Поезд шел ночь, и наутро, в самую рань, в полшестого, он вышел на московский перрон.

Было довольно холодно, и вокзал, пути и вагоны были укутаны плотным туманом, перемешанным с запахом паровозного дыма.

Он постоял на перроне, жадно вдыхая эту сладкую и знакомую смесь запахов большого и очень родного города, расправил плечи, улыбнулся и бодро пошел на выход.

Та недавняя и очень короткая жизнь, которую он проживал еще вчера, осталась так далеко, что он тут же забыл ее — не жалея о ней ни минуты.

И не вспоминая, кстати, почти никогда. Или — совсем никогда.

Исключая сегодняшний день. Из-за этой нелепой Ведяевой Дарьи.

* * *

Он лежал на диване, то проваливаясь в странный тяжелый сон, перемешанный с явью. То просыпаясь — тревожно, словно очнувшись от тяжелой болезни. И снова впадая в небытие.

Потом, наконец, проснулся, открыл глаза, попил теплой невкусной и старой воды из бутылки и посмотрел на часы. Было довольно поздно, почти семь вечера, и он удивился, что жена ни разу не позвонила.

Он взял телефонную трубку и набрал ее номер.

Голос ее был раздраженным и злым.

— Что, Куропаткин? Очнулся?

Он что-то забормотал, пытаясь найти оправдания. Он всегда разговаривал с ней, словно оправдывался. Такая форма сложилась давно, но каждый

раз он расстраивался, словно впервые, чувствуя себя шкодливым и глупым ребенком.

Она перебила его и прибавила голосу:

— Мужчина — это ответственность, Куропаткин! Ты меня слышишь? А то, что делаешь ты... Это, знаешь ли... беспредел! Вот что это такое!

— Почему беспредел? — удивился он. — И вообще, при чем тут именно это слово?

Лексикон ее первого мужа.

Инна Ивановна на вопрос не ответила, выкрикнув еще что-то обидное, вроде того, что он — настоящий козел и дерьмо, и бросила трубку.

Он встал с дивана, окончательно разбитый и поверженный, достал из сейфа бутылку хорошего коньяка — для гостей. И стал пить прямо из горла — от большого душевного расстройства и даже практически с горя.

Выпив почти до дна, он снова рухнул на свой сиротский диван, просипев вслух почти неразборчиво:

— Значит — вот так? Значит, развод, моя милая! Ну, хорошо! — последнее прозвучало совсем угрожающе.

И снова уснул. Утром, часов в шесть, он проснулся от страшной боли в спине — диван производства славного украинского города Н. объяснил ему, где раки зимуют. Кряхтя и постанывая, согнувшись почти в дугу, он еле дошел до туалета, чтобы умыться и привести себя в порядок.

Глядя на свое отражение, он четко понял одно — являться с такой мордой домой он не вправе.

И дело даже не в жене, дело в Ваньке.

— Ох, ну и рожа! — сказал он вслух и покачал головой.

Вернувшись в офис, он дрожащими руками поковырялся в кофеварке, понимая, что если не крепкий кофе, то лютая и мучительная смерть.

Кофе получился — вот что значит напрячься, — и он стал понемногу, медленно и тяжело, приходить в себя.

Раздался телефонный звонок, и глухой женский голос спросил про «оклад» и «социальный пакет».

Он озвучил «оклад», пропустив мимо ушей вопрос про «пакет», и голос захохотал раскатистым, почти мужским смехом:

— Вы это как — серьезно?

Он сурово кашлянул, спросив, что соискательницу так удивило.

— Да козел ты! — грустно ответила та и, тяжко вздохнув, бросила трубку.

Второй раз за сутки его припечатали этим «чудесным» словцом. Инна Ивановна и эта баба.

«Не многовато, любезный?» — спросил он себя и снова расстроился.

«Видимо, правы», — совсем взгрустнулось ему.

Но взял себя в руки и все-таки решил, что надо бороться. Для начала следовало поесть. Точнее, пожрать. Он заказал большую пиццу, самую острую, и перченые куриные крылья — чтобы взбодриться.

Потом достал из шкафчика свежую сорочку, носки и трусы. Переоделся, смочил водой волосы, сбрызнулся одеколоном и стал ждать свой ланч.

Плотно поев, он почти пришел в себя, снова сварил кофе и принялся разбираться в Полинкином хозяйстве.

Наведя кое-какой порядок, он подустал и решил устроить передых. Не стал ложиться на неудобный

диван, а сел в кресло — намеренно, чтоб не уснуть. Вытянул ноги, откинул голову и закрыл глаза. «Релакс, — объявил он, — ну, или как ее... медитация!» Расслабон, короче, если не очень мудрить.

А перед глазами вдруг снова возникла Ольга и тихий и сонный Энск. Вот почему? От тоски? Словно по медленной, затянутой ряской реке в старой лодке без весел, чуть покачиваясь, несли его воспоминания — неспешно, растянуто, как при замедленной съемке.

И он вдруг подумал, что Ольга и те несколько месяцев полного покоя и отсутствие африканских страстей, возможно, были самыми счастливыми и беззаботными днями в его бурной жизни. Эта мысль потрясла его! Просто пробила до дрожи.

А Ольга — Ольга была лучшей женщиной в его жизни. Лучшей! Потому что ничего она от него не хотела. Ничего не просила — даже самой малости! Ничего не требовала. И всем была довольна и, кажется, счастлива. А он... Он ничего не заметил! Не оценил. Не прочувствовал и так и не понял. Что такая, как Ольга...

Что с такой вот, как Ольга, ну, или с такими, и надо проживать жизнь. И вообще... Там, в Энске, в старом, щелястом и холодном домике почтальонши Клавы, на узкой железной скрипучей кровати он был счастлив — воистину счастлив только тогда!

Так ему показалось.

Потому что его любили. И ничего не хотели взамен — ничего, кроме любви.

А он не заметил. Не разглядел и не понял, что жизнь надо тратить не на Инну Ивановну Евсюкову, которая часто, очень часто, когда была недовольна собственным мужем, называла его козлом, а на Ольгу.

Разве она бы осмелилась? На такое вот слово?

И сегодня, и в любое другое тяжелое время такая, как Ольга, не пеняла б ему, что главное для мужчины — чувство ответственности.

Потому что у мужчины очень много различных «чувств» кроме этой ответственности — обида, вина, боль, отчаянье. Слезы и жалость — пусть даже к себе. Слабости всякие.

Как и у всех прочих людей. В том числе у женщин.

Ему стало так горько, так обидно и так тоскливо, что разболелось сердце — правильно, справа.

И по всему выходило, что он — идиот. Законченный кретин и дурак.

А значит, и Евсюкова, и тетка, звонившая насчет «оклада», абсолютно правы: он — настоящий козел.

И Николай Куропаткин заплакал. Горько заплакал.

И сквозь слезы, без остановки катившиеся из глаз, он снова видел Ольгу — ее легкие светлые волосы, прозрачные, словно летнее небо, глаза, тонкую белую шею с голубой, еле заметно пульсирующей жилкой и ощущал — почти наяву — ее теплую, мягкую и нежную руку на своем плече, ну, или груди.

И ему стало так жалко ее, такую нежную, тихую и беззащитную... Такую наивную!

Но еще больше ему стало жалко себя.

Он то снова спал, словно в бреду или в мороке, то тяжело просыпался, пил воду из крана, до кофе и чая дело не доходило, и снова бухался в кресло, моля об одном — отключиться.

Чтобы не думать про свою прошлую жизнь, про потерянное счастье и про жизнь настоящую — вот про эту — паче всего!

И вдруг что-то пронзило его, проняло до костей, до жил так ярко, как вспышка зарницы — остро, внезапно, сиюминутно и так горячо и больно, что он подскочил, обливаясь обильным потом, и тут же открыл глаза — Ведяева Дарья! Эта белобрысая девочка! Эта маленькая, тихая, серая мышь! Она ведь... Она ведь вполне... Вполне могла быть!

Нет! Чушь и бред! Больные фантазии воспаленного и расшатанного алкоголем мозга. Такого не может быть! Потому... Да потому, что все это так отчаянно пахнет дешевой, леденцовой мелодрамой, которую приличный человек даже не будет смотреть.

Эта такая чушь, подобные совпадения возможны только в малобюджетном кино.

Да нет. Невозможны вообще. Придумать такое под силу только такому писаке, которому просто совсем нечего выдумать.

Да чтобы так — в стольном городе, где количество жителей, как говорят, давно перевалило за двадцать миллионов. В его крошечный офис, в пустяковую, маленькую компанию приходит — случайно, заметьте! — его внебрачная дочь!

Или? О господи! Нет, никогда. Никогда его Ольга такого не сделала бы. Отправить их общую дочь вот так вот к нему? Конечно, предположить можно — имя, фамилия, возраст ей известны. И что получается? Она наказала дочурке приехать к папаше — ну, так, навестить. Сообщить о себе. Ну, а потом... Не зря говорят, что эти провинциалы совсем другие, чем раньше. Приперлась, чтобы отжать. Ну, что-нибудь — деньги хотя бы. Просто чтоб навредить. Отомстить. За себя и за мать. Влезть в его жизнь — сытую и налаженную. Ведь про все остальное ей не-

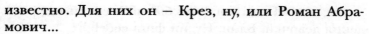

известно. Для них он — Крез, ну, или Роман Абрамович...

Нет, бред. Точно бред. Тогда бы эта Ведяева заявилась совсем по-другому. Пришла бы и объявила о том, кто она такая. Он бы, конечно же, сразу не повелся — нашли дурака! Да и время сейчас другое — есть экспертиза ДНК и так далее.

Он бы ее не выгнал, эту девицу. Сразу — не выгнал бы, нет. Но на отцовство бы не подписался. А если? И что тогда? Да представить себе это страшно. Зная Инну Ивановну, милую женушку. Ох, летела бы Ведяева Дарья с лестницы — да не дай бог ей такое. Вмиг бы забыла про все свои посягательства, встретившись с Инной Ивановной, женщиной строгой и очень конкретной.

«Постой-ка! — тут его словно подбросило. — А ведь эта девица сказала, что мать ее умерла. И из родни — никого. Та-ак. Остановка. Надо все вспомнить — весь разговор с ней, до мелочей. Так-так».

Он вспоминал. Из Энска, да, точно. Мать умерла. Отец неизвестен. Бабка и дед тоже там, далеко. В смысле — на небесах и на кладбище. Дом без удобств, печка, сортир во дворе. Все сходится. Все это — про Ольгу!

Ольга жила с родителями в деревянном бараке совсем без удобств. Он вспоминал, что она добивалась каких-то дров на зиму, бегала по инстанциям, подписывала кучу бумаг.

Так, выходит... Он уезжал, а она... она уже была в положении. И ничего ему не сказала! Милая Оля! Бедная девочка... Постой, Куропаткин! А арифметика? Ее пока что не отменили. Эта Дарья сказала, что ей почти двадцать. Так-так. Он принялся быстро считать. И снова окатило, да так! Ё-мое! Все сходится, все! И год, когда он был в Энске, и год рождения девочки. Блин. Ну, ни фига себе!

Куропаткин плюхнулся в кресло, и оно заскрипело, накренилось, и металлическая ножка мстительно и яростно хрустнула. И Николай Куропаткин упал.

Он сидел на полу, словно застывшая мумия, и не мог шелохнуться. Болела спина, да так сильно, что он стал подвывать, словно брошенный пес.

Потом приподнялся с карачек — кряхтя и постанывая, будто дряхлый старик.

С усилием сел на диван, потом осторожно прилег и замер — все сходится, блин! Эта девочка, Дарья, его родная дочурка. Его и Ольги. Такие дела.

«Что делать, Колян? — спросил он себя. — Что делать-то, Коля?»

Мысли неслись галопом, точно как в лихорадке, не поспевая одна за другой. Маме? Позвонить маме и все рассказать? Бедная мама, мамочка! Сколько горя я принес тебе, дорогая! А ты — ты спасала меня, как могла! Вытягивала из моих вонючих болот, из бесконечных передряг — тащила. Протягивала руку и снова молилась. Чтобы твой сын, кретин и дурак, наконец осознал. А я? Я женился на Евсюковой и снова тебя огорчил. Да какое там — огорчил! Я сломал твою жизнь. Не только свою, но и твою! Евсюкова тебя ненавидит. За что? Говорит, что ты, моя милая, вырастила урода. Хотя ты, дорогая, ни разу — повторяю, ни разу — не отказала снохе. Сидела с Ванькой, отпускала нас отдыхать. Продала свою трешку, переехала в однушку, чтоб мы внесли деньги за свое жилье, взяв ипотеку. Ты отдала ей свою единственную ценную вещь — золотое колечко с гранатом, то, что осталось от бабушки. А эта дрянь скорчила морду — она такое не носит! Не носишь — верни. Так нет, продала! Продала за копейки. Стерва какая!

А если бы я тогда привез Олю? Какой бы Оля была тебе невесткой! Ты бы ее полюбила. А уж она тебя — да что говорить! Вы бы пекли пироги, варили варенье и ворковали на кухне. Вы б ужились. Кто б сомневался! И ты бы осталась в своей любимой квартире. В нашей квартире!

Господи боже! Простите меня, мамочка, Оля и девочка Даша!

Простите, родные!

И Николай Куропаткин снова заплакал.

Постойте! А вдруг? Вдруг это все... бред воспаленной фантазии? В конце концов, Энск не такой уж и маленький город. Тысяч двадцать жителей — наверняка. Мало ли женщин, родивших без мужа? Мало ли женщин, живущих с родителями? Мало ли женщин, живущих с сортиром на улице? Да целая куча! И с чего это он все придумал? Дурак.

Он поднялся с дивана и заходил по комнате. Та-ак. Надо проверить! Как? Да проще простого. Элементарно, Ватсон! Сейчас он найдет телефон этой Дарьи, и все будет ясно!

Он выскочил в секретарский предбанник, бросился к столу и тут же нашел листочек с координатами Дарьи Ведяевой.

Дрожащей рукой набрал ее номер. Она взяла трубку тут же, со второго звонка.

— Слушайте, Дарья! — сумбурно и взволнованно начал он. — Это Николай Куропаткин. Вы ко мне приходили. Да-да, на «Спортивную», в офис. Наниматься на службу. Так вот что я, собственно, хотел

вам сказать. Точнее, узнать, — тут он притормозил и, смущаясь, спросил: — А как ваше отчество, Дарья?

И замер.

— Отчество? — переспросила она удивленно. — Николаевна. Дарья Николаевна Ведяева — отчеканила она, и в ее голосе появилась надежда. — А что? Вы меня... нанимаете?

Все сходится. Это его дочь. И Ольга дала ей его отчество.

Куропаткин молчал. Молчал долго, минуты три. Потом наконец хрипло выдавил:

— А как вы про нас узнали?

— Обыкновенно, — спокойно ответила Дарья, — из газеты «Работа для всех». Есть такая газета. Ну, да вы же знаете. Сами давали туда объявление!

— Давал, — тупо повторил он, — и в Интернет — тоже давал.

— Ну, вот, — обрадовалась она, — значит, все правильно, да?

— Правильно, — так же тупо повторил он.

И снова возникла пауза.

— Так я вам... подхожу? — тихо и осторожно повторила она. — Ну, раз вы... звоните?

— Слушайте, Дарья, — вдруг быстро заговорил он, — я не об этом. А как, вы меня извините, звали вашу мать?

— Кого? — удивилась она. — Мою мать?

Он повторил резко:

— Да! Вашу мать!

Она тихо вздохнула и ответила:

— Света. Светлана. Светлана Николаевна Ведяева.

— Какая Светлана? — удивился он. — Такого не может быть! Почему вдруг Светлана?

— Ну, так ее звали, — осторожно сказала Дарья

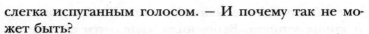

слегка испуганным голосом. — И почему так не может быть?

— Так, подождите! — грубо оборвал он ее. — А отчество? Ну, ваше отчество. Вы — Николаевна, да? Значит, ваш отец был Николай?

— Нет, — ответила она и громко всхлипнула. — Как звали отца, я не знаю. Мама не говорила. Она... вообще не хотела о нем говорить... А Николаем был дедушка. Мой дедушка Коля. Ну, и они решили, что отчество я буду носить его.

Она замолчала, не очень понимая, почему этого странного человека интересуют такие подробности.

— Дедушка? — озадаченно переспросил Куропаткин. — А мать — Светлана? — туповато повторил он. — Ну, все понятно, — как-то расстроенно произнес он и нехотя добавил: — Я перезвоню вам, Дарья. Надеюсь, не возражаете?

Она совсем раскисла, расстроилась и грустно сказала:

— Конечно. — И торопливо добавила вслед: — Я буду ждать. Очень-очень.

Куропаткин нажал отбой и плюхнулся в секретарское кресло. Покрутился немного — вправо и влево. Просвистел какую-то песенку. Включил кофеварку и снова крутанулся вокруг своей оси, подумав, что Полинкино кресло куда удобнее его и, судя по всему, намного дороже.

«Стерва! — в который раз подумал он. — Наглая стерва!»

Пока он пил кофе, раздумывая, стоит ли ехать домой или, может, остаться еще на одну ночь в офисе, чтобы Инна Ивановна слегка задумалась

о своей личной и семейной жизни. Чтоб испугалась. В конце концов. Вспомнила, цаца, что ей уже сорок. И что целлюлит, и что ботокс. И что... Да есть над чем задуматься, кстати. При всей ее прелести ... А возраст-то виден. Не девочка, чай. А он, Куропаткин, еще о-го-го! Высокий и стройный, без всякого брюха. И волосы есть, и хорошие зубы. Смотри, Евсюкова! Ты, милая, с ярмарки. А мужик в сорок пять — завидный жених...

Настроение у него улучшилось, кофе он выпил с большим удовольствием и почувствовал, как хочется есть. Он пересчитал наличность и понял, что обед в ресторане ему по плечу. И черт с ней, с законной. Сейчас он умоется, побреется и — вперед! В «Джеральдино» или к Гураму. Италия — Грузия, а чего хочется больше? Он выглянул в окно и увидел свой припаркованный синий «Ниссан».

Неплохо. Вполне интересный, здоровый мужик. Уже — с легким сердцем. Уже полчаса с легким сердцем! И почти без проблем. Уф, пронесло. С этой Дарьей. Пронесло, что говорить! А если бы нет? Вот началось бы тогда... Подумать страшно! Внебрачная дочь — и все, что с этим связано. Ее надо было бы опекать, помогать материально, куда-то селить, трудоустраивать. И все это — под бдительным оком Инны Ивановны. Бр-рр! А уж ее-то реакция! Ну, здесь все понятно. Даже самая терпеливая, умная и хорошая женщина вряд ли обрадовалась бы такому сюжету. А что говорить про нее, Евсюкову?

А что трудности в бизнесе — так у кого их, собственно, нет? Он будет бороться, сражаться, стремиться. И — вырулит. Точно. Подумаешь — сложности! Впервые, что ли?

И все у него, Куропаткина, будет отлично. Он справится. Такое бывало не раз. И что? Проносило!

А вот по поводу Евсюковой... Здесь, конечно, сложнее. Любит он эту дуру и стерву. Любит. И Ваньку. Ну, ладно. Что делать? Не самое страшное — капризная и избалованная жена. К тому же — при всех своих недостатках Инна Ивановна верная. Налево не смотрит. Хозяйка хорошая. Ну... Неплохая. Не любит, когда в доме грязь. И кстати! Насчет готовки. Борщей, конечно, не варит и пирогов не печет, а вот фетуччини с грибами готовит! И лазанью, и киши там разные — с грибами и сыром. Не очень он, правда, любит все это, но... Ему бы котлеток с борщом. Но это не Иннина пища. Плебейская, в смысле. Но это можно поесть у мамули. Кстати, всегда.

И еще фасолевый суп. Ум-мм!

Куропаткин вздохнул, надел пиджак, запер офис и спустился вниз. В ресторан идти расхотелось — захотелось домой. Так захотелось!

Он быстро доехал до дома, поднялся на свой этаж и, повертев в руках ключи, чуть подумав, нажал на звонок.

Жена открыла дверь и посмотрела на него так, словно раздумывая: пускать — не пускать?

Потом, однако, вздохнула и чуть отступила назад.

— Привет! — сказал Куропаткин и скинул ботинки.

— Поправь, — кивнула она на развалившуюся обувь. — У нищих слуг нет!

Куропаткин нагнулся и выровнял свои ботинки.

Она удовлетворенно кивнула, усмехнулась и молча ушла на кухню.

Он, не торопясь, вымыл руки и тоже пошел вслед за ней.

На кухне работал телевизор — какая-то чушь по «Домашнему» — что-то из жизни миллионеров: рублевские жены хвастались успехами маститых мужей и проводили экскурсии по дому.

Жена жадно всматривалась в экран, и на ее лице было растерянное и жалкое выражение.

Ванька ковырялся в тарелке с овсянкой и раскачивался на стуле.

— Не качайся! — резко бросила Инна. — Стул счас развалится!

— И спину сломаешь! — подхватил Куропаткин.

Жена бросила на него уничижающий взгляд и зло усмехнулась.

— Папа пришел! Воспитатель! — прокомментировала она мерзеньким и елейным голоском.

Ванька испуганно переводил взгляд с одного родителя на другого.

Куропаткин сел за стол и посмотрел на сына:

— Ну, как успехи? В школе и в гольфе?

Ванька глянул на мать, словно спрашивая у той разрешения — а стоит ли вообще отвечать на вопросы этого человека?

Инна отвернулась к плите, но вся ее гордая и очень прямая спина кричала, вопила и негодовала в адрес *этого* человека.

Ванька пожал плечом:

— Да нормально! А ты, пап, где был?

— В командировке, — ответил Куропаткин, немного краснея.

Инна Ивановна фыркнула, но ничего не сказала.

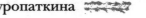

— Инн, — наконец спросил муж, — а можно что-то поесть?

Она резко повернулась к нему, и он увидел, как на ее щеках запылали алые розы.

Молча и со стуком она поставила на стол сыр, масло и хлеб. Налила себе кофе и села за стол.

Куропаткин снова вздохнул и промямлил:

— А кофе?

Она ничего не ответила, дернулась и стала о чем-то расспрашивать сына.

Куропаткин встал, сварил себе кофе, взял два бутерброда и молча пошел к себе, чувствуя на своей спине ее очень пронзительный, просто испепеляющий взгляд.

«Хорошая получилась бы из нее актриса, — устало подумал он, — ну, в каких-нибудь сериалах. На НТВ».

Он сел за письменный стол, открыл ноутбук и принялся за бутерброды. Потом услышал, как хлопнула входная дверь — жена повезла сына на занятия.

Он расслабился, потянулся и встал. Прошелся по квартире — и с удовольствием отметил, как все красиво у них и со вкусом.

«Нет, молодец все-таки Инка, — подумал он. — Вот как все умеет! Тут вазочка, тут скатерка. Тут торшерчик затейливый. Зеркало, шторы. Здорово как. И как красиво. Женская рука, что говорить!»

Он принял душ уже совсем счастливый — дом свой он любил, — потом налил чаю и пошарил в холодильнике. Там обнаружился какой-то кусок пирога. Откусил — с творогом. Съел с удовольствием.

Потом пошел в гостиную, включил телевизор и на канале «Спорт» нашел биатлон.

В кресле было уютно, в доме тепло. И он в хорошем настроении совсем расслабился и задремал.

Перед этим подумав, какое же счастье, что его *пронесло*! А с Инкой — да все разрулится. Сколько раз ссорились, какие дела!

Разбудил его телефонный звонок. Приятный женский голос справлялся насчет работы.

Он все объяснил и, кашлянув для солидности, попросил соискательницу рассказать о себе.

Она представилась — Инна Фролова.

При слове Инна его слегка передернуло. Но дальше все было приятно — Инне Фроловой было под тридцать, разведена, имеет малолетнюю дочь. Дочь живет с мамой недалеко — в Балашихе. А она, Инна Фролова, имеет жилплощадь в Москве. На Комсомольском проспекте. Деньги большой роли для нее не играют — ну, такие обстоятельства, можно без подробностей?

Можно. Конечно.

А что волнует? Да неохота дома сидеть. Три года сидела, и так надоело, что... да что говорить. А ваш офис — ну прямо у дома. Пешком минут десять. С десяти и до шести, правильно? Вот! Два выходных — все прекрасно. Меня все устраивает. А вас? Да, опыт имею — ну, не такой уж большой, но...

И она назвала фирму-конкурента — Куропаткин чуть не присвистнул от неожиданности и удивления.

Завтра? Устраивает, а почему нет? Да нет, не то чтобы спешно, но очень хочется выйти.

Ну и договорились на завтра.

Инна пришла через пару часов — бросила презрительный взгляд на сидящего в кресле мужа и, ничего не сказав, только хмыкнув, ушла на кухню.

Он слышал, как она говорит по телефону — голос был приглушён телевизором, и разобрать ничего было нельзя. Наверное, с мамашей. Естественно, со своей. Его матери она никогда не звонит.

Тещу свою он... мягко говоря... Нет, не надо мягко — надо как есть. Тещу свою, Аделаиду Степановну, он ненавидел.

Жуткая тетка. Такая махина с пергидрольной башней на голове — с чёрными наведёнными бровями, с ярко-алой помадой и бриллиантами с полкулака.

Аделаида Степановна всю жизнь прослужила в гостинице. Работала с *контингентом* — так она называла иностранных гостей. Стучала, наверное. Наверняка! Небось при погонах. Не меньше майорских. Такой, правда, и генеральские очень к лицу.

Хвасталась, что у неё в ушах «по коттеджу». Мужа своего, скромного и «никчёмного» Ивана Ильича, всегда презирала. Но не разводилась. Сохраняла, так сказать, статус.

Иван Ильич был скромным бухгалтером в строительном тресте. Стырить там было нечего, вынести тоже. Ну, муж «ни о чём», что говорить. Аделаида любила со скорбным лицом рассказывать, что «дети и дом были на ней». Так оно, конечно, и было. Ее рассказы «про жизнь» были до противного однообразны — уважительно она говорила о знакомых, с которых что-то имела, — мясник Поливайко, маникюрша Светлана, зубница Клара Васильевна. Лида из «Арбатского», из гастрономического отдела. Скорняк Рабинович, ювелир Наум Маркович. Спекулянтка Зойка из магазина «Весна».

«В доме у нас было *все!*» — гордо заявляла она, предварив тем самым любые вопросы, — а может быть, чего-то и не было, а?

Да кто бы решился об этом спросить? Нет таких смелых. Зятя своего, Куропаткина, она, естественно, не любила и считала человеком никчемным. А мужа так и вовсе отправила в ссылку на дачу — чтоб не маячил перед глазами, ну и вообще — не портил настроения ей, королеве.

Дочку обожала и очень жалела — ну, не такая судьба же должна была быть у ее красавицы, не такая! Да где она, справедливость? Впрочем, кое-что понимала: Инка не девочка, есть ребенок — ну, встретит кого-нибудь поудачливей, и нечего думать! А не судьба — пусть живет с Куропаткиным. Черт с ним.

Слава богу, весь ее пыл был направлен на сына и на сноху. Вот уж несчастная женщина! Сын был тоже никчемным — отпрыск папашин, и она все про него понимала. Тухлая кровь. Но винила во всех бедах сноху. Ох, той доставалось!

А любимую дочь, как могла, утешала. Поддерживала, ну и, конечно, жалела.

Мать Куропаткина со сватьей не общалась — раз в году на дне рождения внука, и все, выше крыши. Ну и теща ее не жаловала — оно и понятно.

На свадьбе мать сказала ему:

— Колечка, я все... понимаю. Ну, или стараюсь понять. Но здесь — уволь. Никогда!

Куропаткин все понял и, разумеется, согласился.

Теща приезжала довольно часто. Сидела на кухне, трясла дорогими подарками Ваньке и с укором смотрела на зятя.

Инка с ней нежно ворковала, сплетничала, обсуждая родню и знакомых, вместе они поливали невестку Людмилу, допоздна пили чай, и она, слава богу, уезжала домой. После нее на кухне оставался тяжелый и терпкий запах цветочных духов и длинные белые волосы в раковине в ванной комнате.

Куропаткин подумал, что Аделаида сейчас поливает его помоями и плачет от жалости к дочке. «Ну и черт с вами, — подумал он. — Подумаешь, новость!»

Хотя, конечно, настроение подпортилось, что говорить.

Он ушел в спальню и долго не мог уснуть, ворочался, было душно, и ему казалось, что тянет тещиными духами.

Инна зашла в комнату, зажгла настольную лампу, села за туалетный столик и начала свои манипуляции, предшествующие приятному сну. У нее вообще была мания — высыпаться. Не менее девяти часов. Иначе — беда. Старение, блин, кожи лица. Трагедия жизни!

Раньше он любил подглядывать за ней — чуть приоткрыв глаза. Ему нравилась сосредоточенность, с которой она разглядывала себя, поворачивая голову. Как изящно открывала баночки с кремами, расчесывала волосы, заплетала «ночную прическу» — косу.

Потом, почему-то вздохнув, она гасила свет, стягивала кружевную сорочку и осторожно ложилась в постель.

А он, словно подросток, вдыхал ее запах, зажмуривал в блаженстве глаза и, чуть обождав, клал ей руку на грудь.

Тогда еще она отзывалась!

Сейчас все, разумеется, повторялось. Он видел, как она села на пуфик, как тяжело вздохнула, вни-

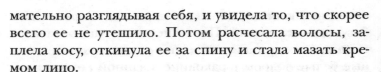

мательно разглядывая себя, и увидела то, что скорее всего ее не утешило. Потом расчесала волосы, заплела косу, откинула ее за спину и стала мазать кремом лицо.

Потом выключила свет, снова вздохнула, стянула рубашку и легла на свое законное место.

Куропаткин осторожно повернулся к ней и, почти не дыша, положил руку ей на плечо.

Она резко скинула его ладонь и возмущенно сказала:

— Ну, ни стыда ни совести у человека! Совсем обнаглел!

И Куропаткин отвернулся к стене. Очень сильно обидевшись.

Утром он сам варил себе кофе и делал бутерброд. Жена его игнорировала. Ваньку отвез в школу он, болтая с ним по дороге о каких-то роботах — последнем увлечении сына.

А дальше поехал в офис, по дороге набрав телефон Инны Фроловой.

Та тут же откликнулась, весело и бодро сообщив, что будет ровно в одиннадцать. Это удобно?

В офисе было все так же неряшливо и пустынно. Он стал прибираться — помыл вчерашние чашки и блюдца, протер пыль со стола и даже полил цветок на подоконнике — последний привет от стервы Полины.

Потом он поправил галстук и воротник новой сорочки, сбрызнулся одеколоном и слегка намочил топорщившиеся волосы. Сел в свое кресло, поерзал, поднялся и поменял его на кресло Полины.

— Знай свое место! — проворчал он, примериваясь к новому креслу.

Ровно в одиннадцать: точность — вежливость королей, и это он очень любил, — раздался стук в дверь.

— Войдите! — отчего-то хрипло, будто волнуясь, крикнул он, и дверь растворилась.

На пороге стояла... красавица. Нет, не так. На пороге стояла красавица обалденная!

Он даже опешил.

— Вы ко мне? Не ошиблись?

— Да нет, это я! — рассмеялась Инна Фролова и села напротив.

Она, эта Инна, была из тех женщин, от которых он всегда терял голову. Да и не только он, несомненно! Она была довольно высокой, с прекрасной фигурой — не слишком худая, плотная, длинноногая. Пепельные волосы были затянуты в хвост, перехваченный синей бархатной лентой. Синий пиджак, серая юбка. Белая маечка под пиджаком. Пальто из плотного черного драпа она небрежно бросила на спинку стула в прихожей. Высокие, под колено, блестящие сапоги и маленькая сумочка в цвет. На пальцах пара колечек, в ушах скромные серьги. Косметики минимум и очень со вкусом.

Она, видя его растерянность, мягко улыбалась и слегка покачивала стройной ногой в высоком и, видимо, недешевом итальянском сапожке.

Он взял себя в руки, напустил строгий вид и повел разговор. Приврав, что прежняя секретарша ушла в декрет, работы — увы — не так много, ох, ох. Кризис, будь он неладен!

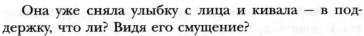

Она уже сняла улыбку с лица и кивала — в поддержку, что ли? Видя его смущение?

Потом, откашлявшись, он еще раз спросил насчет зарплаты. Осторожно и все же неловко.

— Вы правильно меня поняли, Инна? Увы, больше платить сейчас не смогу. Ну, дела не то чтобы плохи...

Ну, и дальше пошел всякий бред про коварных партнеров, про взлетевший евро, приплел туда же несчастную Грецию, зажатую Евросоюзом в тиски, основную поставщицу товара, — ну, вы понимаете! Потом неожиданно для себя вдруг рассказал — коротко, правда, — про «некорректное поведение» Полины.

Она мягко остановила его.

— Да вы не расстраивайтесь так, Николай Григорьевич! Беременная женщина, ну, вы понимаете... А контакты я восстановлю, не сомневайтесь.

И повторила, что зарплата ее не очень волнует. Главное — что удобно и близко от дома.

Работа. Дочка на бабушке, с мужем в разводе. В общем, тоска. Надо чем-то заняться.

Потом она прошлась по офису, оглядев все опытным глазом. Предложила сварить кофе, ну, или чай. Вы любите черный или зеленый?

Он, растерянный и ошарашенный внезапно привалившей удачей, даже счастьем, согласился на чай, и они выпили чаю. За которым она коротко, не вдаваясь в подробности, рассказала, что совсем недавно развелась с мужем, серьезным бизнесменом. Квартира, слава богу, осталась за ней, да и машина тоже. Деньги на дочь он дает, и достаточно. И вообще, как правильно, что они подписали брачный контракт.

Потом она вымыла чашки, сложила их аккуратно на чистой салфетке, сказала, что надо купить пару пачек хорошего кофе, итальянского. Не возражаете? Ну. И еще так, по мелочи — сушки, печенье, хороших конфет. Ну а дальше — там будет видно.

Он тупо кивал и со всем соглашался.

Они распрощались и договорились, что выходит она в понедельник. Так как сегодня пятница. Ну, все понятно.

Инна Фролова вышла, оставив шлейф легких и тонких духов, которые он с удовольствием громко втянул ноздрями.

После ее ухода он наконец словно очнулся, бодро заходил кругами по офису, почему-то приговаривая: «Ну, дорогая, посмотрим!»

Что это значило, он и сам точно не знал, знал только, что кому-то грозится. Наверное, Инне Ивановне и противной Полине.

В подробности он не вдавался. Был возбужден и полон надежд. Отчего возбужден? И какие питал надежды?

Да непонятно. Наверное, так окрыляет мужчину новая и незнакомая женщина, да?

Очень красивая женщина, надо сказать.

Он вернулся с работы рано, принялся читать с сыном книжки. Потом играли в «стрелялки». Недолго — долго не позволяла жена. Ну, права.

А назавтра договорились поехать в «Детский мир» — за этими роботами, о которых так мечтает Ванька.

На жену он почти не смотрел, словно ее и не было вовсе. А когда она позвала обедать, нехотя встал, словно делая ей огромное одолжение.

Увидев в тарелке кусок приготовленной на пару рыбы и отварную брокколи, скривился и уставился на жену.

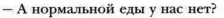
— А нормальной еды у нас нет?

Она почему-то растерялась, опешила и не ответила хамством.

— Есть пельмени... готовые... хочешь? — перепуганно сказала она.

И он с тяжелым вздохом согласился на пельмени.

— Уж лучше готовые, чем эта бурда.

Ванька тоже закапризничал и стал отпихивать тарелку с рыбой, затребовав готовых пельменей.

И Инна, к удивлению сына и мужа, молча сварила пельмени.

Ночью она, как всегда, легла на свою половину и чуть — самую малость, но он заметил, — придвинулась к нему.

А он отвернулся и тут же уснул. Но перед сном ехидно подумал: «А-а, прочухалась! Значит, не дура. Хотя бабы и без мозгов все просекают — сердцем чуют, как в фильме сказано. Вот пусть и помучается. А то... совсем обнаглела. А ну как закручу роман с тезкой — вот тогда и посмотрим. Чего стоит твой безответственный муж Николай Куропаткин!»

Инна откинулась на спину и уставилась в потолок. «Странно все это, — думала она, — и что это значит?»

Расстроилась, долго не могла уснуть и решила, что с утра позвонит маме. Может, она все объяснит?

Утром она, нажарив оладий, бегала по кухне и заглядывала мужу в глаза. А Куропаткин был неприступен, болтал только с Ванькой, обсуждал с ним планы на день.

После завтрака они стали собираться, и Ванька спросил, берут ли они с собой маму.

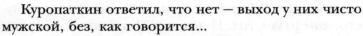

Куропаткин ответил, что нет — выход у них чисто мужской, без, как говорится...

Ванька вздохнул и кивнул. И было неясно, расстроился он или не очень.

Инна задумчиво смотрела в окно, наблюдая, как муж и сын садятся в машину. Потом убрала посуду, села на стул, посидела немного и стала звонить матери.

А после — подружкам, Кристине и Яне. Перетереть. Ну и, конечно, все про них, про козлов. Про мужиков в смысле.

День прошел бодро и весело — купили игрушки, поели в «Макдоналдсе» запрещенную пищу и даже сходили в кино.

Инна позвонила всего пару раз, и то на телефон сына — мужа не беспокоила.

Придя домой, Куропаткин молча выпил чаю и так же молча лег спать.

Но сон почему-то не шел. Совсем. Он снова стал вспоминать Ольгу и Энск. Думал о Дарье Ведяевой и ее незавидной судьбе. Потом вдруг в голову пришла совсем нелепая и дикая мысль — а может быть, Ольга и родила? Не Дарью, понятно. Другую девочку, ну, или парня. И ходит та девочка или тот парень по шумному, дикому, страшному городу и ищет работу. А работу ему или ей не дают. Шугают провинциалов, обманывают. Такие, как он. Впрочем, он никого не обманывал, нет.

А может, не Ольга тогда родила. В смысле — от него, дурака. А какая-то другая женщина, с кем он когда-то... Во Владивостоке в командировке. Дежурная по этажу. Имени он ее, конечно, не помнит. Но ведь было! И кто там знает, чем дело кончилось? Или вот в Воронеже, например. Девочка Нина. Ее

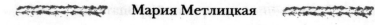

он запомнил. В Воронеж тогда он ездил довольно часто, три раза в год. И девочка Нина была. А вдруг... она? Вдруг?

Он встал с кровати, пошел на кухню, выпил воды, покурил. Снова выпил воды. И лег на диване в гостиной.

Рано утром в понедельник он позвонил Дарье Ведяевой.

— Вы еще в свободном полете? Да? Тогда выходите на службу. Сегодня. Сможете? Ну и отлично. Я жду вас. Пока!

А потом позвонил Инне Фроловой. Извинялся долго, сумбурно. Она, кажется, удивилась, но ничего не спросила. Вежливо попрощалась и пожелала удачи. «Чудесная женщина, — без сожаления подумал Куропаткин. — Чудесная. Умная, красивая, воспитанная. Как в песне поется: «Ах, какая женщина! Мне б такую!»

Но у него уже есть женщина — пусть не такая, но... тоже красивая. К тому же мать его сына.

А та, умная, красивая и очень воспитанная, — она не пропадет. Это точно. Потому что таких, как она... Раз, два и обчелся.

А Ведяевых Дарий много, конечно. Но ему важно, чтоб не пропала именно эта.

Раз уж случилась конкретно она. Раз уж пришла к нему, к Куропаткину Коле. Тому еще «деятелю», как говорится!

Хорошему «бедокурщику», — как говорила еще его бабушка.

В десять утра его новая секретарша робко вошла в офис.

На ее бледном лице блуждала растерянная и счастливая улыбка.

314

И было видно, что к подвигам она вполне готова. Как впрочем, и он, Николай Куропаткин.

И правильно говорит любезная Инна Ивановна: мужчина — это ответственность. И, кстати, за свою бурную молодость тоже.

«Начинать надо, господа, с себя. Именно с себя. Тогда, возможно, все и наладится», — подумал Куропаткин и включил ноутбук.

И с этого дня он очень гордился собой.

Содержание

Литературно-художественное издание

ЗА ЧУЖИМИ ОКНАМИ
ПРОЗА М. МЕТЛИЦКОЙ И А. БОРИСОВОЙ

Метлицкая Мария

КРОВЬ НЕ ВОДА

Ответственный редактор *Ю. Раутборт*
Младший редактор *А. Семенова*
Художественный редактор *П. Петров*
Технический редактор *О. Лёвкин*
Компьютерная верстка *Г. Клочкова*
Корректор *О. Степанова*

ООО «Издательство «Э»
123308, Москва, ул. Зорге, д. 1. Тел. 8 (495) 411-66-86; 8 (495) 956-39-21.
Өндіруші: «Э» АҚБ Баспасы, 123308, Мәскеу, Ресей, Зорге көшесі, 1 үй.
Тел. 8 (495) 411-68-86; 8 (495) 956-39-21.
Тауар белгісі: «Э»
Қазақстан Республикасында дистрибьютор және өнім бойынша арыз-талаптарды қабылдаушының
өкілі «РДЦ-Алматы» ЖШС, Алматы қ., Домбровский көш., 3«а», литер Б, офис 1.
Тел.: 8 (727) 251-59-89/90/91/92, факс: 8 (727) 251 58 12 вн. 107.
Өнімнің жарамдылық мерзімі шектелмеген.
Сертификация туралы ақпарат сайтта Өндіруші «Э»

Сведения о подтверждении соответствия издания согласно законодательству РФ
о техническом регулировании можно получить на сайте Издательства «Э»

Өндірген мемлекет: Ресей
Сертификация қарастырылмаған

Подписано в печать 28.09.2015. Формат 84x108 ¹/₃₂.
Гарнитура «NewBaskerville». Печать офсетная. Усл. печ. л. 16,8.
Тираж 30000 экз. Заказ О-2773.

Отпечатано в полном соответствии с качеством
предоставленного электронного оригинал-макета
в типографии филиала АО «ТАТМЕДИА» «ПИК «Идел-Пресс».
420066, г. Казань, ул. Декабристов, 2.
E-mail: idelpress@mail.ru

ISBN 978-5-699-84699-3

Книги Татьяны БУЛАТОВОЙ
для женщин
от 18 до 118 лет

Книги Татьяны Булатовой заставляют задуматься о тех, кто рядом. О тех, кого мы любим и не всегда, увы, понимаем!

Мария Метлицкая

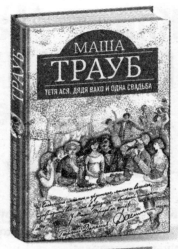

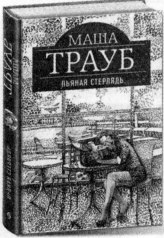

Соединить смешное и грустное, малое и великое, изобразить все как в жизни – большой талант. У Маши Трауб он есть!

Георгий ДАНЕЛИЯ